МУЖСКОЙ КЛУБ

ФАНТАСТИЧЕСКАЯ АВАНТЮРА

ВИКТОР
ТОЧИНОВ

УИК-ЭНД
С МЕРТВОЙ
БЛОНДИНКОЙ

САНКТ-ПЕТЕРБУРГ
ИЗДАТЕЛЬСТВО «КРЫЛОВ»
2008

ББК 84Р1-44
УДК 882
Т 64

*Рисунок на обложке
Игоря Савченко*

Точинов В.
Т 64 Уик-энд с мертвой блондинкой. — СПб.: Издательство «Крылов», 2008. — 416 с. (Серия «Фантастическая авантюра»).
ISBN 978-5-9717-0641-0

Простой российский менеджер очень не хочет сидеть в тюрьме.

Однако все к тому идет — в квартире Паши Шикунова лежит женщина, по неосторожности убитая его рукой. Если труп найдут здесь, неизбежны арест, суд, приговор, долгие годы за решеткой... Но если устроить так, что мертвец обнаружится подальше отсюда, то мало ли где и от каких случайностей погибают люди...

Так размышляет Шикунов, придумавший надежный способ эвакуации тела, — размышляет, возвращаясь в свое жилище.

Труп исчез.

Без помощи Павла, без чьей-либо еще помощи — взял да испарился из запертой и поставленной на сигнализацию квартиры.

Некоторые наивно верят, что мертвые не воскресают.

© Точинов В., 2008
ISBN 978-5-9717-0641-0   © Издательство «Крылов», 2008

УИК-ЭНД С МЕРТВОЙ БЛОНДИНКОЙ

Александру Щеголеву,
певцу ужасов ночи,
шалопаю,
думающему о вечном,
но хотящему странного,
посвящается.

ГЛАВА I
ПЛОХОЙ МАЛЬЧИШКА

Его передернуло: да, труп...
А. Щеголев
«*Ночь, придуманная кем-то*»

1

Людям не дано прозревать свое будущее, но очень хочется. И стараются они как могут: раскидывают Таро и обычные карты, вглядываются в бобы и в кофейную гущу, обращаются к профессиональным шарлатанам... Иногда успешно, чаще всего нет.

Но порой будущее вполне очевидно — без всяких хиромантов и гороскопов. Например, если на полу вашей кухни лежит свежий труп человека, умершего насильственной смертью от вашей же руки... Тут гадать о дальнейшем не приходится: арест, суд, приговор, долгие годы за решеткой. Незачем мусолить наполненные оккультными знаниями фолианты. Достаточно заглянуть в тоненькую книжечку Уголовного кодекса.

Так Паша Шикунов и поступил.

Развернул дрожащими руками Кодекс — на статьях, повествующих о всевозможных убийствах. Цифры не обнадеживали. Самая маленькая — шесть лет. Шесть бесконечно кошмарных лет среди очень плохих людей. Человеком после такого не останешься. На свободу выйдет навеки запуганное и забитое животное.

Лющенко даже после смерти сохранила ехидное выражение лица. И по крайней мере, так казалось Паше, — ехидный взгляд мертвых открытых глаз. Словно радовалась: теперь-то, дескать, получишь свое сполна, пло-х-х-х-хой мальчиш-ш-ш-ш-ка...

«Плохой мальчишка» — слова вроде и не особо оскорбительные — Лющенко умела произносить с воистину змеиным шипением. Отшипела свое, сучка...

Паша с ненавистью посмотрел на нее, на расползшуюся из-под головы темную лужицу. Попробовал пересесть — мертвый взгляд, казалось, переместился вслед за ним... Оборвав петельку, Шикунов рванул со стены кухонное полотенце. Издалека, не приближаясь, накинул на мертвое лицо. Брезгливо подумал, что полотенце придется потом выбросить. И оборвал сам себя: какое еще «потом»...

НИКАКИХ «ПОТОМ» ДЛЯ НЕГО НЕ БУДЕТ.

Потом совсем другие люди подберут тряпку и приобщат к делу...

Стерва, стерва, стерва-а-а!!!

Ну почему он должен губить жизнь из-за какой-то гадины?

Которая к тому же сама во всем виновата? Сама на все напросилась?!

Нет, надо что-то придумать...

Он вновь сел к столу, закурил очередную сигарету. Стал думать. Кран на кухне подтекал, капли падали, отсчитывали что-то занудным метрономом... За окном светало — первые солнечные лучи пронизали затянувшее кухню табачное марево.

2

Лющенко носила красивое имя Ксения, но так ее никто из общих с Пашей знакомых никогда не называл. И уменьшительно — Ксюшей — тоже.

Говорили: Лющенко. Иногда и того хуже: наша отмороженная Лющенко.

Отчасти тому причиной стала старая школьная привычка называть всех по фамилиям (Шикунов с Лющенко когда-то были одноклассниками и жили по соседству). Но только отчасти. Во многом вину за такое обращение несли некоторые свойства характера Лющенко — весьма стервозного, прямо скажем, характера. Еще Андрюшка Кутузов, сидевший с ней в шестом классе за одной партой, вечно ходил с исцарапанными руками, — пускала в ход когти по любому поводу. И без повода тоже...

Годы шли, но характер вздорной девки не изменился. Разве что царапалась реже. Впрочем, Паша несколько лет с ней не виделся — долго жил и работал в Казахстане. Вернувшись, случайно встретил на улице минувшей осенью. И подумал: годы все-таки меняют людей, вот и Лющенко к своим двадцати восьми на человека стала похожа. Как же он ошибался...

Но в общении — так показалось тогда — действительно изменилась. Спокойно, без издевочек-ухмылочек, поздоровалась; назвала по имени, Павлом, а не прошипела, как бывало раньше: Ш-ш-шикуноф-ф-ф...

Постояли, поговорили. Расспросила — отнюдь не комментируя ответы язвительно — чем занимался после института (в студенческие времена доводилось порой встречаться); где пропадал последние годы, чем занят сейчас...

Паша отвечал лаконично, сначала даже несколько настороженно. По его воспоминаниям, Лющенко вполне способна была напустить на себя сочувственно-доброжелательный вид, прежде чем сказать расслабившемуся человеку особо выдающуюся гадость.

Не сказала.

Вместо этого поведала кое-что о себе: работает в сфере недвижимости, зарабатывает неплохо, вполне современная деловая женщина, семьей не отягощена, хоть и понимает: пора бы, дольше гулять вольной казачкой не стоит, и мужчина есть подходящий на примете — более чем обеспечен, и готов хоть завтра узаконить отношения, да что-то она все никак не может решиться — избранник на двадцать пять лет старше...

Звучало все спокойно, доброжелательно. И столь же доброжелательно прозвучал ее вполне естественный вопрос: а у тебя как на семейном фронте?

Паша ответил коротко: женат, двое детей, все в порядке.

И — соврал.

Но не объяснять же отмороженной Лющенко, что ничего у него не в порядке, что шесть лет брака идут псу под хвост по вине... Черт его знает, по чьей вине, оба, наверное, хороши, но он-то все осознал и понял и не повторит былые ошибки, а вот Лариска с ее попавшей под хвост вожжей... В общем, не предмет для уличных обсуждений.

Он соврал, но это ничего не изменило. Лющенко, как выяснилось позже, была в курсе всего. Умением вынюхивать сплетни отличалась феноменальным.

Однако вида не подала. И ничем информированности не выдала. Восхитилась: ну ты молодец! А кто: мальчики или девочки? Ах, сын и дочка? А как зовут? А сколько лет? Кстати, не надо ли — есть два билета, в Дом кино, на фестиваль старых советских мультфильмов, самых лучших... Сводил бы старшенькую, а то на штатовских мультсериалах, что нынче экраны заполнили, детей грех воспитывать.

Паша клюнул.

С деньгами по возвращении было не густо, побаловать дочку лишний раз хотелось... И он клюнул. Заглотил крючок, как глупый, прельстившийся червяком карась.

Так все и началось. А закончилось здесь, на прокуренной кухне...

3

Вопрос в следующем: видел ли кто-нибудь, как эта тварь шла к нему в квартиру?

Ответ: а хрен его знает.

В доме девять этажей, на каждой площадке семь квартир. Народу по лестнице ходит и в лифте ездит много, все жильцы друг друга и в лицо-то не помнят. Могли не заметить, не обратить внимания. Шансы неплохие.

Вопрос номер два: а кто, собственно, вообще знал, куда и к кому идет Лющенко?

С этим сложнее. Надо подумать. Живет (в смысле, жила до этой ночи) Лющенко одна. Родители съехали на оставшуюся от бабушки-дедушки квартиру, дабы не мешать обустраивать личное счастье доченьке... Хотя какое там счастье с таким стервозным характером, но это вопрос уже другой. Короче — жили раздельно. Перезванивались, надо полагать. Но едва ли Лющенко подробно и ежедневно докладывала, кого собирается осчастливить визитом.

Друзья, подруги? Даже не смешно. Исключаются по определению. Разве что случайно встретила кого-то знакомого по пути к Паше... Ну, допустим, встретила... И что? Тут же выпалила, что идет ночевать к Шикунову? А ведь могла, кстати. Вполне в ее духе. Особенно если надеялась, что как-то сказанное дойдет до Ларисы...

Но — ходьбы между их подъездами в соседних домах минуты три, максимум четыре. А в одиннадцатом часу вечера на улицах уже не так оживленно. Многие их общие знакомые — былые соученики — поразъехались из родного микрорайона. Кто остался — люди теперь солидные, семейные, с гитарами в сумерках не шатаются.

Можно допустить с большой вероятностью: никто в целом свете не знает, что Лющенко сейчас лежит и медленно остывает на кухне Паши Шикунова.

А это значит...

Это значит, что никто и не должен узнать. Мало ли людей выходят из дома и никогда не возвращаются? Газеты и стенды так объявлениями и пестрят: ушла из дому и не вернулась...

Почему он, Паша, должен долгие годы расплачиваться за несчастный, по большому счету, случай? Даже нет, за самоубийство! Точно. Только желающая покончить счеты с жизнью личность могла вести себя таким образом... Как дожила-то до своих лет — непонятно.

Вердикт ясен: самоубийство. Суицид. Неважно, что суду это никогда не докажешь. Доказывать ничего не придется, если...

ЕСЛИ АККУРАТНО ИЗБАВИТЬСЯ ОТ ТЕЛА.

М-да, легко сказать...

Практического опыта в таких делах Шикунов не имел. Откуда? Но, по счастью, подобным вопросом часто озадачивались персонажи детективов, которые Паша любил полистать на досуге. Придется вспомнить прочитанное. Хорошенько вспомнить...

Наиболее простой путь — вновь дождаться темноты и эвакуировать Лющенко на лестницу. Или сбросить с балкона. Самый простой путь и самый глупый. Исчезновение ее наверняка заметят уже *сегодня*, на работе уж точно... А если труп обнаружится *завтра* в непосредственной близости от шикуновской квартиры... Наверняка ведь хоть кому-то да проболталась о своем романчике с Пашей...

Нет, пусть уж Лющенко обнаружат где угодно, лишь бы не рядом с его домом. Тогда и перед людьми в погонах отрицать факт возобновления отношений незачем: ну да, провели пару ночей вместе, вспомнили детство золотое — и разошлись тихо-мирно, ничего друг другу не обещая. Ни конфликтов, ни общих дел не имели, ищите, дескать, в другом месте...

Но — для этого Лющенко должна покинуть квартиру незаметно. И обнаружиться должна чем дальше и позже, тем лучше. А еще лучше — вовсе не обнаружиться. Точно. Идеальный вариант. Дела об исчезновениях распутывают отнюдь не с тем тщанием, как дела об убийствах. Если бы удалось запустить слух, что она увлеклась черноусым красавцем из далеких краев... Ладно, это уже излишества. Достаточно надежно спрятать тело. Нет тела — нет и дела.

Перед глазами последовательно, как слайды на экране, пробегали картинки.

УИК-ЭНД С МЕРТВОЙ БЛОНДИНКОЙ

Вот Паша накачивает свою резиновую лодку и выплывает в предрассветной тьме на середину водоема — самого глухого, безрыбного, отравленного сточными водами, где нечего опасаться рыбаков с сетями или аквалангистов. Вот он аккуратно переваливает через борт длинный сверток, утяжеленный камнями... Пахнущая мазутом вода беззвучно раздается и так же беззвучно смыкается. Всё кончено. Да и не было ничего. Можно пойти домой и напрочь забыть привидевшийся кошмар...

Или — грезилось ему дальше — уединенная полянка где-нибудь в перелесках, примыкающих к Южной ТЭЦ. Он аккуратными пластами срезает и откладывает в сторону дерн, затем роет могилку, выбрасывая комья на заботливо подстеленный брезент. Опускает тело, засыпает, излишки земли — в припасенные мешки, дерн — на место... Без гроба уже через несколько месяцев можно будет откопать лишь скелет, не поддающийся опознанию. Хотя... Царскую семью вроде идентифицировали генными методами. Но там был случай особый, с найденными на пустыре мослами никто так дотошно возиться не станет.

Еще вариант — безлюдная по ночному времени стройка, Паша у бетономешалки (благо обращаться с подобными агрегатами научился в стройотрядах), длинный сверток ложиться в опалубку... Нет. Стройка отпадает. Ночью недолго напороться на сторожа с собаками, да и наметанный глаз прораба утром сразу заметит неладное. Лес или водоем вполне подойдут.

Но сначала надо туда попасть. Вместе с трупом. Как-то проскользнуть, проскочить мимо сотен окон, за каждым из которых может скрываться пара глаз, с любопытством взирающих на улицу.

4

Мультфильмы, на которые он сводил Натусика, оказались так себе — отнюдь не самые лучшие. Но дочка была довольна, а Паша поневоле испытывал к Лющенко некое чувство благодарности. И при следующей случайной встрече (случайной? ну-ну...) как-то само собой получилось — пригласил в гости. Не то чтобы официально, в конкретный день и час, просто предложил заскочить как-нибудь по-простому, по-соседски... Идиот.

Она не стала откладывать в долгий ящик — дня через три-четыре позвонила, напомнила, пришла. Ничего компрометирующего в визите не было — Лариса и дети оказались дома. Посидели втроем на кухне, отправив играть Натусика и Пашку-младшего. Попили чаю с принесенным Лющенко вафельным тортиком. Поговорили о том о сем, — основными темами стали воспоминания о школе да рассказы о Казахстане.

Выглядели тогда Паша с Ларисой — точнее, старались выглядеть при посторонних — вполне благополучной семейной парой. Сор из избы не выносили. Конечно, политика страусиная, — когда пресловутый сор уже подбирается к горлу, и к окнам и дверям сквозь него не протиснуться, поневоле разнесешь избу по бревнышку, лишь бы вырваться на свежий воздух... Сор, граждане, лучше все-таки выносить — ночью и маленькими порциями.

Но тогда, полгода назад, им казалось, что за лакированным фасадом их семейной жизни никаких глубоких трещин Лющенко не заметила. Зря казалось.

Ей замечать нужды не было, она (Паша только потом понял) *всё знала*.

Но, надо отдать Лющенке должное, дурой она не была. Прекрасно понимала, что соваться сейчас в семейную усобицу совсем даже не стоит. Она и не совалась. Просто держалась неподалеку, поддерживала дружеские отношения, не давала о себе забыть. Выжидала...

И дождалась.

Как-то само собой получилось, что, когда Лариса ушла вместе с детьми, и он понял — навсегда, и сходил с ума в пустой квартире, — позвонил Паша именно Лющенко. Без особых мыслей и планов, просто нужен был человек рядом, чтобы не дать скатиться в разверзшуюся у ног черную бездонную пропасть...

Она пришла.

И в тот же вечер они оказались в постели.

5

Машины у Шикунова не было, и это сильно осложняло дело.

Права имелись, но свою тачку он продал, уезжая из Казахстана, чтобы не перегонять за тысячи километров и не возиться со всеми таможенными формальностями. Хотя, может, особенных препон на российско-казахской границе и не существовало, он просто не узнавал, решив сразу: тут продам, там куплю — и все дела. Не сложилось.

Для начала выяснилось, что цены на авторынках Питера и Караганды несколько отличаются — и не в пользу Питера. Чтобы приобрести что-то равноценное, надо было хорошенько поискать... Но деньги, отложенные на покупку, как-то незаметно начали рассасываться — когда есть двое малолетних детей, а постоянной работы пока нет — вариант вполне закономерный.

В общем, машины у Шикунова не было. И денег на немедленную покупку тоже не было.

Такси?

Смешно... Сюжет для черненькой комедии — он волочит из подъезда Лющенку, якобы вусмерть упившуюся, и говорит таксисту: нам куда-нибудь за город, в местечко побезлюднее да полесистее; но вы подождите, я сейчас за мешками да за лопатой схожу...

Какие еще возможны варианты? Выбор широкий. Купить по дешевке самую развалюху, прогнивший «москвич» или раздолбанный «запорожец». Взять напрокат. Воспользоваться транспортом кого-то из знакомых — по доверенности. Угнать, наконец.

Развалюха — вполне реально, но опасно. Сломается на полпути, — и что дальше? Да и гаишники такой транспорт останавливать любят — знают, что найдут, к чему прицепиться. Не пойдет.

Прокат? Это в Америке легко и просто взять в аренду тачку. Как подступиться к такому делу у нас, Паша не имел понятия. И отложил вариант про запас.

Знакомые? Никто из знакомых ни ключей, ни доверенностей Шикунову не давал. Разве что обзвонить всех, кого только можно, сочинив какую-нибудь убедительную историю. Но рискованно. Это же сколько народу узнает, что ему вдруг срочно потребовался транспорт... А если люди в форме проявят интерес к Паше? Нет, доверенность — на самый крайний случай.

Вариант с угоном он не стал обдумывать. Понятия о ремесле угонщика были у Паши более чем приблизительные.

Значит — начать с проката. Полистать «Желтые страницы», узнать, какие фирмы этим занимаются, позвонить, спросить об условиях... Но это чуть позже, когда откроются конторы и офисы.

А сейчас стоит продумать главное — как труп преодолеет двадцать метров от дверей парадной до стоящей на подъездной дорожке машины (допустим, у него будет машина). Лестница и лифт — не так страшно, можно выбрать такое время суток, когда там никто не встретится. С вероятностью девяносто девять процентов не встретится — но рискнуть придется.

Главное — эти злосчастные двадцать метров. Почему-то Паше казалось, что именно тут он и погорит. Случайный прохожий на улице или страдающая бессонницей бабулька за окном, — и все, конец. Самое главное — не будет ведь покоя: видел кто? нет?

Тюк? Длинный сверток? Слишком подозрительный груз, и запоминающийся... Здоровенная коробка из-под холодильника, завалявшаяся в кладовке? В легковую машину не влезет, да и ворочать одному несподручно... Влюбленный несет на руках свою подругу? Ну-ну... А она обмякла и не шевелится...

Черт возьми! Любому нормальному человеку ясно, что убивать надо подальше от дома, на лоне природы — чтобы труп добирался туда своим ходом!

Да что уж теперь. Как получилось, так и получилось...

6

Как-то так получилось, что в тот же вечер они оказались в постели.

И ведь не было такого, чтобы к Лющенке его влекло и лишь Лариса мешала. Не было. Истосковаться от недостатка женской ласки Паша тоже не успел, хотя, конечно, радости семейного секса остались в прошлом задолго до ухода жены. Но были, были у Паши связи на стороне — легкие, ни к чему не обязывающие. Поначалу — когда пошла семейная жизнь трещинами — покончил со всем этим; потом увидел — не помогает, и осторожно принялся за старое.

В общем, он и сам не знал, как очутился с Лющенко на нерасстеленном диване. Вернее — зачем? Защитная реакция организма? Может быть... Страх, что сейчас она уйдет — и снова навалится одиночество? Еще вероятнее...

Самое смешное, что в тот раз у него ничего не вышло. Не отошел от шока потери. Потому что жену любил по-настоящему, и интрижки на стороне тому не мешали — наоборот, считал, что такое разнообразие вносит свежую струю, не дает браку иссохнуть, окаменеть, покрыться плесенью.

И детей любил — без всяких оговорок.

...Лющенко и тогда повела себя достойно — ни издевок, ни попреков. Хотя могла и умела, ох как умела... Но она метила выше. Собиралась не просто развлечь себя парой-тройкой обыденных случек. Закреплялась всерьез и надолго.

Утешила: перенервничал, с каждым может случиться, все наладится и поправится. И точно — на следующую ночь у Паши *получилось*.

Так у них и пошло — каждый вечер Лющенко приходила, и не просто на романтическое свидание... Обживалась. Готовила и мыла посуду, по-своему переложила все кухонные принадлежности, повесила новые занавески. Наверное, она была Паше нужна в те первые дни. Наверное, без нее он падал бы и падал в беспросветную яму тоски, и кто знает, каких чудовищ там бы встретил...

Но через четыре дня, когда потрясение сгладилось, у Шикунова словно открылись глаза. Он спросил сам себя: а что, собственно, здесь делает эта женщина? Очень мало знакомая и совсем его не интересующая?

И сам ответил себе: Лющенко здесь уже живет. Вот так, ни больше и ни меньше.

ГЛАВА II
ПРИКЛАДНЫЕ АСПЕКТЫ ХИРУРГИИ И ПАТОЛОГОАНАТОМИИ

Он поднял голову и посмотрел на нее...
А. Щеголев
«Ночь, придуманная кем-то»

1

Солнце поднималось все выше. Перевалило через стоявшую напротив девятиэтажку, залило ярким светом прокуренную кухню. Пора звонить, узнавать все что можно о прокате автомобилей, — но Паша не спешил. Незачем — пока не решен вопрос с транспортировкой трупа от подъезда до машины...

Хотя, если честно, решение имелось. Но Шикунов старательно обходил его, пытался найти какой-то иной, изящный и выигрышный вариант. Но таковых не оказалось. И мысли поневоле вновь и вновь сворачивали к нехитрому выводу:

ЦЕЛЫЙ ТРУП НЕЗАМЕТНО НЕ ВЫНЕСТИ. ЗНАЧИТ, НАДО ВЫНОСИТЬ ПО ЧАСТЯМ.

Он наклонился над телом. Сдернул полотенце с лица. Долго всматривался и уговаривал себя: это уже не человек, это груда мяса, костей и требухи. Куча мертвой органики. Какая разница — одна мертвая куча или две? Или четыре? Или восемь? Никакой.

Хотя есть, есть, есть разница. Если куча останется целой и неделимой, Паше придется долго об этом жалеть — несколько лет, каждый день. Жалеть в очень нехорошем месте.

Надо оттащить ее в ванну, подумал он. Оттащить и все подготовить. Может, за это время придет другая идея. Хотя в глубине души понимал прекрасно: не придет. Труп придется РАСЧЛЕНЯТЬ. Впервые Шикунов мысленно произнес это слово — и ему стало легче. Словно рухнул какой-то невидимый внутренний барьер...

Он ухватил Люшенко за лодыжки, показавшиеся странно теплыми, — и тут же выпустил. Пятки стукнули об пол. Паша торопливо рылся в выдвижном ящике кухонного стола, вываливая всевозможный ненужный, но отчего-то не выброшенный хлам — огарки свечей, консервный нож с обломанным лезвием, давно севшие батарейки, старый безмен, показывавший на полкило больше истинного веса... Наконец обнаружил искомое — пару резиновых перчаток.

Натянул, снова взялся за ноги трупа, потащил. Коротко и модно стриженные волосы Люшенко растрепались, собирали пыль и сор с пола. «Я у мамы вместо швабры...» — вспомнил Паша дразнилку, с которой в его школьные годы обращались к сверстникам, мало дружившим с расческой. Что-то там было еще, вроде даже в рифму, он не мог вспомнить и твердил про себя как заведенный: «Я у мамы вместо швабры, я у мамы вместо швабры...» И — помогало. Странным образом низводило все до уровня какой-то игры. Страшноватой, но все же игры.

...Пол в ванной был сантиметра на три-четыре ниже, чем в прихожей. Порожек казался совсем невысоким, обычно Шикунов его не замечал, перешагивал совершенно автоматически, но сейчас показалось: затылок Люшенко ударился о плитки пола с громким треском — словно кто-то сломал о колено толстую сухую ветку. Он на несколько секунд замер, сам не очень понимая — отчего. Потом выругал себя: все только начинается, впереди большая работа, если так будешь шарахаться от каждой тени и каждого шороха — лучше сразу пойти и набрать «02».

В ванне стоял таз с грязным бельем, пришлось аккуратно, вдоль стенки, обходить труп и выставлять емкость в прихожую. Вернулся, попробовал перевалить Люшенко в ванну, подхватив за плечи, — не вышло, тело оказалось неподатливым и громоздким. Тогда он взялся за середину, там, где, по его расчетам, должен был находиться центр тяжести. На сей раз все получилось как надо.

Затылок трупа снова издал мерзкий сухой звук, еще более громкий, — теперь треснувшись об эмаль ванны. Паша почти не обратил внимания. Он обдумывал, каким инструментом лучше воспользоваться.

Следующие двадцать минут были посвящены поискам — за пять лет подзабыл, что и где лежит в квартире, да и привезенные из Казахстана вещи по приезду он распихал кое-как, без особого порядка.

...Пила-ножовка оказалась в приличном состоянии — зубья наточены, разведены. А вот нож для разделки мяса — скорее даже не нож, а тесак — отыскался с большим трудом и выглядел плачевно: тупой, на потемневшем металле проступили пятнышки ржавчины. Похоже, никто не брал тесак в руки после смерти отца — у того изредка случались кулинарные порывы, причем никаких полуфабрикатов Шикунов-старший не признавал, лишь парное, принесенное с рынка мясо. Но Паша с Ларисой питались попроще, покупали котлеты или фарш, варили готовые пельмени...

Он механическими движениями гонял тесак по бруску — вжик, вжик, вжик — а сам думал, как дико для него звучит прошедшее время: покупали, варили... Нет, к черту! Надо разделаться с этим кошмаром — и непременно помириться с Лариской. Она же умная баба, она поразмыслит и поймет, что в наше время остаться одной с двумя детьми — значит поставить крест на своей личной жизни... Поймет и вернется. Наверное, все будет по-другому, придется выстраивать отношения заново, осторожно и медленно, но...

«Но сначала надо избавиться от этой гадины!» — резко и зло оборвал Паша свои мысли. Иначе все их с Ларисой проблемы сведутся к одной-единственной: будет или нет она носить передачи в Кресты.

Он в очередной раз опробовал заточку на ногте — на совесть отточенное лезвие легко, почти без нажима срезало тончайшую стружечку. Честно говоря, и предыдущая проба была вполне удовлетворительна — но Паша продолжал точить тесак последние две-три минуты лишь для того, чтобы оттянуть момент, когда его придется пустить в ход.

Теперь надо позвонить насчет машины, потом подумать про тару и упаковку, потом... Он поймал себя на том, что придумывает новые и новые предлоги, чтобы не идти в ванную, чтобы не начинать... Разозлился, подхватил инструменты, пошел, — от кухни до ванной каких-то восемь шагов, но он делал каждый следующий медленнее, чем предыдущий. С радостным облегчением вспомнил: нужен фартук или халат! К сожалению, долго искать спецодежду не пришлось...

Затем он неторопливо размышлял о необходимых размерах фрагментов. Затем — о местах разрезов и распилов. Всё решил и продумал, пора, нечего оттягивать, кто-то и где-то наверняка уже заметил отсутствие Лющенко, время работает против Паши... Он всматривался в мертвое лицо — и накручивал себя, вспоминая, как кривились губы гадины, когда...

2

...Когда она прошипела:

— Пло-х-х-х-хой мальчиш-ш-ш-шка...

Разговор имел место минувшим вечером, на Пашиной кухне. Началось все безобидно. Лющенко сказала, что в воскресенье к ней заедут родители — повидаться, поговорить... И — пригласила Пашу принять участие в семейном ужине. Он отказался — возможно, резче, чем следовало. Но решение к тому моменту созрело: порвать раз и навсегда с Лющенко и предпринять все возможное для восстановления семьи.

Это был не первый его отказ — пару раз за минувшие дни она уже приглашала Шикунова к себе, побыть вдвоем. У него находились предлоги, чтобы отклонить приглашение. Не надуманные — он устроился наконец на подходящую работу, начальником отдела в небольшую, но бурно растущую фирму. Оформился буквально за три дня до ухода Ларисы, и с головой ушел в проблемы налаживания производства и сбыта — пытаясь этим заполнить звенящую пустоту.

Помогало.

УИК-ЭНД С МЕРТВОЙ БЛОНДИНКОЙ

Днем — а рабочий день затягивался у Шикунова до позднего вечера — боль потери притуплялась. А вечером наготове была Лющенко — как таблетка-антидепрессант. Но идти к ней домой отчего-то не хотелось. Казалось: тут какой-то рубеж, какая-то граница. Одно дело — она приходит к нему. Совсем другое — он к ней.

Но вчера вечером отговорки, касающиеся работы, пригодиться не могли — предстоял уик-энд. Да и вообще — пришла пора расставить точки над i.

Паша расставил: сказал ей прямо, что не видит смысла в развитии отношений. И в затягивании — не видит. Поскольку люди они разные, и даже поговорить им толком не о чем: ну вовсе неинтересно ему слушать, какие у Лющенко были шикарные кавалеры на «вольво» и «мерседесах», как они делали ей дорогие подарки, возили по клубам и ресторанам, — но все получили от ворот поворот, ибо по тем или иным причинам не оказались достойны своей избранницы.

Шикунов не преувеличивал. Других тем для разговора у Лющенко не имелось. Вообще. Последнюю книгу она прочитала лет десять назад, с друзьями-подругами не общалась за их отсутствием. Если же ей доводилось выезжать за пределы Питера, то все впечатления, которыми Лющенко была способна поделиться, сводились к сценарию очередного эпизода бесконечного любовного сериала — в декорациях Прибалтики или Крыма.

Возможно, позиция Паши — попользоваться женщиной как таблеткой от стресса и выбросить по истечении надобности — не блистала благородством. Но дальнейшие события показали, что благородство с Лющенко — дело ненужное, глупое и даже опасное.

— Пло-х-х-х-хой мальчиш-ш-ш-шка... — прошипела она, мгновенно сбросив все маски. И стала тем, кем и была все эти годы, — расчетливой стервой-падальщицей.

Паша разозлился.

— Замуж невтерпеж? — поинтересовался он, стараясь произносить слова холодно и равнодушно.

И — с трудом увернулся от выплеснутого в лицо обжигающего кофе. Не совсем удачно увернулся — несколько горячих капель попали на шею и щеку. Вместе с болью он, как ни странно, почувствовал облегчение. Нынешняя Лющенко — до сегодняшнего вечера — была какая-то *неправильная*. Но теперь все встало на свои места.

— Импотент сраный! — выплюнула Лющенко. Ухватила за край скатерть — и смахнула на пол со всем, что на ней имелось. Взгляд стервы скользнул по кухне — явно в поисках новых объектов для разрушения.

Паша оказался на ногах. Сказал со спокойным удовлетворением:

— Или ты уйдешь сама, собрав вещи. Или — выкручу руку и отволоку к двери. Потом вышибу пинком по заднице. А шмотки будешь подбирать под балконом. Решай.

Это стало ошибкой. Надо было сразу выкручивать руку.

— Думаешь, твоя краля вернется? Размечтался... — резанула по живому Лющенко. — Она сейчас с Машкой Гусевой спит, чтоб ты знал. И это ей куда больше нравится, чем твои импотентные потуги!

Про Машу Гусеву он знал. Надеялся, что это мимолетное увлечение Ларисы было лишь призвано заставить Пашку остановиться, задуматься, пересмотреть отношение к семье и жизни. И он остановился, задумался, пересмотрел. Но Лющенко... Ей-то как стало...

— Откуда... — начал Паша.

— Ты идиот, Ш-ш-шикуноф-ф-ф... Слепой, как крот. И с членом такой же длины. Мы с Машкой работаем в одной фирме. И если женщина не желает изменять мужу с мужчинами, никто лучше...

Дальше он не слушал. Все ясно и понятно. Его семейная катастрофа вовсе не стала сцеплением нелепых случайностей — но работой стервозной интриганки. Нет, огонек тлел и до ее появления на горизонте, однако вовсе не грозил обернуться большим пожаром. Лющенко же щедро плеснула пару ведер бензина.

Шикунов с трудом подавил острейшее желание: вмазать суке со всего размаха по лицу, чтоб рухнула на пол, и бить, бить, бить ногами...

Не стоит. Она и без того проиграла. Просчиталась в главном — Паша на ее удочку не попался. Почти заглотил крючок, но в последний момент выплюнул. Значит, и ее домыслам о серьезности отношений Ларисы и Маши Гусевой нечего верить.

Он разогнул пальцы, уже сжавшиеся в кулаки. Сказал коротко и, как ему казалось, с ледяным спокойствием:

— Уходи.

— Х-х-хорош-ш-ш-шо, Ш-ш-ш-шикуноф-ф-ф-ф... — зашипела Лющенко вовсе уж по-змеиному. — Я уйду...

Она двинулась якобы в сторону прихожей, Паша посторонился, давая дорогу, и... И, наверное, подсознательно он ждал чего-либо подобного. Каким-то чудом сумел уклониться от ее руки — острые когти прошли в считанных миллиметрах от Пашиного лица. Тут же мысок туфли ударил Шикунова по ноге — по голени, по кости, прикрытой лишь кожей.

О-у-у-у!!! Больно-о-о!

Паша отреагировал рефлекторно. От души врезал Лющенко по скуле. Она отлетела, не устояла на ногах. Падая, ударилась виском об угол плиты. Шикунову показалось: вскользь, несильно. Однако, упав, осталась лежать неподвижно. Он подумал, что гадина притворяется, что стоит нагнуться над ней — снова пустит в ход когти...

Но Люшенко не притворялась.

3

По суставам, обязательно по суставам, подумал Паша. Разрезать что разрежется, потом твердое — пилой.

Он наклонился над ванной, занес тесак... И снова распрямился. Опять забыл про перчатки, которые снял, пока искал и точил инструмент. Сходил на кухню, надел, — но вся решимость за эти недолгие секунды куда-то подевалась. Шикунов снова наклонился, приложил лезвие к коленке...

В этот момент запиликал домофон.

Паша бросил взгляд на часы и застонал. Лариса! Как он мог забыть про нее! Вчера позвонила на работу, сказала, что в субботу с утра заскочит, заберет кое-какие детские вещи... Он пообещал, что будет дома.

ЧТО ДЕЛАТЬ???

Не открывать? А потом объяснить, что появилось какое-то срочное дело? Вариант неплохой, свои ключи Лариса брякнула на стол, уходя. Но...

Но имелся еще один комплект, запасной. Хранился на всякий случай он у тещи, жившей неподалеку — в пяти автобусных остановках. К матери-то и ушла Лариса. И как раз сегодня обещала принести и отдать ту связку.

Мысли метались в голове. Шикунов метался по квартире. Бросился на кухню, торопливо стал подтирать полотенцем засохшую лужицу крови — недоделав, помчался в ванную.

Домофон продолжал пиликать.

Куда же оттащить, куда же запихать тело? Лариса чистюля невероятная, придя с улицы, тут же отправится мыть руки...

В крохотной «двушке» Шикунова подходящих мест не было. По крайней мере, быстро ничего не придумывалось. Да и неизвестно, по каким углам-шкафам будет Лариса собирать вещи. А если не только детские? Если откроет платяной шкаф и увидит труп?

Домофон смолк. Паша издал слабый скулящий звук. Едва ли Лариса развернулась и ушла. Либо кто-то вошел или вышел, впустив ее, — либо воспользовалась принесенными с собой ключами...

Так ничего и не придумав, Шикунов задернул пластиковую занавеску, скрыв из виду ванну вместе с содержимым. И тут же мелькнула спасительная идея. Щелкнул выключателем, привстал на цыпочки и схватился за висевшую в ванной лампочку. Раскаленное стекло обожгло сквозь тонкую резину, но Паша, матерясь, вывернул-таки лампочку на пол-оборота. Щелкнул выключателем снова — свет не зажегся.

До того, как простуженной канарейкой запиликал дверной звонок, Шикунов успел покончить с кровавым пятном на кухне. Совсем оно не исчезло, но выглядело теперь достаточно безобидно — словно тут разлили и небрежно вытерли кетчуп...

4

— Оттягиваешься на свободе? — без особого попрека спросила Лариса, кивнув на открытую дверь кухни.

Валяющуюся на полу скатерть и разбитую посуду Шикунов убрать не успел, кофейную лужицу тоже не вытер. Он проглотил комок в горле, попытался что-то ответить — и не смог.

— Не особо эстетично, но вполне логично, — продолжила она. — Я, пожалуй, разуваться не буду.

И — угадал, угадал Паша! — потянула дверь ванной, одновременно нажав на клавишу выключателя.

— Что у тебя со светом, Шикунов? Вверни новую лампочку, есть же запасные...

Он наконец справился с речевым аппаратом. И голос прозвучал достаточно уверенно:

— Дело не в лампочке. Что-то с проводкой. Ты помой руки на кухне, я принесу полотенце и мыльницу. В ванной к трубам лучше не прикасаться — током бьет.

Сработало!

В электричестве Лариса ничего не понимала, но ударов током боялась панически — после того как в Казахстане едва не стала жертвой незаземленной электроплиты.

Лариса процокала каблучками на кухню, хмыкнула, переступив через следы разгрома. Паша принес обещанные полотенце и мыло, затем быстрым взглядом окинул кухню.

Проклятие!

На стуле лежала сумочка Лющенко!

Возможно, Лариса ее сразу и не заметила, стул стоял не на виду, был втиснут между холодильником и кухонным столом. Прятать было некогда, Паша торопливо уселся прямо на сумочку.

— Приглядываешь, чтобы не прихватила чего лишнего? — спросила Лариса, вытирая руки.

Он молча пожал плечами.

— Не бойся, все кастрюльки-сковородки останутся твоей красотке.

— Какой еще красотке?! С чего ты взяла?

Правдоподобно сыграть возмущение не удалось. Голос дрогнул, и закончил Паша до неприличия пискляво.

Лариса демонстративно втянула воздух носом и продекламировала:

— Тут женский дух, тут бабой пахнет...

Шикунов — машинально — тоже принюхался, но ничего подозрительного не учуял. Скорее всего, дело в новых занавесках и в разложенной по-новому посуде...

Но спорить он не стал. Дождался, пока Лариса выйдет из кухни, торопливо запихал сумочку в ящик с инструментами — уж туда-то жена точно не сунется. Он по-прежнему думал о Ларисе как о жене; с формальной точки зрения дело так и обстояло — штампы о разводе в их паспортах отсутствовали. И — Паша очень надеялся — все еще могло наладиться. Он, собственно, возлагал большие надежды именно на сегодняшнюю встречу — поговорить по душам, напомнить обо всем хорошем, что у них было, о Натусике и Паше-младшем, в конце концов...

Вместо этого Шикунов упорно молчал до самого ухода Ларисы. И мысленно поторапливал ее: ну уходи, уходи же скорее. Что ни говори, жена и любовница, пересекшиеся в одной точке пространства-времени, — перебор. Даже если любовница мертвая...

Особенно — если мертвая.

ГЛАВА III
ПРИКЛАДНЫЕ АСПЕКТЫ ОРГАНИЧЕСКОЙ И НЕОРГАНИЧЕСКОЙ ХИМИИ

> Герой все-таки решился выскользнуть из туалета. Как он здесь оказался, и сам не помнил.
>
> А. Щеголев
> *«Ночь, придуманная кем-то»*

1

Наконец он остался один. То есть, конечно же, не один — с Лющенко. Вновь поплёлся в ванную, подвернул лампочку — она уже остыла и пальцы не жгла. Подумал, что надо бы снять с Лющенко одежду, чтобы не возиться потом с окровавленными тряпками. Даже не снять, но срезать...

Пошёл было за ножницами, но застыл на пороге, осознав простую истину: сейчас он займется одеждой, потом вспомнит ещё что-то важное и нужное, потом ещё что-то... — лишь бы не приступать к главному.

Он разозлился. Нагнулся над ванной, схватил тесак — к черту перчатки! Но едва отточенное лезвие коснулось кожи, весь порыв испарился. Паша по инерции провел тесаком по коленке — едва-едва, бессильно. Кожа разошлась неглубоким разрезом. Крови не было. Гладкая рукоять тесака выскользнула из вспотевшей ладони. Сталь звякнула о ванну. Паша тяжело опустился на кафельный пол, замер неподвижно.

Все кончено.

Он никогда не сможет сделать ЭТОГО.

Никогда...

Сидел долго, мысли в голове вертелись какие-то дурацкие, абсолютно несвоевременные: вспоминал, как прошлым летом всей семьей ловили рыбу бреднем — здесь, под Питером, в отпуске; как истошный вопль Натусика: «Пашка тонет!» — заставил бросить снасть в самый ответственный момент; но двухлетний Пашка-младший не тонул, — просто, увлеченный невиданным зрелищем, чересчур перегнулся над рекой и шлепнулся в воду у берега, где глубина оказалась по щиколотку...

А вот Пашка-старший сейчас тонет. Вернее — уже утонул. Сидит на дне и не пытается барахтаться.

Но должен же быть какой-то выход! Красивый и изящный, без грубой мясницкой работы, на которую Шикунов решительно не способен...

...Сколько он терзал память в поисках намека на спасительную идею, Паша не знал. На часы он догадался взглянуть только много позже, когда квартира стала напоминать пункт по приему макулатуры — вываленные с антресолей многочисленные пачки журналов, часть которых Шикунов успел распотрошить, делали вполне уместным подобное сравнение...

Он посмотрел на запястье. Четверть первого. Однако... Но время потрачено не зря — Паша держал в руках старый номер «Огонька», где черным по белому был напечатан рецепт спасения.

Это оказался переводной детектив, роман без начала и без конца, — родители в те годы «Огонек» не выписывали, покупали в киосках от случая к случаю, что весьма раздражало школьника Пашу, которого в журнале интересовали лишь приключения с продолжениями. Чем закончилась та история, он так никогда не узнал — изданный отдельной книгой детектив Шикунову не встречался. Вполне возможно, что книжка и не выходила, — больно уж интересные вещи там описывались.

А именно: один англичанин столкнулся точь-в-точь с Пашиной проблемой. И решил ее достаточно оригинально — растворил труп в кислоте! В собственной ванне!

Оказывается, сильные кислоты, напрочь разъедая органику, на керамическую эмаль не воздействуют. Зато весьма активно воздействуют на металлы — и хитрый англичанин, неплохо знавший химию, тщательно заделал все мельчайшие трещинки на эмали ванны. Попросту залил расплавленным парафином. Тем же парафином изолировал металлическое кольцо стока и пробку, оный сток затыкающую. А также цепочку, посредством которой надлежало в положенный срок пробку выдернуть.

И все у этого британского алхимика получилось!

Труп превратился в раствор всевозможных органических соединений — и тихо-мирно утек в канализацию, где и смешался с прочими отходами (самое подходящее для суки Лющенко место!). Главное — заткнуть все дверные щели влажной тряпкой, чтобы выделяющиеся по ходу химического процесса ядовитые испарения не просачивались из ванной в квартиру. А потом не забыть промыть сток большим количеством холодной воды.

И всё!

Никаких следов, никаких улик!

По крайней мере, Скотленд-Ярд в романе угодил в тупик. Надо думать, как-то в недостающих номерах бравые инспектора и полисмены решили загадку, не может детектив закончиться торжеством преступника — но едва ли наши менты обладают дотошностью романных сыщиков.

Да им и в голову не придёт, что у нас возможно *такое*. Доморощенным убийцам размаха и фантазии на подобные изыски не хватает. Пойманным глупцам не хватает, поправил себя Шикунов. Потому что никому не известно, каким именно способом исчезли из этого мира люди, до сих пор числящиеся пропавшими без вести. И Лющенко будет числиться. И про Лющенко никто не узнает...

Остается самое простое — не привлекая лишнего внимания, закупить нужное количество кислоты.

Повезло. Магазин «Реактив», телефон которого Паша отыскал в «Жёлтых страницах», по субботам работал.

2

Какой конкретно кислотой воспользовался персонаж, в найденном Пашей отрывке не упоминалось. Но из школьного курса химии помнилось: вроде бы самые сильные кислоты — соляная, серная и азотная. И кажется, еще фосфорная, — но такой в «Реактиве» не оказалось.

Соляная отпала сразу — продавалась крохотными пятидесятиграммовыми пузырьками и стоила слишком дорого. Азотная и серная кислоты были разлиты в тару посолиднее — в литровые бутылки. Надежней их, пожалуй, смешать. Получится «царская водка», способная растворить даже золото, не то что какую-то сучку...

Или в «царскую водку» все-таки входит соляная? Ладно, неважно... Для его целей вполне хватит и серной кислоты, смешанной с азотной.

Паша прямо у прилавка занялся вычислениями, досадуя, что не сделал этого дома. Какой объем у ванны? Литров триста, не меньше. А у Лющенко? Да черт ее знает... Поразмыслив, Шикунов решил, что меньше чем сотней литров кислоты не обойтись. А для гарантии лучше взять полтораста.

Однако... Мало того, что вес неподъемный получается, да и цена кусается, — так ведь и покупают здесь по одной-две бутылки... И в магазине наверняка запомнят такого редкого клиента.

Тогда он предпринял хитрый маневр. Подошел к продавцу, сказал, что приехал из провинции, и желает прикупить кое-каких химических реактивов (кислоту благоразумно не упомянул). Но — в больших количествах и по оптовой цене... Короче говоря, подскажите: где можно таким образом затовариться?

Продавец скрытничать не стал: да у них же и можно, на оптовом складе, на Охте. Дал адрес и телефон, но предупредил — в выходные склад закрыт, приезжайте в понедельник.

Паша настаивал: дескать, хорошо бы сегодня, на завтра уже куплен билет. Нет ли другой точки на примете? Работающей по субботам? Таковых продавец не знал, и уверял, что все оптовики в выходные отдыхают.

Это меняло ситуацию — в худшую сторону. Два дня Лющенко проваляется в его квартире. Но иных вариантов Паша не видел... Поблагодарил продавца, сказал, что перенесет отъезд, — и тут труженик прилавка добавил головной боли. Предупредил, что оптом реактивы отпускаются лишь организациям — так что не забудьте доверенность, пожалуйста.

3

Вот не было печали... Бланк доверенности от липовой фирмы достать не проблема, знал Паша один ларечек на техническом рынке, бойко торгующий подобными бумажками. Но в доверенность полагается вписывать паспортные данные получателя. И, теоретически, предъявлять ее надо вместе с паспортом. Часто второе правило не соблюдается, есть бумажка с печатью — и ладно. Но фирма, торгующая сильнодействующей химией, может потребовать соблюдения всех формальностей...

С этими грустными мыслями Паша ввинтился в переполненный салон сорок пятого троллейбуса и покатил в сторону рынка «Юнона». Где стал обладателем — как и ожидалось, без особых хлопот и затрат — доверенностей аж от трех фирм. Поразмыслив, решил, что оформит доверенность на вымышленную фамилию, заполнит фальшивыми паспортными данными и отправится в понедельник на Охту. Спросят паспорт — скажет, что забыл дома. Продадут кислоту — хорошо, нет — попробует тот же вариант в другой фирме, торгующей химией. Где-нибудь да повезет.

Побродив час по рынку, Шикунов приобрел респиратор — дабы не надышаться ядовитых испарений, и прорезиненный комплект химзащиты — на всякий случай, чтобы не попала на кожу случайная капля кислоты. Химзащита продавалась в контейнере с рыбацкими принадлежностями — водонепроницаемые штаны и куртки были в большом ходу у рыболовов. Там же Паша купил и складной багорчик для зимней рыбалки — подцепить пробку из слива ванной; изолировать парафином от кислоты каждое звено цепочки казалось делом ненадежным.

Походил еще, обзавелся источником парафина — двумя упаковками толстых свечей. Больше ничего, необходимого для задуманной операции, в голову не приходило. Но Паша бродил и бродил между ларьков, контейнеров и прилавков — возвращаться домой, где в ванной расположилась Лющенко, не хотелось.

Лишь ближе к вечеру, когда продавцы начали сворачиваться, а толпа покупателей поредела, Шикунов волей-неволей отправился восвояси.

Снова втискиваться в троллейбус Паша не стал — в этот час с рынка уезжали слишком многие. Поехал на маршрутке, благо та доходила почти до дома. Но и это средство передвижения не оказалось оптимальным — под вечер Ленинский проспект был забит пробками.

...Микроавтобус полз со скоростью пятьдесят метров в минуту. Жара внутри раскалившейся на солнце металлической коробки стояла несусветная. В открытые окна вместо свежего воздуха врывались выхлопные газы... Но немилосердно потеющего Шикунова охватил вдруг ледяной холод. ЖАРА!!! — чуть не завопил он. Всем известно, что происходит на жаре с мертвецами. В ванную, допустим, солнечные лучи не попадают — зато вдоль стенки там идет змеевик с горячей водой. И что станет с Лющенко за двое с лишним суток при такой температуре? Ничего хорошего. Вонь будет стоять на всю квартиру. Хуже того, может просочиться на лестницу.

В памяти у Паши всплывали истории об одиноко живших людях — и одиноко умерших — обнаруженных мертвыми именно по сочащемуся сквозь неприметные дверные щелки запаху... Хотелось выскочить и побежать к дому, обгоняя ползущие в пробке машины.

Он сдержался.

До дома километров семь, не меньше, — а затор наверняка возник не так далеко, на углу Кубинской улицы. Странное там место — вроде и обзор не такой плохой, но много лет с непонятной регулярностью сталкиваются машины. Автомобильный Бермудский треугольник какой-то... Паша буквально *заставлял* себя размышлять об аномальной зоне на пересечении Кубинской и Ленинского, — лишь бы не думать о том, что ждет его дома. И кто.

4

На лестнице он остановился возле своей двери. Принюхался. И долго не мог понять — не то из-за двери действительно *пахнет*, не то шутит шутки взбудораженное воображение.

Входить не хотелось, но он вошел. Первым делом потянул воздух носом — вроде ничего особенного, никакой шибающей в нос вони... Обычный запах квартиры, в которой много курили, а потом не проветрили.

Сразу же — не раздеваясь, не разуваясь — Шикунов прошел в ванную. Люшенко лежала на том же месте в той же позе, только пятно крови вокруг головы спеклось, почернело. Преодолевая брезгливость, Паша чуть-чуть сдвинул в сторону ее ноги, вставил пробку, открыл кран с холодной водой.

Ванна медленно наполнялась. Одежда Лющенко темнела, намокала. От кровавого пятна поползли розовые прожилки. Волосы шевелились в неспокойной воде. Когда-то — в далекие школьные годы — Лющенко была рыжеватой шатенкой. Но в последнее время перекрасилась в блондинку. Светлые, лишь чуть потемневшие в воде волосы у самых корней казались почти черными — словно какие-то присосавшиеся к голове трупа живые червеобразные паразиты с черными головками. Они и в самом деле *живые*, — вспомнил вдруг Паша, где-то он читал, что и волосы, и ногти растут много недель после смерти; растут, не зная, что принадлежат уже мертвецу.

От мысли, что какая-то часть Лющенко жива, стало мерзко. Шикунов торопливо отвернулся от трупа, протянул руку под раковину, нащупал и завинтил вентиль горячей воды. Помыть руки и холодной можно, а температура сразу упадет. Только до понедельника надо будет несколько раз, по мере нагревания, сменить холодную воду, заполняющую ванну. Хотелось надеяться, что это поможет задержать разложение...

Пожалуй, хватит воды, решил Паша и потянулся к крану. И в этот момент зазвонил телефон.

Он замер.

КТО?

Возможно, это вполне безобидный звонок: коллеги по новой работе, родственники, знакомые... Лариса, в конце концов.

Но почему-то трубку брать не хотелось. Вдруг Лющенко уже хватились? Вдруг уже ищут? Может, пока не милиция, пока лишь родители... Не стоит отвечать. Нет никого дома, и точка. Имеет право человек уехать куда-нибудь в законный уик-энд?

Он стоял замерев — словно неосторожное движение могло выдать Пашино присутствие неизвестному абоненту. А тот попался настойчивый — телефон трезвонил и трезвонил. Наконец смолк — Шикунов метнулся на кухню, выдернул телефонный штепсель из розетки. Затем повторил ту же операцию со вторым аппаратом, в большой комнате.

Всё, никого нет дома. Все в турпоходе или на даче.

На звонки в дверь тоже не следует реагировать. Лариса, по счастью, запасной комплект ключей принесла, не забыла, — и ее несанкционированных визитов опасаться не стоит... А еще — для полной гарантии — не стоит включать свет, как стемнеет. Не то очень опасная нестыковка может получиться. Благо, ночи сейчас белые, темнеет поздно... И — никаких громких звуков. Чтобы за стеной не услышали звук телевизора или...

Черт!!!

Паша рванулся с места — из ванной донесся плеск льющейся через край воды. Торопливо завернул кран, торопливо бросился за тряпкой. Только этого не хватало! Закапает у нижних соседей с потолка — и будут стучать-звонить в дверь до победного конца, проверено на опыте.

Но вроде обошлось, успел вовремя... Шикунов последний раз выжал тряпку над раковиной, принес из кухни кастрюлю — вычерпать из ванны лишнюю воду. Зачерпнул, неосторожно коснувшись Люшенко, — и труп шевельнулся.

Померещилось, конечно же померещилось... Обычный оптический обман. В движение пришла поверхность воды, но никак не скрюченные пальцы мертвой женщины.

Проклятая тварь не осталась на дне, как он подспудно надеялся. Болталась на поверхности — лицо и грудь торчали из воды. Глаза по-прежнему были открыты. И по-прежнему косили в сторону Паши.

Он снова зачерпнул воду — и снова с содроганием заметил легкое движение Лющенко...

Внезапно, без всяких предупреждающих позывов, его скорчила рвотная судорога. Шикунов согнулся над раковиной, издавая омерзительные звуки. Наружу вылетали зеленоватые слизистые капли. Паша с удивлением вспомнил, что ничего не ел со вчерашнего ужина. Но, странное дело, за весь день совсем не почувствовал голода.

И сейчас аппетита не было. Лишь смертельная усталость да желание — скорее бы наступил понедельник.

ГЛАВА IV
СБАГРИЛ ТЕЛО — ГУЛЯЙ СМЕЛО

> Он рыдал кашлем и жалобно спрашивал сквозь спазмы в горле: «Чего это, а? Чего это?»
>
> А. Щеголев
> *«Ночь, придуманная кем-то»*

1

Разбудил его звонок в дверь. Весьма настойчивый звонок — электронная пташка-канареечка едва успевала завершить одну хриплую трель и тут же снова начинала чирикать.

Паша оторвал голову от подушки. За окном светло, но часы на руке показывают что-то невразумительное. Шесть утра? Шесть вечера? В питерском июне так сразу и не поймешь... Впрочем, судя по тому, что Паша спал одетым, под легким пледом, — все-таки это был вечер... Точно, вспомнил он, прилег вздремнуть после обеда.

Звонок продолжал заливаться.

Не отпирать! Ни в коем случае не отпирать! Только через секунду Шикунов понял и осознал, что таиться теперь ему незачем — неаппетитная органическая жидкость, бывшая когда-то сучкой Лющенко, давно утекла в канализацию, а так и не растворившиеся крупные кости зарыты в надежных местах. И большое количество воды с высыпанной в нее пищевой содой уничтожило любые следы кислоты в трубах.

— Кто там? — сонным голосом спросил он, подойдя к двери. Заглянул в глазок и увидел пожилых лет мужчину с деловито-казенным лицом, украшенным подковообразной бородкой. Мгновеньем спустя обзор перекрыла развернутая книжечка удостоверения.

— Я техник-смотритель из РЭУ, — прозвучало из-за двери. — Плановая проверка.

Какая, к чертям, еще проверка? Открывать совсем не хотелось. Не открывать было нельзя. Ладно, пусть проверяют. Все чисто, никаких следов...

Едва дверь распахнулась, тут же выяснилось, что техник заявился не в одиночестве. Его сопровождали двое здоровенных парней в спецовках. Один из них держал в руках потрепанный фанерный чемоданчик, другой — здоровенный разводной ключ. Водопроводчики, надо понимать. Шикунову это совсем не понравилось.

— В чем дело? — неприязненно осведомился он, расположившись в прихожей так, чтобы перекрыть подступы к санузлу.

— У жильцов на первом этаже неприятность вышла, — не чинясь, объяснил техник. — Женщина в ванной мылась и обожглась едкой химией. Похоже, фановая магистраль — именно ваш стояк — где-то внизу засорилась. Какая-то химическая гадость поперла... Вышибла пробку стока — и в ванну...

— Какое отношение это имеет ко мне? — еще неприязненнее спросил Шикунов. — Я канализацию не засорял.

Он подозрительно смотрел на техника-смотрителя. Чем-то его лицо показалось знакомым, хотя Паша никогда не видел этого человека.

— А тетка обожженная, — пояснил бородач, — в суд подала на РЭУ. Большие деньги отсудить собирается. Что же нам, за чужие грехи платить? Тут кто-то у вас химическое производство затеял. В одной из восьми квартир, что на вашем стояке... И нагло нарушает все инструкции и правила эксплуатации жилого фонда. Сливает жидкие отходы в канализацию. А она совсем не для того сделана...

— Я ничего не затевал! Никакого производства! — возмутился Шикунов. Голос предательски дрогнул.

— Тогда и проверки нечего опасаться, — резонно заметил смутно знакомый техник. — Давайте, ребята.

Один из ребят надвинулся своей быкообразной тушей на хозяина квартиры. Паша поневоле сделал шаг назад. Второй — бочком, по стеночке — просочился в ванную и тут же чем-то там загремел-загрохотал.

— Не волнуйтесь, — успокаивающе сказал техник. — Соседи ваши говорят, что вы редко дома бываете, какое уж тут...

Его речь прервал копавшийся в стоке водопроводчик, удивленно присвистнувший.

— Глянь-ка, шеф! Что за ерунда? — Парень вышел из ванной, в пальцах его темнел непонятный комок.

Паша прищурился, пытаясь разглядеть находку в тусклом освещении прихожей. И увидел — из-под слоя сероватой слизи блеснуло желтым!

Золото!

Черт побери! Он ведь специально посмотрел в энциклопедии: «царская водка» — смесь все-таки азотной и соляной кислот. А приготовленный им коктейль золото не растворял. И вот результат — недоглядел, и какая-то из золотых побрякушек сучки обнаружилась в сливе... Сейчас придется изображать бурную радость от находки якобы давно затерявшегося кольца или серьги.

Водопроводчик растер в пальцах маленький комочек слизи. И удивленно охнул:

— Фикса! Зуб золотой натуральный!

Паша отреагировал мгновенно и рефлекторно. Резким толчком отшвырнув техника, он бросился к двери, по счастью не запертой.

Не успел.

Сзади схватили, затрещала рвущаяся рубаха. Паша обернулся — ударить, сбросить вцепившуюся руку — и увидел несшийся в лицо тяжелый разводной ключ.

Не стало ничего.

...На лицо лилась струя ледяной воды, затекала в нос, в открытый рот... Паша захлебнулся и разлепил веки, отплевываясь и отфыркиваясь. Струя иссякла.

Шикунов проморгался и узрел собственную ванную комнату — но вывернутую под каким-то немыслимым углом. Через секунду понял, что лежит на дне ванны — точь-в-точь, как совсем недавно Люшенко.

Паша попробовал приподняться — ничего не вышло. Руки и ноги были надежно стянуты. Рот оказался залеплен — по всему судя, скотчем.

Удивиться он не успел. Сверху раздался голос техника-смотрителя — но звучал он теперь по-другому, вовсе не так вежливо, — жестко и грубо.

— Оклемался, крысеныш?

Сверху нависло перевернутое лицо. Как и голос, изменилось оно разительно. Бороды не было! И Паша узнал этого человека!

— Ты убил Ксению, — проскрежетал отец Лющенко. — Убил так, что мне даже нечего похоронить. А проклятые менты не желают заводить дело без трупа. И эта золотая коронка ни в чем их не убедит... Ты хорошо все просчитал, гаденыш. Только не учел одного. Что я живу по принципу — зуб за зуб, око за око... Приступайте, парни! Поосторожнее, на себя не плесните...

Лицо исчезло. Вместо него нависла бутыль. Огромная, из толстого стекла, с винтовым горлышком. Пробки не было. Бутыль поддерживали четыре руки в замызганных рукавах спецовок. Емкость наклонялась — медленно-медленно...

Паша истошно заорал. Из заклеенного рта не вырвалось ни звука. Но внутри бился отчаянный, проникающий во все закоулки организма вопль — и стал еще громче, когда лица коснулись первые жгучие капли...

2

Он проснулся от собственного крика. Вскочил с дивана, отшвырнув одеяло. Куда-то и зачем-то бросился, на втором шаге остановился. Сон, всего лишь сон... Но это же надо такому присниться... Паша коснулся рукой разгоряченного лица — казалось, оно до сих пор горит от вылитой кислоты.

Черт! Похоже, температура... Только заболеть сейчас не хватало.

Шикунов опустился на диван, медленно отходя от кошмара. Посидел, перебирая подробности сновидения. Пожалуй, одно рациональное звено там было.

Золото.

Паша наяву заглянул вечером в энциклопедию и уточнил состав «царской водки». Ингредиенты, покупка которых запланирована на понедельник, золото действительно не растворяли. Надо будет снять все, что найдется на шее, на пальцах и в ушах Лющенко. И — как ни противно — придется залезть в рот гадине. Чтобы ночной кошмар не воплотился в реальность.

От этих мыслей Шикунова отвлек банальный озноб. Неужели действительно простудился? Он босиком прошлепал на кухню, разыскал аспирин в аптечке, кинул в рот две таблетки, запил водой прямо из носика чайника. Затем посетил туалет, — и сунулся было вымыть руки в ванную. Приоткрыл дверь — и отдернулся. Странно... Днем возился с Лющенко, таскал ее по квартире, поднимал и переваливал в ванну... а теперь не мог заставить себя переступить порог и оказаться в одном помещении с трупом.

Насиловать себя Паша не стал — вымыл руки на кухне, холодной водой. Но подумал, что симптом тревожный. Предстоит большая работа, и нечего тут изображать кисейную барышню.

А для успокоения нервов стоит хорошенько выспаться.

3

Однако — не спалось.

Шикунов ворочался, в сотый раз обдумывая, что сделано и что предстоит сделать. Но каждый раз мысли сворачивали на приснившийся кошмар — казалось, стоит упустить любую крохотную мелочь — и сон сбудется. Может, в несколько ином виде, может, вместо папаши и лжеводопроводчиков придут люди в милицейской форме — но финал от этого станет не намного приятнее.

Не придут, твердил себе Паша, нету тела — нет и дела. Но спокойнее от этой ментовской поговорки не становилось. Тем более что тело пока наличествовало.

Наконец он скомандовал сам себе: спать! Закрыл глаза и постарался ни о чем не думать.

Но сон не шел. Ночная квартира была полна звуками — тихими, таинственными, на которые днем Шикунов совершенно не обращал внимания.

Сначала его внимание привлекло еле слышное — на грани восприятия — не то поплескивание, не то побулькивание. Вода, всего лишь вода в трубах, — успокаивал себя Паша. Просто-напросто кому-то из верхних соседей ночью приспичило — а потом соседушка опростал сливной бачок в канализацию. Наверное, все так и есть. Но отчего-то казалось, что звуки доносятся из *его ванной*. Из-за занавески. Звук был такой, словно на рассвете тихо-тихо плескалась в камышах крупная и осторожная рыба. Очень крупная рыба.

Он не выдержал. Вскочил. Бросился к ванной, включая на пути свет — в комнате, в прихожей — напрочь позабыв о светомаскировке.

Рывком распахнул дверь.

И замер.

Голубая пластиковая занавеска ШЕВЕЛЬНУЛАСЬ!

Тьфу, черт... Всего лишь движение воздуха от резко открывшейся двери. Паша аккуратненько отодвинул самый краешек занавески — увидел мокрые волосы и гладкую поверхность воды. Плеск доносился никак не отсюда. Можно спать спокойно...

Но и на этот раз не получилось. Сколько не стискивал Шикунов веки, сон не шел. Опять донимали звуки. На далекий плеск он уже не обращал внимания, но теперь стал слышаться скрип. Будто кто-то осторожно шагал по паркету — шагнет, постоит, шагнет снова... Причем шагал неведомый кто-то в направлении Паши.

Тот успокаивал себя: паркету тридцать с лишним лет, дерево пересохшее, за день нагрелось, сейчас остывает, поскрипывает... Мысли были логичные, но облегчения не приносили. К тому же скрипу стал вторить какой-то легкий свистящий шорох, который остывающее дерево издавать никак не могло. Больше всего это напоминало... — ерунда, не может такого быть! — дыхание.

Сквозняки, конечно же это сквозняки, воздух сочится в замочную скважину или в щели неплотно притворенной форточки, обычное дело...

Но почему с такой периодичностью? То возникает, то исчезает?

Потом на кухне включился холодильник — заслуженный ЗИЛ-ветеран — и заглушил всё. Шикунов вздохнул с облегчением.

Но, поработав, агрегат холодильника смолк — и странные звуки возобновились. Теперь к поскрипыванию и свистящему шороху добавилось редкое «кап-кап-кап». Кран, кран на кухне с подтекающей прокладкой... Только почему его не было слышно раньше?

Звуки становились все слышнее, явственнее. И — Паша начал различать какие-то модуляции в шорохе-выдохе. Затаил дыхание, вслушиваясь. Шипение стало громче — или просто приблизилось? — и он с ужасом понял, что это шепот. Свистящий шепот. Казалось, еще чуть-чуть, — и можно будет разобрать слова. Вернее, одно и то же слово...

И очень скоро Паша разобрал его.

— Ш-ш-ш-шикуноф-ф-ф-ф-ф... — прошипело *нечто*. И снова, после паузы: — Ш-ш-ш-шикуноф-ф-ф-ф-ф...

Заорав, он вскочил. Бросился к выключателю — включить свет, включить музыку, плевать теперь на соседей — и остановился. Вокруг было светло. Утреннее солнце врывалось в окна. Снизу, с детской площадки, доносились звонкие голоса. Стрелки настенных часов подползали к одиннадцати.

Сердце стучало о ребра быстро-быстро, словно для него ночной кошмар продолжался. Паша облизал пересохшие губы. Ну и ну... Интересно, первое пробуждение тоже приснилось? Он прошел на кухню — на столе лежала раскрытая аптечка, рядом упаковка аспирина, двух таблеток не хватало. Шикунов облегченно вздохнул. Значит, он действительно просыпался. Действительно принял лекарство. А потом уснул, сам того не заметив. Не было никаких плесков, никаких скрипов. И никакого кошмарного шепота...

НЕ БЫЛО.

Но одно ясно — ночь на понедельник лучше провести не здесь. Иначе легко и просто можно спятить.

4

— Паша! Шикунов! — позвал его знакомый голос, но чей — Паша не понял.

Шикунов остановился. Внутри, внизу живота, лопнула емкость с чем-то жидким и холодным — и это жидкое медленно растекалось по всему телу. Примерно так Паша себя почувствовал, когда мать в седьмом классе застала его за мастурбацией. Хотя, казалось бы, в чем сейчас криминал? Идет себе человек с большой сумкой в сторону станции, собрался съездить за город в свой законный выходной...

Он заторможенно обернулся.

Тамара. Тамара Владимирова — бывшая одноклассница, его и...

И Лющенко.

— Привет, — бесцветным голосом произнес Паша.

Как некстати... Раньше он любил поговорить с Тамарой — она, женщина на редкость общительная, служила связующим звеном между выпускниками их класса, поддерживая связь даже с уехавшими из района и вообще из города. Даже с редкими стервами, вроде Ксюши Лющенко. И знала всё обо всех.

Тамара подошла. Спросила:

— Ну как твое ничего? — Стандартный для нее вопрос.

— Да все так как-то... — Стандартный обтекаемый ответ Паши.

— Я слышала, ты на денежную работу пристроился? И... с Ларисой вроде разошелся? Или сплетни?

— От кого слышала? — спросил Шикунов с нехорошим предчувствием.

— От нашей отмороженной Лющенки, от кого еще... Вы ведь с ней вроде *подружились*?

Последнее слово Тамара выделила голосом.

Паша прикусил губу. Растрепала-таки проклятая сучка... Теперь очень многое зависит от того, что он скажет Тамаре. Отрицать всё глупо, подтверждать еще глупее. Ситуация...

— Насчет работы не соврала, — сказал Паша, искренне надеясь, что его бодрый тон звучит не слишком наигранно. И стал рассказывать — достаточно подробно — чем занимается и какие замечательные имеет перспективы.

(Ему действительно посчастливилось встать у истоков зарождающегося дела: пошива подушек и одеял из принципиально новых материалов — холофайбера и файбертека — сменивших синтепон, зарекомендовавший себя не с лучшей стороны. Спрос был бешеный, далеко опережающий растущее производство. Конечно, через год-два с новым материалом будут работать все, кому не лень, — но до тех пор фирма имела отличные шансы застолбить солидный сектор рынка. А Паша имел не менее отличные шансы сделать карьеру в фирме. *Имел*, пока вечером пятницы к нему не пришла Лющенко...)

Тамара слушала внимательно — она никуда не торопилась, выгуливала свою собаку довольно редкой у нас азиатской породы «тазы». Владимирова вообще умела замечательно слушать... Но свернуть с темы не дала. Едва в Пашиной лекции о замечательных свойствах холофайбера наступила пауза, участливо спросила:

— С Ларисой-то вы в самом деле разбежались?

— По-моему, Лющенко выдала тебе желаемое за действительное, — осторожно сказал Шикунов, ощущая себя сапером на минном поле. — Поругались — ушла к маме, дело житейское, помиримся. А наша отмороженная тут же набежала, как гиена на падаль.

В голове билась мысль: насколько глубоко стерва осветила их отношения? Растрепала все до конца? Или ограничилась — как любила делать — лишь многозначительными намеками?

— Замуж девке невтерпеж, — кивнула Тамара, сама состоявшая в законном браке восемь лет — и удачно. — Переспела ягодка. Скоро гнить начнет...

Скорее всего, последняя фраза была сказана без какого-то двойного смысла. Но внутри у Паши все болезненно сжалось. А что, если Лющенко повстречалась с Тамарой, когда шла к нему? В последний раз шла? И разболтала, к кому идет? И, допустим, договорилась созвониться на следующий день? Что, если Томка *догадалась*, а этот двусмысленный вопрос — пробный шар?

— Что с тобой, Паша? Нездоров? Бледный какой-то и квелый...

— Да, похоже, простудился... — не стал врать Шикунов. — Аспирину наелся, вроде полегчало, — надо ехать, дела.

Он достал носовой платок, вытер со лба испарину. Демонстративно посмотрел на часы.

— Ладно, не буду задерживать, — поняла намек Тамара. — Удачи тебе. Пусть все у тебя получится...

Что-то странное почудилось Паше в ее тоне. Что-то весьма двусмысленное...

— И тебе того же, — выдавил он. — Извини, спешу на электричку. Увидимся.

— Обязательно, — прощально кивнула Тамара. Лихим мальчишеским свистом подозвала своего «тазика», прицепила поводок к ошейнику. И крикнула уже в спину удаляющемуся Паше:

— Увидишь Лющенко — передавай привет!

Шикунов споткнулся, с трудом устояв на ногах.

ГЛАВА V
НАВЗРЫД РЫДАЛА КОБЫЛА́...

> Нечто страшное, бесформенное, человекоподобное, прикрытое лишь нижним бельем, стремительно вылезло из кустов на освещенный тротуар.
>
> А. Щеголев
> «Зверь-баба»

1

Через двадцать минут он сидел в вагоне электрички, катившей в сторону Царского Села. Над ухом выкрикивали свои заученные наизусть рекламные монологи разносчики всевозможных полезных и нужных товаров. За окном свежей июньской зеленью мелькали поля и деревья. Тягостное чувство, возникшее после встречи с Тамарой, помаленьку отпускало. Конечно же, она ничего не знала и ни о чем не догадывалась, и никакой двусмысленности в ее словах не было, все якобы прозвучавшие намеки лишь плод взбудораженного Пашиного воображения...

Он почти успокоился, когда дверь вагона в очередной раз откатилась в сторону — но вместо бродячего продавца в нее протиснулся мужик с баяном, здоровенный и не совсем трезвый.

— Сейчас вам спою, — без обиняков объявил мужик. Тут же растянул меха и заголосил:

> Среди украинских просторов,
> Среди высоких ковылей,
> Филипп Бедросович Киркоров
> Скакал на рыжей кобылé...
>
> Он был в голубенькой фуфайке
> И в красных плисовых штанах,
> Он пел народну песню «Зайка»
> Слеза плыла в его глазах...
>
> А в месте том, где эта Зайка
> С Максимкой Галкиным ушла,
> Мокра была его фуфайка,
> Навзрыд рыдала кобылá...

Последние две строчки мужик с чувством проголосил аж три раза. Публика оценила — одни сдержанно улыбнулись, другие от души посмеялись. Мужик стянул с головы засаленную кепку.

— Сограждане! — проникновенно возвестил он. — Помогите самодеятельному артисту похоронить жену! Поминки-то мы уже справили, на полную катушку помянули, — так что хоронить не на что стало! Пожертвуйте овдовевшему артисту, кто что сможет!

И он двинулся по проходу. В подставленную кепку летели монеты и бумажки — достаточно обильно. Похоже, чистосердечное признание — что похоронные деньги все как есть пропиты — нашло отклик в душах сограждан.

Паша попрошайничающих индивидов спонсорской помощью не баловал из принципа — ни «погорельцев», ни «беженцев», ни «обокраденных», ни собирающих «на лечение»... И сейчас тоже отвернулся к окну, проигнорировав протянутую кепку.

Но самодеятельный артист попался настойчивый.

— Помоги, мужик, — обратился он персонально к Паше. — И вправду Маньку зарыть не на что. Лежит в ванной, льдом обложена... Протухнет ведь. Хоть и стерва была, а негоже. Помоги, брат.

Шикунов издал горлом странный хлюпающий звук. Не глядя, выдернул из кармана какую-то купюру, кинул в кепку. Подхватил сумку и выскочил в тамбур. Жадно глотал пропитанный табачным дымом воздух.

Соврал ведь... Умершая (умершая без криминала!) жена может лежать в морге, никак не в ванне. Но... Тогда...

ОТКУДА ОН УЗНАЛ? Как догадался, что Паша перед отъездом высыпал в ванну весь лед, сколотый из изрядно обросшей морозилки? Опять случайность? Опять совпадение?

Шикунов осторожно заглянул в вагон. Мужика с баяном уже не было. Пошел дальше собирать на похороны? Или?..

Паша прижался пылающим лбом к грязному стеклу и твердил как заведенный: совпадение, совпадение, совпадение...

2

От Царского Села до Александровской, где Паша снял после возвращения из Казахстана небольшую, приспособленную под жилье времянку, автобусом было минут двадцать. Пешком, напрямую, около часа — и Шикунов решил прогуляться.

Убеждал сам себя, что незачем лезть в жару в переполненный автобус, что гораздо полезней и приятней пройтись, подышав свежим воздухом...

Но настоящая причина оказалась иная.

Пашу все больше нервировали окружающие люди. В глазах их читалось *знание*. Стоило чьему-либо взгляду остановиться на нем — и возникало иррациональное чувство: этот мужчина или женщина знает, *что* осталось в Пашиной квартире. Что лежит (вернее, что плавает) в ванне.

А пешком — самое милое дело. Километров пять, не больше. Прошагать от вокзала до самого конца Ленинградской улицы, выйти на Кузьминское шоссе, потом через холм, мимо овощебазы и учхоза, — и, считай, добрался.

Но неприятность подстерегала Пашу еще на Ленинградской. Он как раз вышел из «пятерочки» — завернул накупить продуктов на сегодняшний день. Хотя аппетит так к нему и не вернулся... Шикунов затарился, вышел из магазина и бодро пошагал по тротуару, в тени густо насаженных лип. И тут...

И тут он увидел милицейскую машину. Обычный «жигуль» с большими буквами ДПС. Обычный, да не совсем. Машина не стояла в засаде в укромном местечке, подстерегая неосторожных водителей, решивших газануть по пустынной улице. И не мчалась, включив мигалку, куда-то по срочным и неотложным делам. Медленно и неторопливо — чересчур медленно, по мнению Паши, — катила вдоль обочины. Словно патруль что-то или кого-то высматривал.

Шикунов остановился. Отвернулся от машины, сделал вид, что внимательно изучает заклеенный афишами щит. Мысли в голове метались заполошно, как курицы по загоревшемуся курятнику.

ДОМА ЧТО-ТО СТРЯСЛОСЬ!
Закоротило проводку и вспыхнул пожар...
Прорвало трубу и залило нижних соседей...
Произошла утечка газа, и все взорвалось...
Короче, стряслось нечто, заставившее людей в форме взломать дверь. И они взломали. И нашли Лющенко. А теперь активно ищут автора натюрморта, обнаруженного в ванной. Он стоял, уставившись на афишу невидящим взором. И ждал, когда на плечо опустится тяжелая рука и неприятный голос попросит документы...

Лишь через пару минут Паша рискнул обернуться. Ментовской машины он не увидел. Покатила дальше, не заметив его? Или имел место очередной акт комедии «Куст и пуганая ворона»?

Как бы то ни было, с тротуара Шикунов ушел. Двинулся в сторону Кузьминского шоссе дворами.

3

Хозяев участка, у которых Паша арендовал времянку, на месте не оказалось.

Его сей факт порадовал — вступать с кем-либо в беседы на любые, пусть даже вовсе отвлеченные, темы не хотелось. Шикунов сразу прошел в свой невеликий домишко. Ноги ныли от ходьбы — со всеми обходами оживленных мест дорога заняла вместо запланированного часа целых два.

Зато вернулось исчезнувшее было в последние два дня чувство голода. Причем желудок, казалось, требовал немедленного возмещения всех недополученных порций. Требовал ультимативно, подкрепляя свои запросы болезненными спазмами. Поэтому Паша, едва отперев дверь, устремился к столу — достать припасы и первым делом пообедать. Поспешил, не глядя под ноги, — и тут же провалился. В самом прямом смысле слова.

...Фундамент как таковой под времянкой отсутствовал. И подвал отсутствовал. Между полом и землей — сантиметров сорок пустого пространства. Да и сам пол был сделан тяп-ляп, на скорую руку — один слой дюймовых досок опирался на балки-бревна, и поверху был прикрыт самым дешевым линолеумом — высохшим за годы существования развалюхи до ломкой жесткости. Естественно, от близкого соседства земли доски пола подгнивали. И кое-где прогнили совсем. Одну такую — прогнившую и надтреснутую — половицу Паша обнаружил сразу же, как только снял времянку прошлой осенью. По уму надо было бы отодрать линолеум и заменить доску-другую. Но поначалу как-то руки не доходили, а потом начались нелады на семейном фронте... В общем, Шикунов просто-напросто привык не ступать на опасное место. А теперь вот запамятовал, поспешил, — и банально провалился.

Черт! Паша выругался почти облегченно, освобождая конечность (слава богу, целую и невредимую) из плена. Удалось это не сразу. И треснувший линолеум, и проломившиеся доски были направлены внутрь, и сработали, как горловина сетки-мережи — в которую рыба заходит свободно, а обратно выйти не может. Но после пяти минут возни и приглушенных матерков хомо сапиенс доказал-таки интеллектуальное превосходство над безмозглыми рыбами...

Из темного отверстия в полу тянуло холодком и неприятной затхлостью. Как из могилы, подумал Паша. Из раскопанной могилы... Тут же пришла непрошеная мысль — Лющенко вполне бы поместилась тут, под полом. Отодрать доски, выкопать яму, аккуратно всё заделать, — и никто даже случайно не натолкнется на останки. Паша начал размышлять, в какой части времянки можно отодрать настил незаметно... Потом спохватился — план действий продуман и принят, нечего отвлекаться. Все равно он никогда не решится вытащить из дому Лющенко — ни целую, ни по частям.

И Шикунов приступил к обеду — хлеб, консервы, две бутылки пива... Объявившийся было аппетит вновь исчез. Паша запихивал в себя куски и жевал совершенно механически, не чувствуя вкуса... Зато пиво пошло очень в тему. Он даже подумал: стоило вчера выпить стакан-другой водки, прежде чем подступать с тесаком к Лющенко. Глядишь, и *сумел* бы...

Впрочем, вполне возможно, что водка еще понадобится. Растворять труп в кислоте — тоже занятие с непривычки весьма нервирующее.

4

По большому счету, никаких дел в Александровской у Паши не нашлось.

Хотя при желании заняться было чем. Внутри времянка сейчас напоминала не то склад найденных вещей, не то хозяйство известного помещика Плюшкина: повсюду громоздились нераспакованные картонные коробки, о содержимом многих и сам Паша не имел точного представления — после окончательного переезда из Казахстана выяснилось, что его питерская квартирка никак не может вместить все имущество, накопленное за шесть лет жизни на два дома.

Но сейчас разбираться со всем барахлом желания не возникало. Тем более что вполне реальным стал раздел имущества — и жизнь на два дома уже в Питере. Причем новый дом Шикунова вполне мог оказаться тесным, лишенным многих удобств и населенным весьма неприятными людьми... Не дождетесь! — оборвал он свои мысли со злобой, неизвестно кому адресованной.

Однако снасти Паша, заядлый рыбак, распаковал и аккуратно разложил по приезде первым делом. И сейчас он прихватил удочку, вышел в огород. С лопатой возиться было лень, Шикунов набрал червей, переворачивая лежавшие на земле чурбаки и доски.

И отправился на рыбалку, благо Кузьминка текла буквально под домом — достаточно отпереть калитку и спуститься с высокого берега.

Рассудил Паша просто: рыбная ловля — самое подходящее занятие в нынешнем его состоянии.

Успокаивающее.

5

Но успокоиться, отрешиться мыслями от оставшейся в квартире Лющенко не получилось.

Кузьминка в поселке больше напоминала ручей, неширокий и неглубокий, приличная рыба заходила сюда только весной, в полую воду. И Паша отправился выше по течению — туда, где речка струилась под сенью нависших деревьев, служа естественной границей Александровского парка. Там, в достаточно глубоких, с медленным течением омутках, можно было и летом попытаться выудить что-либо стоящее...

Однако — не сложилось.

На первом же омутке — идеально круглом, появившемся много десятилетий назад после падения в речку авиабомбы немалого калибра — в голову полезли непрошеные мысли.

Место тут глухое, думал Паша, гуляющие по парку сюда не забредают, а купаться местные мальчишки ходят на плотину... Из рыболовов лишь он один облюбовал это местечко. И если опустить на дно омута-воронки утяжеленный камнями мешок с... известно с кем, — успех дела практически гарантирован. Весной занесет песком и илом — и все. Нету тела, нету дела. Ищите вышедшую из дома и не вернувшуюся.

За этими мыслями Шикунов как-то упустил из виду поплавок. А когда собрался перезабросить удочку — обнаружил голый крючок без малейшего остатка червяка. Или забыл насадить? Забросил просто так, чтобы выставить нужную глубину?

Он не помнил.

Плохи дела... Дохлая стерва прочно оккупировала мысли. Ничем от нее, заразы, не отвлечься...

Паша собрался было поискать менее подходящий для захоронения омуток — тут же натолкнулся взглядом на свежую, осыпавшуюся с берегового обрыва землю, подумал, что никому и в голову не придет здесь рыться в поисках чего-либо криминального...

Он мысленно завыл. И стал твердить про себя два слова — как заклинание, как припев привязавшейся песенки: ванна и кислота, ванна и кислота, ванна и кислота... Никакой земли. Никаких мешков с камнями. Ванна и кислота.

Твердя свое заклинание, Шикунов отправился на другое место — там было мельче, сквозь слой воды проглядывало дно с зеленеющими кустиками водорослей. Никого тут бесследно не спрячешь. Ванна и кислота.

Наконец удалось сосредоточиться на ловле — подкидывая удочку под противоположный берег, под нависшие ветви, Паша даже сумел дождаться чьей-то поклевки. Подсек с запозданием — пусто; насадил нового червя, собрался закинуть туда же. И тут...

И тут Шикунов увидел *нечто*. Нечто находилось именно там, в тени под ветвями, лишь чуть подальше. В воде. И больше всего напоминало...

ТРУП.

Зацепившийся за корягу труп — чуть-чуть выступающий над поверхностью. Точь-в-точь как Люшенко в его ванне...

Удилище хлопнулось в воду. Паша протер глаза, не заметив, что пальцы испачканы в земле после возни с червями. Не помогло. *Нечто* никуда не исчезло, не обернулось минутным мороком, игрой света и тени...

Не бывает таких совпадений!

Во рту пересохло, Паша делал судорожные глотательные движения — чувство было такое, будто рот и глотка набиты обрезками наждачной бумаги.

Он медленно, пятясь, отступал от берега, напрочь позабыв про удочку. Потом развернулся и побежал.

6

Крепких спиртных напитков на витрине местного ларька не обнаружилось, лишь пиво и прочие джин-тоники. Но Паша пару раз видел отходящих отсюда мужиков с поллитровками. Спросил коротко: «Есть?» — и вскоре стал обладателем заветной емкости.

Тут же, отойдя на полсотни шагов от ларька, приложился к горлышку. Водка оказалась паленой. Смесь воды и плохо очищенного спирта долго болталась вверх-вниз по пищеводу, Шикунов притиснул ее сверху купленным там же шоколадным батончиком. Проскочила.

Он отхлебнул еще пару раз, прошло уже легче. Присел на валяющийся неподалеку ствол спиленного тополя, стал ждать результата. Тот не задержался...

Как ни странно это звучит, но выпитая отрава помогла мыслить куда более трезво. Иррациональное убеждение: там, в речке, плавает именно Лющенко, неведомо какими путями туда угодившая, — было признано полным бредом.

Чуть более возможным, но тоже бредом, была признана и другая мысль: в Кузьминке обретается совершенно левый, посторонний труп. Слишком уж невероятное потребовалось бы стечение обстоятельств...

Значит — показалось. Привиделось. Померещилось. Надо пойти и убедиться, что воображение сыграло с Пашей дурную шутку. Однако никуда идти и ни в чем убеждаться не хотелось.

С тополя Шикунов поднялся, только отхлебнув еще одну изрядную дозу универсального лекарства. И поплелся убеждаться — зайдя по дороге во времянку и облачившись в болотные сапоги.

На удочку никто не покусился, лежала где лежала, верхним концом в воде. К берегу Шикунов подошел осторожно, всмотрелся. Ну да, темнеет что-то непонятное. Ну да, похоже на мокрую тряпку...

Вздохнув, он перебрался на другой берег вброд по мелкому перекатику. Долго продирался сквозь заросли краснотала. Увидел сквозь просвет листьев свое удилище, протиснулся к самой воде.

Оказалось, что нечто — кем-то выброшенный самый обычный халат. Рабочий, темный. Без какого-либо содержимого, если не считать ила, песка, веточек, почерневших, гнилых прошлогодних листьев и прочего донного мусора. Стоило так мучаться? — спросил себя Шикунов. И сам себе ответил: стоило. Все-таки смог, переступил, перешагнул какой-то внутренний барьер. Значит — сможет и все остальное...

На всякий случай — во избежание очередных ночных кошмаров — Паша совершил еще один рейс к ларьку и запасся еще одной порцией дешевой отравы.

...Помогло. Спал он здоровым алкогольным сном, без каких-либо сновидений.

ГЛАВА VI
ШОУ С ПЕРЕОДЕВАНИЯМИ И ИСЧЕЗНОВЕНИЯМИ

> Жанна погладила его раскаленными пальцами. По лбу, по щекам, по шее. Потом, расстегнув ему пуговицы рубашки, обожгла прикосновениями живот.
>
> А. Щеголев
> *«Ночь, придуманная кем-то»*

1

Как часто в жизни бывает, опасался Паша напрасно.

Даже врать про забытый дома паспорт не пришлось. Менеджер фирмы «Балт-Реактив», узнав, что оплата предстоит наличными, спросил напрямую: «Документы нужны?»

Шикунов поначалу не понял. Как же такие вещи можно покупать-продавать без документов?

Менеджер пояснил: «Без чека и счет-фактуры на пять процентов дешевле. А накладную на перевозку дадим, на случай если менты остановят».

Паша согласился, что такой вариант для него предпочтительней. Менеджер громко и радостно оповестил кого-то невидимого, сидевшего за перегородкой: «Кира, оформляй на предпринимателя Милейкина!» И тут же успокоил: «Нет-нет, в товарно-транспортной будет вписана именно ваша контора. Как вы там называетесь?»

Липовая контора, чья липовая печать стояла на липовой доверенности, именовалась ООО «Сириус», о чем Паша и сообщил. Менеджер недрогнувшей рукой вписал название в накладную — и наверняка тут же его позабыл. Да и то сказать, большинство людей, регистрирующих предприятия, не иначе как мечтали стать в детстве космонавтами. По крайней мере к звездам их тянет до сих пор — и в результате в самых разных сферах предпринимательской деятельности плодятся, как кролики, «Веги», «Альтаиры», «Мицары», «Сириусы», «Антаресы» и примкнувшие к ним «Орионы».

Судя по всему, с этой стороны на Пашу и на его не совсем ординарную для частного лица закупку никто не выйдет. Если люди в погонах попробуют дернуть за эту ниточку — пускай. Пусть ищут неведомого предпринимателя Милейкина.

А Паша-то, дурак, дрожал как осиновый лист. Даже переоделся на даче — в «Балт-Реактив» он поехал прямо оттуда — напялил куртку-ветровку невообразимо яркой, ядовито-красной расцветки. Где-то и когда-то Шикунов вычитал, что человеческий мозг так устроен: фиксирует — в целях последующей идентификации — самую характерную черту имиджа незнакомца. В данном случае — наповал бьющую по глазам куртку. А остальные детали внешности не запоминает. Выходит, маскарад затеян напрасно. Хотя тут лучше пересолить...

Тем временем менеджер пересчитал протянутые Пашей деньги, выписал еще одну бумажку — внутреннюю накладную — и отправил Шикунова с нею на склад.

Шагать пришлось порядочно. «Балт-Реактив» арендовал помещения у одного из огромных — настоящий город в городе — химкомбинатов промзоны. Зданий на необъятной территории было множество. И не только зданий. За высоченный забор угодил и кусок умирающего леса, и даже водоем изрядных размеров — разлив речки Охты. Запах от водоема шел неприятно-химический, и Паша подумал, что от просроченных и пришедших в негодность химикатов здесь избавляются самым простым способом — сливают втихаря в реку...

Он шел берегом отравленной Охты и ликовал: до чего же все удачно сложилось! Но одновременно где-то глубоко шевелилась и неприятная мыслишка. Это что же получается? Любой террорист этак может накупить самой ядовитой химии, пробраться на водопроводную станцию, и... Ладно, пусть о таких вариантах думают те, кому за это деньги платят. А у Паши задача простая: сегодня же начать процесс перевода Люшенко в новое агрегатное состояние.

В жидкое.

2

— Я вот все репу чешу: и зачем людя́м стоко кислоты? — задумчиво спросил лысый и пузатый не то кладовщик, не то завскладом.

Паша похолодел. Голова стала пустой и звонкой. И в звенящей пустоте мелькнул спасительный ответ.

— Кому зачем, — сказал он, умудрившись не дрогнуть голосом. — Кому для жены, кому для тещи...

Это была концовка весьма бородатого анекдота, но кладовщик долго гыгыкал, колыхая жировыми складками. И удалился в недра склада, идиотских вопросов больше не задавая.

Через двадцать минут Паша стал законным владельцем двух двадцатипятилитровых бутылей с кислотой азотной (хч) и четырех аналогичных емкостей с кислотой серной (чда). Что означали эти указанные в скобках буковки, стоявшие и в прайс-листе, и в накладной, Шикунов не имел понятия. Подозревал, что степень очистки и количество допустимых примесей.

Но Паша здраво рассудил, что для стервы Лющенко чистота продукта теперь куда менее важна, чем крепость, — и, выбирая товар, ориентировался лишь на то, чтобы цена напротив названия стояла поменьше. Оптовые цены на кислоты, честно говоря, оказались невелики. С учетом тары (чтобы не мелькать потом у подъезда с огромными оплетенными бутылями, пришлось доплатить за деревянные ящики, упирая на предстоящую пересылку) Шикунов выложил немногим больше двух с половиной тысяч рублей. Дешевка. Стандартные — с гробом, венками, местом на кладбище и т. д. — похороны Лющенко наверняка бы обошлись на порядок дороже...

— Транспорт у вас здесь? — спросил кладовщик, начав оформлять пропуск на вывоз материальных ценностей. — В смысле — на территории?

— Нет, оставил за воротами, — сказал Паша. — Доставите до проходной? — кивнул он на ящики с бутылями.

Конечно, нанятую за разумную сумму «газель» куда проще было подогнать прямо к «Балт-Реактиву». Но тогда, во-первых, и ее номер, и грузоотправитель, и грузополучатель (пусть и липовый) были бы записаны охраной. Во-вторых, водитель узнал бы, что и откуда вез. А так — поди догадайся, кто и что вывозит с территории комбината. Фирм-арендаторов тут немерено.

Кладовщик долго ворчал: у тележки, дескать, отломалось колесо, а сварщик без бутылки приваривать никак не желает; похмельные же грузчики запропастились неведомо куда, а отлавливать их по всей территории в его обязанности не входит, его дело — отпускать товар, и вообще...

Протянутая сторублевка тут же оборвала нытье толстяка и кардинальным образом изменила ситуацию. Мгновенно нашлась и исправная тележка, и два грузчика — на вид, действительно, весьма похмельные. Паша, тоже после вчерашнего находившийся не в лучшей форме, мысленно им посочувствовал, но денег больше не дал. Пускай кладовщик делится.

Чем ближе груженная кислотой тележка приближалась к проходной комбината, тем тревожнее становилось Шикунову. Казалось, что сейчас, именно сейчас, все сорвется. Все рухнет под откос. Охранники на проходной изучат вдумчиво накладную, посмотрят повнимательнее на бледное Пашино лицо, и... И все. Каюк. Капут. Попросят пройти для выяснения личности, и позвонят куда надо, и байками о позабытом паспорте уже не отделаешься, и рано или поздно всплывет лежащая в ванне Люшенко. Она всплывет. А Паша утонет. Навсегда утонет...

Картинки провала в самом финале успешно проведенной операции вставали перед его мысленным взором такие яркие, что Паша чуть было не смалодушничал. Чуть было не сунул пропуск и накладную грузчикам, предоставив им пересекать последний барьер в одиночестве. Но сдержался.

Все прошло гладко.

Охранник, пенсионных лет мужичонка — камуфляж смотрелся на нем маскарадно, — небрежно сосчитал места груза: ...четыре, пять, шесть... — всё в порядке. Нажатием кнопки открыл ворота, тележка выкатилась наружу. Вскоре ящики перекочевали в кузов «газели».

И только когда проходная комбината исчезла из вида. Паша мысленно завопил: ПОЛУЧИЛОСЬ, БЛЯ, ПОЛУЧИЛОСЬ!!!

И дальше все получится.

3

Как ни хотелось побыстрее НАЧАТЬ (точнее говоря, побыстрее ЗАКОНЧИТЬ), сразу к своему дому Шикунов не поехал. Попросил высадить его на Светлановском проспекте, неподалеку от рынка, — где после десятиминутного голосования поймал другую машину, «форд»-микроавтобус. И лишь тогда назвал водителю свой настоящий адрес. Мало ли кто и какой товар везет с рынка?..

Все, последняя тонкая ниточка, что вела от «Балт-Реактива» к его ванной, оборвана. Через двое суток не останется ни единого следа, ни единой улики.

Всего двое суток...

Целых двое суток...

Надо как-то прожить эти сорок восемь часов, пока стерва будет переходить в пригодное для перекачки по трубам состояние. Не свихнуться от ночных звуков и кошмаров, не шарахаться от милицейских машин и случайных прохожих.

Проживу, уверенно подумал Шикунов. Не свихнусь. Не стану шарахаться...

Теперь — не стану.

...От помощи водителя он отказался — береженого Бог бережет, незачем светить квартиру. Сделал с улицы несколько коротких рейсов с ящиками к лифту, потом несколько таких же перебежек к двери квартиры. Повезло — никого ни на площадке, ни на лестнице не встретил, позднее утро, все спешащие на учебу или работу уже прошли... Заботливо приготовленная легенда: мол, знакомые наконец прислали из Казахстана не поместившиеся в контейнер вещи, — пропала зря. И чудненько, чем меньше врешь, тем меньше шанс проколоться.

Наконец ящики с бутылями встали аккуратным штабелем в прихожей. Пора за работу. Выловить труп из ванной, слить воду, протереть насухо. Не забыть про парафин! Залить дно, сток и пробку расплавленными свечами. Вернуть труп на место, облачиться в ОЗК и респиратор, — и тоненькой струйкой опрастать в ванну содержимое всех шести бутылей.

И всё. Дальше процесс пойдет без его участия. Хотя нет, будут еще газообразные выделения, надо заткнуть все щелки влажной тряпкой... Впрочем... Да, скотч для зимней заклейки окон подойдет еще лучше. Вся вонь пойдет через вентиляцию, на крышу. Едва ли там кто-то будет гулять и принюхиваться... И можно ехать на работу, отпросился он только до обеда.

Ладно, план прост и понятен, приступаем к выполнению.

Паша вооружился гвоздодером, вскрыл ящики, достал бутыли. Затем разыскал старое, протертое одеяло, расстелил на полу ванной — дабы не слишком натекло с мокрой одежды (кстати сказать, холодная вода и немалая порция льда сделали свое дело — никакого трупного запаха Шикунов, распахнув дверь ванной, не ощутил).

Так, теперь выуживаем нашу русалку...

Черт, не забыть бы про золото, особенно про... — мысленно сказал себе Паша, отдергивая занавеску.

— Про зубы... — закончил он вслух, застыв на месте.

Тела в ванне не было.

Не было.

НЕ БЫ-ЛО.

Он издал булькающий горловой звук. Выскочил из ванной, пробежался по комнатам и кухне — отдернул шторы с окон, заглянул под кушетку, за шкаф... Никого и ничего.

Медленно, старческими шагами вернулся в ванную. Непонятно зачем пошарил рукой в воде — словно хотел нащупать опустившуюся на дно Люшенко.

Хотя дно ванны было прекрасно видно сквозь прозрачную воду. И ничегошеньки там, на дне, не лежало...

Шикунов медленно сполз на расстеленное одеяло. Ударился головой о кафель стены — и еще раз, сильнее, и еще раз — в дикой надежде, что съехавшие набекрень мозги встанут сейчас на место и в ванной обнаружится то, что должно, просто ОБЯЗАНО там находиться... После пятого удара — голова гудела погребальным колоколом — Паша заглянул через борт.

ТЕЛА НЕ БЫЛО.

Тогда Шикунов зарыдал.

Как кобыла Филиппа Бедросовича Киркорова.

4

Мир исчез.

Привычный мир — в котором Паша Шикунов прожил почти двадцать девять лет — куда-то подевался. Был он, мир, конечно, не идеален. Хватало в нем жизненных неприятностей самого разного плана. Но он был хотя бы реальным. И — в неких своих основополагающих закономерностях — вполне предсказуемым.

Если в нем, в потерянном мире, выпрыгнешь в окно — то упадешь вниз, никоим образом не зависнув в воздухе и не воспарив к небесам. Если все-таки паришь — значит, видишь сон и обязательно вскоре проснешься. А если оставишь мертвое тело в ванной квартиры, запертой и поставленной на сигнализацию, — то именно там его, тело, и обнаружишь по возвращении...

Теперь мир исчез. Вместе с пресловутым мертвым телом.

Шикунов — маленький, беспомощный и дрожащий — очутился в совершенно непонятном и опасном НИГДЕ. Не было ничего — ни времени, ни пространства. Не существовало стен и дверей, вообще никаких предметов, — одни видимости и кажимости. К примеру, видимость кафельной стены, на которую Паша сейчас бессильно навалился всем телом, могла быть чем угодно. Абсолютно всем: стволом пальмы, или бурчащим брюхом переваривающего сытный обед Бармаглота, или очередной инкарнацией Митрейи Будды... А могла не быть ничем. Могла существовать лишь в мозгу Шикунова, одиноко повисшем в первозданной пустоте. И видимость здоровенной шишки, вздувшаяся на видимости черепа от ударов о призрачную стену, тоже могла существовать лишь в его воображении и больше нигде...

Впрочем, имелся и альтернативный вариант. Пашу он вдохновлял даже больше. А именно — мир остался прежним. Лишь один из его обитателей банально сошел с ума. Угадайте с трех раз: кто? Вы правы, конечно Паша Шикунов.

Честно говоря, мысль нравилась. Ободряла и согревала. При таком раскладе ничего не надо делать. Полностью отпадает нужда в постановке масштабного эксперимента, выясняющего подробности взаимодействия концентрированных кислот с органической материей. К чему? Раз Люшенко не умирала... А может, ее и не было никогда. Может, как и всё остальное, она лишь продукт больного мозга. Равно как ее папаша-садист со своими мордоворотами...

И это здорово. Рано или поздно Шикунова найдут и будут лечить. Возможно, даже вылечат. Если нет — не беда. Главное — ничего не надо будет делать. В том числе ломать голову над сводящими с ума проблемами...

А может, все обстоит еще лучше. Может, его уже нашли? Уже лечат? Может, вся бредовая пьеса, последовательно разворачивающаяся перед ним, — побочный эффект электрошока или бьющей по мозгам врачебной химии?

Идеальный вариант — по сравнению с существованием в диком мире, где трупы вылезают из ванны и отправляются куда-то по своим мертвячьим надобностям, пройдя между делом сквозь крепко запертую металлическую дверь...

Есть и другая возможность. Шикунов никогда не употреблял наркотики — лишь пару раз в Казахстане побаловался травкой за компанию. Даже «Момент» в детстве не нюхал. Но возможно — чего на свете не бывает — кто-то уговорил его причаститься? Говорят, от синтетических галлюциногенов бывают вполне реалистичные глюки. До определенного момента и не отличишь от яви...

В любом случае, предпринимать ничего не стоит. Надо тихо и спокойно ждать, когда все кончится. Когда морок рассеется и возникнут обитые мягким стены палаты. Или что угодно еще — лишь бы не эта наполовину заполненная водой ванна...

Он закрыл глаза и стал ждать. И очень быстро провалился в сон, больше напоминающий беспамятство...

ГЛАВА VII
НЕТУ ТЕЛА — НЕТ И ДЕЛА?

> И сразу кастрюлю с кипятком ему на голову — у них суп удачно на плите варился. Потом лезвие в шею — хряк.
>
> А. Щеголев
> *«Ночь навсегда»*

1

Звук зародился где-то в глубине иной Галактики, за миллионы парсеков от Шикунова. И долго-долго добирался до него. Но добрался. Еще тьма эпох потребовалась, чтобы идентифицировать сигнал далекой цивилизации как обычный телефонный звонок.

Шикунов поднялся и направился к аппарату. Кто звонит, зачем, какие от звонка могут быть последствия, — его совершенно не волновало. И отвечать не хотелось. Но в какой-то части мозга сохранился нехитрый алгоритм — что надо делать, когда звонит телефон. И Паша выполнил нужную последовательность действий без единой мысли в голове.

В трубке раздался голос. Паша долго соображал — чей. Очень долго. Понял лишь к середине диалога. Вернее, не диалога, но прерываемых молчанием Шикунова реплик собеседника.

— Пашка, ты там живой? Я жду, жду... Обещал же подъехать к половине второго!

Паша молчал.

— Забыл, что у нас сегодня две презентации для медиков?

Паша молчал.

— А у тебя, между прочим, вечером еще встреча с Викторюком! Тоже забыл?

У Шикунова родились наконец два слова:

— Я болен, — сказал Паша.

Сказал так, что человек на другом конце провода ему сразу поверил. Голубев, вспомнил вдруг Паша, — звонил Антон Голубев, в какой-то иной жизни, в нормальном мире бывший вице-директором и непосредственным начальником Шикунова.

— Я ОЧЕНЬ болен, — снова сказал Шикунов.

— А-а-а... То-то я чувствую, что голос как у помирающей лебеди... Ладно, с презентациями тебя прикрою, но Викторюка будешь добавливать сам — я стрелку перезабью. Всё, не буду мешать, поправляйся... Если до завтра не помрешь, позвоню с утра, узнаю: как и что.

Вице-директор хохотнул собственной плосковатой шутке и отключился.

— Я очень болен, — тупо повторил Паша пиликающей трубке.

2

Коньяк был хорош — «Арарат» десятилетней выдержки. И приберегался для какого-нибудь особого случая. Но поскольку иных спиртных напитков в квартире не нашлось, — Шикунов недрогнувшей рукой вскрыл бутылку. Да и то сказать — случай приключился никак не ординарный.

Способность мыслить вернулась минут через десять после второго опорожненного стаканчика. И мысли оказались паршивые.

Если в мире по-прежнему существовали презентации холофайбера и заместитель главы администрации Викторюк, то трупы самовольно не могут менять дислокацию. Не способны. Разгуливающие мертвецы и лоснящаяся харя Викторюка в одном пространстве-времени несовместимы. Надо выбрать что-то одно, какую-то единую систему координат. И попытаться в ней, в этой системе, что-то предпринять...

После короткого раздумья Паша решил пока остаться в том же мире, что и Викторюк А. М. — пусть тот подлец, пусть взяточник, но личность насквозь реальная и приземленная...

Отставить панику! Пропало тело — будем искать. Просто так трупы не исчезают. Значит — кто-то обнаружил и забрал Лющенко.

КТО и ЗАЧЕМ?

Пожалуй, на первый вопрос ответить легче. Служба, профессионально занимающаяся сбором трупов, если и обнаружит вдруг бесхозный, — немедленно известит службу другую, плотно интересующуюся теми, кто за появление оных трупов ответствен. При таком раскладе Пашу в квартире поджидала бы не только опустевшая ванна. Но и грубые, бессердечные люди, норовящие врезать дубинкой по почкам и защелкнуть на запястьях специзделие, неизвестно отчего названное «Нежностью»...

Значит, вариант с государственной структурой отпадает. Значит, налицо чья-то самодеятельность. Значит, можно еще побарахтаться...

Но кто мог оказаться — этак случайно, прогуливаясь — в запертой Пашиной квартире?

Ответ прост: человек, либо имевший ключи, либо умеющий попадать в запертые помещения без таковых.

Ключи — теоретически — в настоящий момент были лишь у Шикунова. Все три связки. Но это теоретически...

Первый вариант (тут же дающий первую подозреваемую): Лариса, до того как вернула два комплекта — свой и тещин — сделала дубликаты. Для чего? А черт ее знает. Может, чтобы зайти, когда Паша должен находиться на службе, — и поделить вещи без его пригляда, по своему разумению. Вполне реально.

Хорошо. Допустим.

Итак, сегодня утром, — свято уверенная, что Паша на работе, — в квартиру заявилась Лариса.

И?..

И узрела плавающую в ванне Люшенко.

А вот дальше начинается непонятное. Ну никак не мог Паша представить, что Лариса (как? каким способом?) умыкнула из квартиры труп! Да и зачем?

Зачем? — это уже второй вопрос, поправил себя Шикунов.

Второй вариант (и вторая подозреваемая): теща, ненаглядная Раиса Евсеевна. Ключи лежали у «бабы Раи», как называют ее дети, почти год — между смертью Пашиной матери и возвращением дочери, зятя и внуков из Казахстана. И потом лежали — до позавчерашнего дня. Уж хватило бы времени при желании сделать дубликаты.

Неясность та же: ЗАЧЕМ бесхозный труп понадобился женщине предпенсионных лет?

Загадка природы. Насколько Паша за шесть лет знакомства узнал свою ненаглядную тещу, та бы просто хлопнулась в обморок тут же, в ванной. Или бросилась бы вон из квартиры, подняв на ноги всю округу паническими воплями. Но уж никак бы не прикарманила мертвое тело...

Вот, собственно, и всё. Других легальных обладателей ключей не наличествует. Стоит подумать о нелегальных. Тем более что на ум пришло слово, вполне способное дать ответ на вопрос: зачем?

ШАНТАЖ.

Банальный шантаж. Вот о нем-то и надо хорошенько поразмыслить...

Но сначала Шикунов решил подкрепиться. Аппетит, совсем от рук отбившийся в последние двое суток, вновь появился, — и весьма зверский. Одичал, где-то шляясь. Или это коньяк, с удобством расположившийся в пустом желудке, скучал без компании.

Как бы то ни было, Паша вполне уверенными шагами — еще раз спасибо «Арарату» — отправился на кухню.

И замер возле холодильника. Остолбенел.

3

Вообще-то на кухне стояли два холодильника. Старый ЗИЛ, появившийся на свет в те времена, когда страна победившего социализма уверенно вела соединившихся пролетариев всех стран к окончательной победе в мировом масштабе. Характер у ЗИЛ-ветерана был, как у пенсионера-зюгановца, — включившись, долго и шумно бурчал, проклиная новые времена и попрание идеалов. К тому же, как старичкам и положено, заслуженный холодильник часто болел. В смысле, ломался.

Лариса после приезда не раз намекала, что купить что-нибудь поновее и понадежнее окажется в итоге дешевле, чем тратиться на регулярные ремонты. Паша отмахивался: мол, послужит еще, —

он в то время не оставил надежду обзавестись автотранспортом в самое ближайшее время.

Потом, когда семейная жизнь стремительно рассыпа́лась на осколки, Шикунов неожиданно приобрел на «автомобильные» новехонький высоченный «Индезит»... Тогда же Паша затеял и ремонт, и покупку стиральной машины-автомата, и что-то еще того же плана, — в безрассудной надежде всё спасти и всё поправить.

Ничего не получилось...

Однако новый холодильник остался, соседствуя с ЗИЛом-коммунистом — того Шикунов планировал перебазировать в Александровскую, привести времянку в жилой вид, выезжая надолго всей семьей в теплое время — благо на работу ездить из ближнего пригорода ничуть не дальше, чем из отдаленного спального района... Думал, как будет по утрам ходить с Натусиком за грибами в Баболовский лесопарк, как откроет Пашке-младшему все заветные рыбные местечки на Кузьминке...

Мечты, мечты... Лишь новенький холодильник от них и остался.

Теперь Шикунов стоял перед «Индезитом», чувствуя, как коньячное тепло сменилось где-то в низу живота мертвенным холодом. Он увидел вынутые из нового холодильника полки — небрежно сложенные на подоконник.

И понял, ГДЕ Лющенко.

Пробежавшись в панике по квартире, он попросту не успел заглянуть во все способные вместить тело углы. О многих просто не подумал, в таком был шоке.

А теперь он понял — Лющенко ИМЕННО ТАМ. В новом холодильнике. Стоит взяться за ручку, потянуть, — и перед глазами объявится ее труп во всей своей красе: мокрые, слипшиеся волосы, открытые глаза. И губы, так любившие шипеть: плох-х-х-хой мальчиш-ш-ш-шка...

Нижняя камера «Индезита» вполне способна вместить мертвое тело — благо продуктов там чуть. Достаточно вынуть полки и подогнуть трупу ноги. Трупное окоченение, по Пашиным прикидкам, должно было пройти — хотя разбирался он в этих делах слабо...

Надо протянуть руку, открыть дверцу — и убедиться, что все так и обстоит. Но Паша не мог. Не мог себя заставить. Он и без того был уверен.

И в самом деле: ну кто же потащит труп под мышкой — солнечным июньским днем и по людным улицам? Случайный вор-домушник, решивший заработать шантажом?

Ерунда.

То есть не всё ерунда — и вор, и шантаж более чем вероятны. Но к чему прогулки с трупом? Достаточно сделать несколько фотоснимков и переложить труп — чтобы хозяин сего предмета сразу понял, что к чему, чтобы впал в панику, чтобы за день-другой дошел до нужной кондиции, до готовности расстаться с деньгами.

Конечно, «на дело» домушники с фотоаппаратами не ходят. Им фотолетопись своих подвигов ни к чему. Но беда в том, что Пашина «мыльница» с недощелканной пленкой лежала не то чтобы совсем на виду, но в бельевом шкафу, за стопкой белья, — привычка с тех времен, когда от годовалого Паши-младшего приходилось прятать ценные хрупкие вещи... Именно в таких местах, как было известно Шикунову из детективов, квартирные воры первым делом ищут деньги и драгоценности...

...Он протянул руку. Дрожащие пальцы коснулись белой пластмассы, показавшейся отчего-то невероятно холодной. Коснулись — и тут же отдернулись. Открыть холодильник Паша не смог.

Вместо этого отправился в большую комнату, к шкафу. Долго шарил в нужной полке — справа, слева, посередине — разозлился и вывалил все бельё на пол.

«Мыльница» не нашлась.

Версия с домушником обрела реальность. Или?..

Он вернулся на кухню, отхлебнул еще коньяка. Закончил мысль.

Или фотоаппарат забрала в свой последний приход Лариса. Шикунов, хоть убей, не мог вспомнить, что именно она в субботу укладывала в две большие сумки. Смотрел тогда и не видел. До того ли было, когда в ванне валялась Лющенко?

Позвонить, спросить?

А если все-таки труп переложила она? Или ее мать?

Паша вновь долгим глотком приложился к горлышку бутылки. Хорошая штука, из горла и без закуси идет за милую душу... Внутри опять потеплело. Используя недолгий миг коньячной решимости, Шикунов резко распахнул дверцу.

Трупа в холодильнике не было.

4

Он сидел на табуретке, завороженно уставившись в белое нутро «Индезита».

Если Лющенко сюда не запихивали, то кто и зачем вынул полки? Может, попытались впихнуть — но не получилось? Может, трупное окоченение длится дольше, чем смутно помнилось из прочитанных детективов Паше?

Возможно, возможно...

Но есть и другой вариант. Когда Шикунов лихорадочно метался по квартире, собираясь в Александровскую, — у него ведь гвоздем в голове засела мысль о процессе разложения и о сопровождающем сей процесс запахе. И Паша настойчиво искал способ, как избегнуть и того, и другого.

Запихать труп в холодильник — мысль вполне логичная при таких исходных данных. Допустим, к ее исполнению Паша и приступил, вытащив полки. Но потом остановился на более эстетичном и гигиеничном варианте (продукты из холодильника, приютившего Лющенко, в глотку потом все равно бы не полезли). Однако именно холодильник натолкнул Шикунова на мысль воспользоваться льдом, изобильно наросшим в морозилке опять барахлящего ЗИЛа.

Логично. Здраво.

Но есть маленький нюанс. Паша абсолютно не помнил подобный ход своих рассуждений. Более того, извлечение полок из «Индезита» в его памяти никак не отложилось. Смутно вспоминалось, как лед сыпался из большой миски в ванну, — но каким образом Шикунов пришел к такому решению, он теперь понятия не имел.

Плохи дела. Провалы в памяти — признак тревожный. Этак панические мысли о собственном сумасшествии, накатившие при виде опустевшей ванны, могут сбыться. Попробуем еще раз...

Он попробовал — медленно, шаг за шагом, восстанавливал последовательность своих действий в воскресное утро. Не помогло. Как сыпал лед в воду — помнил. Откуда его взял — нет.

Отчего-то Паша всегда считал, что может лишиться руки или ноги — мало ли в жизни случайностей — но уж мозг-то ему не откажет. Мозг — память, логика, эмоции — казался чем-то вечным, данным раз и навсегда и должным до конца пребывать в неизменном виде... Сумасшествие — для других. Не для него. Оно реально, оно случается, — но никогда не случится с Пашей Шикуновым. Как, впрочем, и рак, и СПИД...

Теперь уверенность поколебалась.

Какой еще фрагмент мог напрочь выпасть из воспоминаний? Может, способ с высыпанным в воду льдом вдруг показался Паше для суточного отсутствия не слишком действенным? Может, он выудил тело, герметично запаял в пластиковый мешок и куда-нибудь запрятал? И обо всем напрочь забыл?

Он застонал и долгим глотком прикончил «Арарат». Так рассуждая, можно дойти до чего угодно. Возможен самый смелый полет фантазии. Без каких-либо ограничений.

Например, Шикунов за ночь изобрел и построил из подручных радиодеталей какой-нибудь дематериализатор органической материи. Распылил паскудницу Лющенко на молекулы-атомы, вновь разобрал агрегат на запчасти, — и обо всем благополучно позабыл. Бред. Бред киркоровской кобылы...

Надо действовать спокойно и последовательно. Принять постулат, что труп квартиру не покидал. Обыскать всё — и тело где-нибудь да обнаружится. И тогда можно будет логично поразмыслить — как оно туда попало. Виноваты ли провалы в Пашиной памяти, или сыщется более конкретный и осязаемый виновник? Разберемся.

Итак, приступим.

ГЛАВА VII
ЧТО ИМЕЕМ — НЕ ХРАНИМ, ПОТЕРЯВШИ — ПЛАЧЕМ

> Тело бабки обнаруживается рядом, в соседней комнате... Строго говоря, бабка и там и здесь одновременно — тело в комнате, зато голова уже в прихожей, почти под умывальником.
>
> А. Щеголев
> *«Ночь навсегда»*

1

Лющенко и после смерти осталась редкостной гнидой. Упорно не желала обнаруживаться.

Нигде.

Под ванной ее не было. И в самодельном фанерном шкафу, прикрывавшем трубы в туалете, не было. И на антресолях тоже.

Больше в санузле и прихожей мест, способных укрыть труп, не оказалось. Но Паша, верный своему решению обыскивать всё, ничего не пропуская, заглянул даже в длинную низкую тумбочку для обуви. Даже порылся в груде свисавшей с вешалки одежды — вдруг да нашелся искусник, как-то прикрепил к стене Лющенко и задрапировал пальто-куртками?

Не нашлось таких умельцев.

Шикунов отправился в маленькую комнату, считавшуюся у них «детской». Начал с балкона. Заклеенную на зиму дверь пришлось с хрустом отдирать — хотя холода давным-давно миновали, руки за семейными баталиями не доходили. Только когда под ногами загрохотали пустые стеклянные банки, в изобилии заполнявшие балкон, — Паша сообразил, какой он идиот.

Дверь была заклеена! Пожелтевшая бумага, окаменевший клей... Но для очистки совести Шикунов осмотрел-таки балкон весьма дотошно. Как и следовало ожидать, безрезультатно.

Вернулся в детскую, стал искать там, — со странным двойственным чувством. С одной стороны, отыскать Лющенко жизненно необходимо. С другой стороны, не хотелось, чтобы она — мокрая и разлагающаяся — обнаружилась именно здесь.

Не хотел, чтобы она нашлась под двухъярусной кроватью, на которой совсем недавно спали Натусик и Пашка-младший (и, надеялся Паша, еще будут спать!); или в шкафу — где две полки до сих пор занимали их игрушки, пока не вывезенные Ларисой (как же там, у тещи, засыпает Натусик без своего любимого Хыськи?); даже просто на паркетном полу, по которому ступали детские ножки, гниде Лющенко делать нечего.

Паша и прежде — когда Лариса ушла с детьми, а гнида еще была жива-здорова, не пускал Лющенко в детскую. Ну, не то чтобы повесил замок, но... Но как-то так получалось, что они курсировали лишь между прихожей и спальней. В детскую не заходили...

Подспудное желание сбылось. Трупа в детской не было. И Паша не понял — хорошо это или плохо.

2

Вторая, и последняя, комната была больше площадью и куда гуще заставлена мебелью (Лариса всегда говорила, что для детской надо много воздуха и света). Соответственно, и мест, куда можно спрятать труп, — значительно больше.

Шикунов, собирая рубашкой пыль, вылез из-под шкафа. Хранившиеся там коробки отнюдь не маскировали тело Лющенко. Зато, выползая — когда лицо оказалось в считанных сантиметрах от паркета, — он увидел...

Паша и сам поначалу не понял, *что* он увидел. Едва заметное, чуть белесоватое пятно на темном дереве. Довольно большое. Он скользнул по пятну равнодушным взглядом, змееобразными движениями выскальзывая из-под нависшего предмета меблировки.

Потом как обожгло: именно такие следы оставались на паркете от влаги!

Но старым *это* пятно быть не могло никоим образом. Четыре дня назад Паша тщательно натер паркет мастикой — реализуя мысль навести идеальный порядок, а уж после звать Ларису и детей обратно...

Так-так...

Склонившись к полу, словно вынюхивающая дичь собака, Шикунов продолжил свои изыскания. И увидел второе пятно, точь-в-точь такое же, едва различимое, — на расстоянии человеческого шага. Потом третье. Потом четвертое. *Следы* вели в прихожую.

До прихожей Шикунов во время своей генеральной уборки четырехдневной давности добраться не успел — и пол покрывал легкий слой пыли. На нем след продолжился. Цепочка размытых, неясных отпечатков привела к ванной.

Паша понял всё и похолодел.

Он шел по следу в обратном направлении. А тот, кто прошагал тут до него, двигался из ванной в большую комнату...

Шикунов нагнулся, еще раз осмотрел отпечатки. Подметки *любой* обуви оставить такой отпечаток не смогли бы... Версия о воре-домушнике, тащившем труп, поползла по всем швам. И в самом деле, воры на дело босиком не ходят, разве что в желтой жаркой Африке... Хотя нет, нет... Босая влажная ступня на пыли тоже бы пропечаталась — пальцы, пятка. Если только... Если только...

Если только на босых ногах не было капроновых колготок, — закончил мысль в голове Шикунова чей-то чужой неприятный голос. Прозвучало это настолько реально, что Паша резко обернулся, — показалось, кто-то говорит за спиной, прямо в ухо... Никого...

Кошмар продолжался. Теперь в виде слуховых галлюцинаций...

Хотя — почти всё стало понятным. Все неясности исчезли. Никто не вламывался в квартиру, никто тайком не изготавливал дубликаты ключей. Просто... Просто...

Просто Люшенко не сдохла, — с ехидным торжеством закончил тот же голос.

И захихикал, повторяя на все лады, даже напевая:

Не сдохла?

Не сдохла!

Не сдохла, не сдохла, не сдохла!

Не сдохла-ла-ла-ла, ла-ла-ла!

3

Не умерла...

Конечно же, она не умерла, такие сучки отличаются редкой живучестью. Потеряла сознание, и только. Паша ведь не прикладывал к губам зеркало, даже пульс не пытался обнаружить. Увидел красную лужицу, поползшую из-под головы, — и подумал в панике: всё, капут.

А она была жива... Черт возьми, она всё время была жива... Впала в кому, или как там это у медиков называется. Хотя, может, на короткие промежутки времени очухивалась. То-то ему слышались ночью легкий плеск и шепот...

Потом — этим чертовым льдом — Паша сам, сам привел ее в сознание! Да еще, дурак, не остался, не понаблюдал, поспешил в Александровскую, как последний идиот...

Шикунов застонал и горько пожалел, что коньяк кончился. Нежданное воскрешение — и, тем самым, избавление от роли убийцы отнюдь его не обрадовало. Если вдуматься, хрен редьки не слаще. Уж кто-кто, а Люшенко приложит все усилия, чтобы засадить Пашу за покушение на убийство...

Так что ничего утешительного не произошло... Гнида сейчас наверняка сидит в казенном доме и катает заявление с самыми душераздирающими подробностями...

Стоп! Стоп!!! — закричал Паша. А может, и не закричал. Может, просто подумал. Звуки, звучавшие внутри, в мозгу, и вовне, — каким странным образом переплелись и практически теперь не различались.

«Стоп! — закричал-подумал он. — А кто сказал, что она жива? Кто видел ее оживший труп? Небось, это я — Я! Я!! Я!!! — пробежал тут в носках. И всё. Больше ничего. Никаких чудесных воскрешений».

Он вернулся в комнату, остановился у большого трехстворчатого шкафа. Именно там обрывалась цепочка следов — у самых дверец. И — раньше Паша этого не замечал — между дверцами была щель. Неширокая, сантиметра два, не более.

Лариса не закрыла, — сказал-подумал Паша. И услышал — словно в ответ — чужой и мерзкий хохот, отдавшийся гулким эхом в резонирующем черепе.

Знакомый, уже слышанный сегодня голос посоветовал: а ты открой шкаф, открой, — и тут же увидишь, кто не закрыл за собой двери. И почему не закрыл. Внутри — ха-ха — дверных ручек нету! Открой, открой! Потяни за верёвочку, дверца и откроется... Лющенко, Лющенко, зачем тебе такие большие зубы?!

ЗАТКНИСЬ!!! — рявкнул Паша на поганый голос. Наверное, все-таки вслух, потому что даже стекла задребезжали от вопля. А уши заложило. Но может, и то и другое лишь показалось.

Голос смолк.

Паша сделал несколько глотательных движений, пытаясь избавиться от звона в ушах, — помогло относительно. Протянул руку и стал отворять дверцу шкафа. Она ползла с душераздирающим скрипом — и отчего-то чудилось, что сквозь механический звук пробивается шипение: пло-х-х-хой мальчиш-ш-ш-ш-ка...

Трупа внутри не было. Ни воскресшего, ни мертвого. Никакого. Но...

Но почему вся висящая на плечиках одежда сдвинута в одну сторону по идущей вдоль шкафа металлической перекладине? И почему изнутри пахнуло сыростью? Кто тут был? Был совсем недавно?

Паша стал торопливо ощупывать лежавшие внизу пакеты с какими-то шмотками. Действительно сырые? Или так показалось его ладони, разом вспотевшей?

Похоже, действительно сырые...

Проклятье! Значит, сучка жива! Оклемавшись, бродила по квартире — услышала, как он звенит ключами в замке, и забилась в шкаф. А потом спокойненько ушла — когда Паша впал в беспамятство в ванной...

Идиот!!!

Надо было не устраивать истерику, а тут же обыскать квартиру! Вытащил бы гадину из шкафа, врезал бы по кумполу — и обратно в ванну! И — кислотой! Не хрен тут, умерла так умерла!

Ехидный голос тут же встрял:

«Ты бы собрал вещички, пока время есть! Белишко, то, сё... Только трусы в цветочек не бери. Говорят, любителей такого белья живо в камере рачком ставят...»

Заткнись! — снова попытался гаркнуть на него Паша, но получилось как-то вяло. Неубедительно.

Ему стало страшно — и до ужаса жалко самого себя. Не будет больше ничего — ни Лариски, ни Натусика, ни Пашки-младшего, не будет того, о чем он мечтал, обманывая себя: всё, мол, вернется, всё наладится, всё пойдет как встарь и все будут счастливы...

Ничего не вернется. Ничего не наладится.

Та жизнь закончена. Взамен придет новая, гнусная и мерзкая.

Паша плакал. Без всхлипываний, без рыданий, вообще без каких-либо звуков — просто слезы катились и катились по щекам, а он не пытался их вытереть...

ГЛАВА IX
ТОП, ТОП — ТОПАЕТ МЕРТВЕЦ

Сзади кто-то сопел, и он обернулся — увидел оскаленную Жанну....

А. Щеголев
«*Ночь, придуманная кем-то*»

1

Он неподвижно лежал в большой комнате, на диване. На спине, лицом вверх, скрестив руки на груди: ни дать, ни взять — покойник. Правда, покойникам опускают веки — а Паша упорно глядел в потолок. Изучал на нем каждое пятнышко, каждую трещинку. Он раньше и понятия не имел, как это здорово: лежать в собственной квартире, на собственном диване и смотреть на собственный потолок. Ничего не делать, ни о чем не думать. Просто лежать и смотреть.

Сколько ему еще осталось такого счастья? Час? Больше? Не важно. Все равно приедут — и очень долго Шикунов сможет изучать лишь чужие потолки... Казенные и отвратительные...

А вот металлическую дверь он им не откроет. Дудки. Пусть помучаются, вскрывая... Или не имеют права без ордера? Черт их знает, какие там у них сейчас права... Плевать...

Алкогольное возбуждение прошло. Пашу охватил приступ апатии. Действуя по уму, за час можно успеть весьма многое. Для начала — слить в канализацию проклятую кислоту и избавиться от пустых емкостей. Затем выстроить свою версию случившегося — в конце концов, кроме слов Лющенко, никаких улик против Паши нет (не считая шеренги кислотных бутылей, предательски выстроившихся в прихожей). Мало ли где она могла головой приложиться... Наконец, можно попытаться дозвониться до юридической консультации по уголовным делам — и обзавестись адвокатом.

Ничего подобного Паша не делал. Лежал и смотрел в потолок. Миновавший уик-энд, как безжалостный вампир, выпил все силы, все мысли, все желания... Не хотелось ничего. Вспыхни сейчас под ним диван — Шикунов, скорее всего, не пошевелился бы.

Наступил вечер, но за окном не наблюдалось даже намека на сумерки — белые ночи приближались к своему апогею.

Ночь оживших мертвецов, подумал он без проблеска эмоций. Ночь ожившей Лющенко. Ведь учат же дураков опытные люди: всегда надо делать контрольный выстрел в голову. Контрольным молотком по голове тоже неплохо...

Сожалений, впрочем, у Паши не было. Не было вообще ничего. Пустота. Летаргия. Ему казалось, что если даже возникнет у него желание что-то сделать — ни рукой, ни ногой шевельнуть не получится... Паралич. Паралич всего: мышц, воли, мыслей...

Но тут раздался звук, мигом согнавший с него сонное оцепенение. Совсем рядом — в ванной? точно в ванной! — что-то шумно заворочалось и заплескалось.

Паша как-то мгновенно перешел в вертикальное положение. Не вставал, не вскакивал с дивана: только что лежал пластом — и тут же оказался на середине комнаты, напряженно вслушиваясь. Потом торопливо пошел к источнику звука.

Свет в ванной горел, дверь была распахнута, и синяя занавеска отдернута.

Сам оставил именно так? Не важно... Теперь совершенно не важно. Важным показалось другое: поверхность воды в ванне до сих пор будоражили небольшие волны — стихающие. И никакими колебаниями воздуха это было не объяснить.

Хотелось закричать, и он уже широко разинул рот — но крик не получился. Губы немо схлопнулись.

Поверхность воды меж тем успокоилась. Стало видно старое, чуть пожелтевшее дно ванны, покрытое паутиной мелких трещинок. И Шикунов увидел — там, на дне — что-то маленькое. Что-то поблескивающее.

Зуб, золотой зуб, подумал он без всякого удивления. Это могла быть вовсе и не коронка, а, что вероятнее, сережка или кольцо, — но Паша не стал доставать и рассматривать.

А может, достал и рассмотрел, — потому что в событиях вновь случился какой-то провал, Шикунов неожиданно осознал, что громит — да-да, именно громит — собственную комнату, в которой недавно возлежал на диване в позе трупа.

Сервант валялся на боку — вокруг груда стеклянных и фарфоровых осколков. Дверцы всех шкафов распахнуты, вещи вывалены на пол. Книги стояли на своих местах, в полках, — но прикрывавшие их стекла оказались разбиты все до единого.

Он застыл, не понимая: что и зачем делает?

Ищет Лющенко? Затаившуюся между книжек?

Я сошел с ума, констатировал Шикунов уже второй раз за сегодняшний день, глядя на свою ладонь, по которой отчего-то струилась кровь. Ничего не было, сказал он себе. Ничего. Ни звуков, ни взбаламученной воды, ни золотой побрякушки на дне... Глюки, банальные глюки. Надо успокоиться, надо держать себя в руках...

Он попытался — но тело нагло бунтовало, телу требовалось что-то ломать и крушить. Кровь кипела адреналином, сердце стучало бешено, пульс — тук-тук-тук — отдавался в ушах громкими шлепками...

Паша замер. Это не пульс в ушах, нет. Это ноги, босые мокрые ноги, по полу, быстро — шлеп-шлеп-шлеп... Проклятая сука, вот кто это. Никуда не ушла. Затеяла игру в прятки. Ладно, сыграем. Проигравшего — в ванну с кислотой. Раз, два, три, четыре, пять — я иду тебя искать!

Тяжеленный графин с высоким узким горлом валялся под ногами — выпал из серванта, но толстый хрусталь выдержал, не раскололся. Шикунов схватил его, пятная кровью из рассеченной — когда? обо что? — ладони. И неторопливо двинулся туда, где смолкло шлепанье... Кто не спрятался — я не виноват.

В кухне — никого. В детской — никого. Он сунулся было в туалет — снова услышал «шлеп-шлеп-шлеп», за спиной, в большой комнате... Бросился туда, в прихожей что-то подвернулось под ногу — маленькое, верткое. Паша не успел понять, что это было, — растянулся во весь рост, больно ударившись коленом. Вскочил и заковылял в большую комнату — игра заканчивается, теперь сука не уйдет, никуда не денется — на тридцати метрах жилой площади долго в прятки не поиграешь...

НИКОГО.

Никого в большой комнате не оказалось. Графин был уже занесен для удара — и Паша в бессильной ненависти саданул по шкафу — выпотрошенному, с распахнутыми дверцами. На полированном дереве осталась глубокая вмятина. Хрусталь снова выдержал.

Штора у окна чуть дернулась. Паша — мгновенно, словно телепортировавшись через разгромленную комнату, — оказался возле нее. Рванул — никого. Штора рухнула вместе с карнизом. Шикунов взвыл и вмазал графином по оконному стеклу. Звон, ливень осколков... Он смотрел на окровавленное горлышко графина, стиснутое пальцами. Странно, но теперь толстый хрусталь раскололся — ровно-ровно, словно обрезанный стеклорезом. Паша попытался отбросить остаток оружия — пальцы не слушались, не желали разжиматься. Рука казалась чужой, казалась искусной имитацией, конечностью воскового манекена — только из воска отчего-то сочилась кровь.

И тут раздался голос. Шипящий и в то же время немного побулькивающий; странное сочетание, но именно так и прозвучало услышанное Пашей — словно шипение выходящего из баллона газа наложилось на звуки, издаваемые неисправным водопроводным краном, — и родились слова:

— Ш-ш-шикуноф-ф-ф... Пло-х-х-хой мальчиш-ш-ш-ш-ка...

2

Потом снова случился провал. Обрыв плёнки. Шикунов вдруг обнаружил себя в детской — пригнувшись, стоял в засаде за двухъярусной кроваткой, рука стискивала молоток. Как, когда там оказался? — совершенно не помнил.

Но теперь способность думать и осознавать свои действия вернулась — относительная, как и всё сегодня.

В квартире царила тишина — натянутая, звенящая, как на пороховом складе за секунду до взрыва. Лющенко затихла, где-то затаилась...

НО ГДЕ?

Не было в квартире-двушке мест, способных её спрятать. Вернее, были, но Паша осмотрел их дотошно и внимательно. Галлюцинации? Слуховые галлюцинации?

А кто оставил тогда следы мокрых ног на полу? Кто сидел в шкафу, сдвинув в сторону плечики с одеждой? Куда подевалось тело, наконец?

Галлюцинации — это, надо понимать, когда мерещится то, чего на самом деле нет. Определение, может, не научное, но по сути верное. Но если то, чему быть на месте полагается (в данном случае труп), напрочь отсутствует — то никакими галлюцинациями сей факт не объяснить.

Но должно же существовать рациональное и простое объяснение всей чертовщины! Должно!

Шикунов в который раз попытался призвать на помощь логику (не покидая место засады и не выпуская молотка).

Итак...

Допустим, Лющенко действительно выжила — очнулась и ушла. Такой вариант куда вероятнее, чем тот, что она почти сутки просидела в пустой квартире, понятия не имея, когда вернется Шикунов, — для того лишь, чтобы затеять с ним прятки-пугалки. А теперь вопрос: неужто эта сука ушла бы так, тихо и мирно, по-английски? Да ни в жизни. Если бы даже не подожгла квартиру, то погром бы устроила тот еще. Изгадила бы всё, что смогла, времени у нее хватало.

Однако — ни следочка.

Значит, задумала нечто более гнусное и утонченное. Например, свести Пашу с ума... Легко. Исчезновение трупа — уже удар по психике. А тут еще эти звуки...

Словно эхо его мыслям, вновь раздался — из кухни? — свистяще-булькающий шепот:

— Ш-ш-шикуноф-ф-ф-ф... Ш-ш-шикуноф-ф-ф-ф...

Но Паше уже было не сбить с правильного пути. Разгадка сверкнула мгновенно, как вспышка выстрела во мраке.

Музыкальный центр! Его собственный музыкальный центр! Плюс кассета, записанная воскресшей Лющенко, — и запущенная в режиме нон-стоп....

Паша засмеялся. Веселым смех отнюдь не был, скорее напоминая вороное карканье.

— Ш-ш-шикуноф-ф-ф-ф... — призывно шептала самсунговская электроника. И, фоном, мокрые ступни: шлеп-шлеп-шлеп...

Он, всё еще хрипло смеясь, вышел из засады. Небрежно отбросил молоток и пошагал на кухню, тяжело переставляя ноги, — выключить поганую запись. Чтобы, наконец, заняться делом. Вылить для начала запасы кислоты...

Но выключить не довелось. Центр не был включен. Даже штепсель не вставлен в розетку... Батарейки? — подумал Паша, сам не веря себе. Он лихорадочно терзал ни в чем не повинный «Самсунг» — кассеты внутри нет, Си-Ди нет.

— Ш-ш-шикуноф-ф-ф... — прошипело из ванной. И вновь громко заплескала вода.

3

Наступила ночь. Серый полусвет сочился из окна и казался чем-то осязаемым, вязким и неприятно-липким. Но фотопортрет в полумраке был виден — он висел на стене в детской и изображал трехлетнего Пашку-младшего, впервые пошедшего в том году в садик. Для съемки фотограф нарядил мальчишку в царский костюм: расшитый кафтан, шапка Мономаха, — и вручил бутафорские скипетр с державой. Получилось красиво, Шикуновым этот портрет весьма нравился.

Сейчас Паша стоял перед ним и не отрывал взгляд от изображения сына — как молящийся человек от иконы. Наверное, так оно и было. Шикунов никогда не верил ни в Бога, ни в черта, ни в переселение душ, ни в телепатию и летающие тарелочки.

Теперь — пришлось.

Все рациональные причины творящейся бесовщины исчерпались, так и не объяснив ничего. Иррациональными объяснениями Паша забивать голову не хотел. Какая разница, с чем довелось столкнуться? Бродит ли по квартире неприкаянная душа убиенной Лющенко, или мертвое тело подняла ее злоба, никак не желающая подыхать...

Паше было безразлично.

Может, стерва после смерти превратилась в зомби, в вампира, в русалку... — выбор широк, весь Голливуд к услугам. Ему всё равно. В мире, где по квартирам бродят невидимые упыри, Паше Шикунову места нет.

Герои уже упомянутых голливудских боевичков отчего-то всегда отличались невероятной крепостью психики и приспосабливаемостью: обнаружив НЕЧТО, в корне ломающее их представления о реальности, они не впадали в панику и депрессию, быстренько мобилизуя на борьбу с нечистью иконы и молитвы, кресты и святую воду, древние ритуалы и самую современную технику.

Шикунов так не мог. Невозможно бороться с тем, что не может существовать в твоей системе жизненных координат — но неожиданно, вопреки всему, там появляется. Потому что все твои знания и умения лежат именно здесь, в этой плоскости бытия, — и бессильны против пришельцев извне...

Паша ничего не станет делать.

Будет стоять, смотреть на портрет сына, раз уж не нашлось икон, — и ждать, чем все закончится. В любом ужасе есть единственный светлый момент — всё всегда рано или поздно заканчивается. Так или иначе.

За спиной шлепали шаги, все ближе и ближе. Он не оборачивался и заставлял себя не прислушиваться. Твердил мысленно старую песенку, всплывшую в памяти при виде портрета маленького Пашки:

> Топ, топ, топает малыш...
> Топ, топ, топает малыш...

Других слов Шикунов не помнил и твердил эту единственную строчку, твердил с подсознательной надеждой: вдруг поможет, вдруг как-то заменит молитвы, которых он не знал и в силу которых не верил.

Не помогло. Шаги приближались.

Голос зашипел, казалось, в самое ухо:

— Пло-х-х-х-хой мальчиш-ш-ш-ш-ка...

Обернуться хотелось нестерпимо. Паша сдержался, говоря себе: сейчас всё кончится, не может призрак причинить вред живому и реальному человеку, так или иначе всё кончится, всё проходит, и это тоже...

Обжигающе-ледяные пальцы впились в его горло.

Паша захлебнулся хрипом и смолк.

Сочащийся в окно серый сумрак стал теперь багрово-красным, словно неподалеку вспыхнул пожар. В ушах гремело эхо близких взрывов. Ледяные пальцы вдавливались в горло всё глубже.

Забыв о намерении ничего не предпринимать, Паша вцепился в душившие его руки — оторвать, отодрать от горла. Казалось, он близок к успеху — выламывая, отогнул один чужой палец, второй... Тут его правую ладонь пронзила боль — Шикунов успел понять, что на ней с хрустом сомкнулись зубы трупа. Больше он не успел ничего, холод от мертвых пальцев-льдышек проник внутрь, в голову, в мозг, — и всё внутри мгновенно заледенело до хрустального звона, и стало стеклянно-хрупким, и звонко рассыпалось на миллион кусков.

Багровый свет погас. Пришли темнота и тишина.

ЭПИЛОГ БЕЗ ХЕППИ-ЭНДА

> ...Вместо лица что-то красное, пузырящееся, оскаленное. И к тому же — нож. Длинный, хозяйственный. Торчит из шеи — сзади.
>
> А. Щеголев
> *Ночь навсегда*

Теперь квартиру Шикунова заполнял яркий солнечный свет — но вид ее оставался мрачным. Впрочем, людям, споро и без суеты заканчивающим свою работу, было не привыкать. Насмотрелись.

Двое из них сейчас курили на кухне — один, высокий, в давно не стиранном белом халате, уселся на край стола и задумчиво пускал дым кольцами. Второй, коренастый крепыш в форме с капитанскими погонами, расхаживал от двери к окну и обратно, — по замысловатой траектории, огибавшей предметы меблировки. Курил нервно, быстрыми короткими затяжками.

— Это что же получается? — недоуменно спросил крепыш. — Я всегда думал, что говорят: «руки на себя наложил» — как бы фигурально. А в натуре люди вешаются, травятся, стреляются, —

но уж никак не душат сами себя, ухватив за глотку... Разъясни-ка, Петрович, что твоя наука про это думает.

Долговязый Петрович страдал сегодня (как и вчера, и позавчера) жестоким похмельем, и что-либо разъяснять ему не хотелось. И вообще ничего не хотелось, кроме большого количества холодного пива.

Он выпустил очередное кольцо и ответил витиевато:

— Возможно наложение механической аутоасфикции на психосоматическую на фоне острого маниакально-депрессивного психоза...

Капитан вскипел:

— Ты по-русски говори, трубка клистирная! А про свою асфикцию-...икцию жене будешь объяснять, когда спросит, куда эрекция делась!

Оскорблением прозвучавшие слова не стали, доктор и капитан часто пикировались подобным образом — привыкли и не обижались.

Но сегодня Петровичу было не до словесных дуэлей. Он страдальчески поморщился, нацедил стакан холодной воды из крана, залпом выпил. Объяснил по-русски:

— Свихнулся парень, и все дела. Мочканул телку свою, стал мудрить, как сухим из воды выйти. Кислоту видел? Ну вот... А сам был к таким делам непривычный, — в общем, крыша и поехала. Просиди-ка три дня рядом с трупом, в ванне мокнущим. Страх, угрызения совести, то да сё...

— Что же петельку не намылил, от угрызений-то? — скептически поинтересовался капитан. — Да как себя вообще можно руками? Даванешь на сонную — и обрубишься, пальчики и разожмутся. Полежишь, полежишь, да и очухаешься...

Эксперт и сам испытывал на этот счет немалые сомнения.

Но сказал уверенно:

— Люди и не на такое способны. Или тебе кого-то третьего искать хочется? И без того «глухарей» вокруг, как на птицеферме. Убийство раскрыто по горячим следам, убийца совершил суицид — и дело в архив.

— Ладно, суицид так суицид, — нехотя согласился капитан. Докурил, загасил окурок о подошву, щелчком отправил в открытую форточку. Уже выходя из кухни, сказал задумчиво:

— Одного не понимаю: зачем он стал ломать пальцы трехдневному трупу?

Петрович ничего не ответил, счтя вопрос риторическим. Набрал и опорожнил еще один стакан, прошел в комнату неуверенной походкой.

Труп Шикунова П. А., 1973 г. р., женатого и имеющего двоих детей, уже вынесли — остался лишь меловой контур на паркете. Второе тело, выловленное из ванной, лежало на полу, запакованное в длинный мешок из плотного черного пластика, — и ожидало, когда за ним вернутся санитары с единственными имевшимися в наличии носилками.

Петрович равнодушно шагнул было через мешок — и чуть не растянулся, споткнувшись. Выругался:

— ...на мать, разложили тут падаль, ни пройти, ни проехать...

Присел на табурет, недоброжелательно глянув на труп. Хотел отвернуться, и...

И недоуменно заморгал глазами. Показалось — мешок шевельнулся. Совсем чуть-чуть, едва заметно. Словно вместе с телом упаковали не то мышь, не то крысу.

Тело лежало неподвижно, как мертвецам и положено. Петрович вздохнул. Надо взять себя в руки и постараться ограничиться сегодня пивом. А то праздник что-то затянулся, шевелящиеся мертвецы уже чудятся...

Чтобы подавить возникшее неприятное чувство, он пододвинул табурет поближе и положил обе ноги на мешок, как на подставку. Профессиональная бравада.

Да и что тут такого, в конце концов?

Мертвым всё равно. Мертвые, как всем известно, не кусаются.

НОЧЬ НАКАНУНЕ ЮБИЛЕЯ САНКТ-ПЕТЕРБУРГА

За отдраенным иллюминатором — его писатель, как человек сухопутный, считал открытым окном — плыла ночь. И плыли берега — хотя их почти не было видно. Левый, ближний, во многих местах вздымающийся высокими отрогами, еще как-то чувствовался. На звезды (на те, что не догадались забраться на небесном своде в безопасные места, поближе к зениту) — на эти недальновидные звезды наползали черные силуэты утесов. Звезды исчезали — словно там, в небесной выси, завелось огромное мрачное чудовище, пожирающее их. Потом появлялись снова, целые и невредимые, — словно прожорливое чудовище обладало весьма слабым пищеварением. Улыбнувшись такому сравнению, писатель отвернулся от окна, которое на самом деле называлось иллюминатором.

...Каюта была роскошная — мореный дуб, сафьян, бархат, слоновая кость, серебро. Поначалу писатель чувствовал себя в ней неуютно — но чувство это слабело по мере того, как убывало вино в покрытой паутиной бутылке. Кончились они одновременно — и «Божоле Луизьон», и писательская неловкость. Впрочем, его спутник и собеседник откупоривал уже вторую — открывал сам, встреча старых знакомых проходила тет-а-тет, без стюарда и прочей вышколенной прислуги.

— Странно, что ты совсем не пьёшь виски, — сказал писатель. — Почему-то мне представлялось, что ты обязательно пьёшь виски.

— Пробовал много раз. Тут же лезет обратно, — коротко и мрачно ответил Хозяин.

Он действительно был хозяином и этого судна, и много ещё чего хозяином. Матросы, и прислуга, и даже сам капитан, — звали его не шефом и не боссом, а именно Хозяином. Звучало это с неподдельным уважением и как бы с большой буквы — будто имя собственное. Писатель решил, что надо быть весьма и весьма незаурядным человеком, чтобы тебя называли так даже за глаза — и, по неистребимой своей писательской привычке, подумал: вставлю куда-нибудь.

Будем называть владельца судна (и не только судна) Хозяином и мы. А писателя... ладно, писателя будем звать Писателем — тоже с большой буквы. Пусть ему будет приятно — тем более что к тридцати девяти годам известности он добился изрядной.

— Наверное, мой папаша заодно вылакал и то виски, что судьбой было отмерено на мою долю, — добавил Хозяин, разливая.

Вино лилось тонкой струйкой, и ударялось о хрусталь бокала, и в свете свечей казалось... — Писатель мысленно замялся, поняв, что не может с лёту подобрать сравнения — не затёртого, яркого, свежего — *писательского*.

— За Санкт-Петербург, — провозгласил Хозяин уже третий сегодня тост за родной город. — За его юбилей. Семьдесят лет — не шутка, что и говорить. Странное дело, Сэмми, — где я только не бывал, и попадал в красивые по-настоящему места, — но до сих пор мне порой снится этот занюханный, сонный и вонючий городишко, где, по большому счёту, ничего хорошего я не видел.

— Это, Берри, и называется — ностальгия... — сказал Писатель. Произнес он на французский манер: «ностальжи».

— Теперь я тоже знаю, что такое ностальгия, — кивнул Хозяин. — Мне было тридцать с лишним лет, и я заплатил кучу хорошеньких кругленьких долларов, чтобы узнать это и другие похожие слова. И что же? — ничего не изменилось, когда на душе скребут кошки — назови это хоть по-французски, хоть по-китайски, — а тебе все так же паршиво... Теперь вот мы плывем вверх по реке — а мне кажется, что вокруг не вода, а время... Время — понимаешь, Сэмми? А мы плывем ему встречь... Кажется, что снаружи — стоит выйти из каюты — все по-прежнему. И меня, одетого в лохмотья юнца, вышибут пинками с палубы первого класса и вообще с парохода... Нет, Сэмми, что ни говори, а Санкт-Петербург — маленькая паршивая дыра. И хорошо, что его юбилеи бывают не часто.

— Зато на завтрашнем торжестве ты будешь первым человеком, Берри. Вот если бы ты родился, скажем, в Бостоне, — на его юбилее затерялся бы в толпе знаменитых уроженцев. А так именно тебе предстоит открывать памятник Уильяму Смоулу... Я, кстати, до сих пор не понимаю, как тот похожий на армянина-ростовщика скульптор сумел уболтать отцов города и добиться возведения этакого бронзового чудища... Да и не Смоул это вовсе. Я сильно сомневаюсь, что старина Билли семьдесят лет назад — когда он вылез из фургона на берегу Миссисипи и сказал: «Строить будем здесь!» — был в треуголке, камзоле и высоченных ботфортах. Скорее в соломенной шляпе, домотканой блузе и башмаках с деревянными подошвами. И в руках держал не трость, а обычный кнут, которым погонял лошадей... Ты, Берри, видел эскизы памятника? — это же не фронтирьер, а какой-то хлыщ из Нью-Амстердама.

— Что там эскизы, Сэмми. Смоула-основателя отливали на моем заводе в Цинциннати и везли в Санкт-Петербург на моей барже. Мне он, между прочим, понравился. Большой, внушительный. А что одет не так — и сейчас-то его никто не помнит, а еще через семьдесят лет не будет и тех, кто слышал рассказы отцов и дедов о старине Билли. И он останется для людей таким, каким мы его изобразим. В треуголке и ботфортах... Но кое в чем ты ошибся. Памятник мы будем открывать вместе, стоя рядом. Потому что более никого, достойного такой чести, Сан-Питер не породил. Гордись. — И Хозяин вновь наполнил бокалы.

Писатель гордиться не стал. Сказал задумчиво:

— А ведь странно... Ведь кем мы были среди сверстников? Я — незаметный в любой компании середнячок... А ты... Ну, не мне рассказывать, кем ты был тогда. Мне всегда казалось, что добьются успеха и прославятся или Джо, или Томми, или... Но никак не мы.

— Джо действительно мог прославиться, — подтвердил Хозяин. — Отчаянный был парень. В войну записался в «Белый легион Миссисипи», потом стал одним из лучших кавалерийских офицеров в армии генерала Ли. Готовился приказ о присвоении Джо чина полковника, когда он погиб под Геттисбергом. Глупо погиб — два эскадрона послали в разведку боем, фактически — на убой. Джо добровольно заменил лейтенанта, что должен был командовать смертниками, — к тому накануне приехала невеста... Кстати, в Санкт-Петербурге есть улица капитана Джозефа Гарпера. Ты не знал?

Писатель *знал*, но покачал головой.

— Тоже почти слава... — сказал Хозяин. — Правда, через двадцать лет и не вспомнят, кто это такой...

Они, не чокаясь, выпили за упокой души «Джо Кровавой руки» — так в детских играх именовал себя их товарищ, подставивший грудь под картечь федератов. Подставивший за другого, точно так же, как когда-то — с презрительным спокойствием — принимал за чужие грехи розги от мистера Доббинса, учителя, очень не любившего детей.

Помолчали. Хозяин в той войне принимал участие косвенно — занимался поставками в армию северян. А Писатель... Ему довелось взять в руки оружие. Но — как-то не всерьез, какая-то оперетка получилась. С компанией друзей-сверстников вступил в «Миссурийский иррегулярный эскадрон», с шутками-прибаутками, — казалось: продолжаются игры в Кровавую руку и Черного мстителя испанских морей на Индейском острове... Затем — неожиданно — полилась кровь. Настоящая. Понял — не для него. Уехал в Теннесси, в самую глушь, занялся журналистикой. И война прогрохотала мимо. Потом убедил себя — так и надо было: кто-то воюет саблей, кто-то пером... Но не любил, когда при нем вспоминали Джо Гарпера.

Чтобы сменить тему, Писатель сказал:

— А помнишь Томми? Вот уж кто, все думали, прославит Санкт-Петербург. И вон как все получилось...

Хозяин согласно кивнул:

— Да, голова у него варила... Я всегда говорил: если уж наш Томми до чего-то додуматься не может, — так и никто не додумается. Я в Вашингтоне поначалу-то по делам бывал, все думал: зайду в какой департамент, а там он — в большом кресле сидит, клерками командует... А Томми как смылся с той смазливой блондиночкой, так ни слуху и ни духу...

— Так ты что... — медленно и тяжело сказал писатель, — не слышал...

— Что не слышал? Нашелся наш Томми?

— *Нашли*... Год назад... Вернее, сначала нашли залежи руд — ну, знаешь, для этого новомодного металла, как он там называется...

— Алюминий, Сэмми, — мягко подсказал Хозяин. Новомодный металл уже принес ему немалые деньги.

— Вот-вот... Нашли аккурат под Кардифской горой, начали разработку. И одна штольня натолкнулась на естественный грот. На какое-то дальнее ответвление пещеры Мак-Дугала — милях в четырех от ее главного входа. Там они и отыскались.

— Кто — они? — не понял Хозяин.

— Они. Томми и дочь старика Тетчера. Ну, тогда-то он был не старик, когда...

— Подожди, подожди... То есть — они не сбежали? Заблудились в пещере? И все годы их скелеты лежали там?

— Не скелеты, Берри. Мумии. Такой уж в той пещере воздух... Ты знаешь, я всегда стараюсь заскочить в Сан-Питер, когда бываю проездом неподалеку. И — через два месяца после той находки встретил старого судью... Не узнал. За полгода до того был представительный пожилой джентльмен — волосы «соль с перцем», спина прямая, походка твердая... А тут — седой как лунь, сгорбленный, едва ноги волочит. Он ведь двадцать пять лет надеялся — жива его Ребекка, жива, растит внуков где-то, просто на глаза показаться боится. Самое страшное — они там просидели живыми не меньше недели. По крайней мере, Бекки неделю вела записи.

— Записи? Она взяла с собой чернила и бумагу? Лучше бы прихватила клубок бечевки, да побольше.

— Не было ни чернил, ни бумаги. Нашелся свинцовый карандаш, они отрывали клочки ткани от ее юбки, от рубашки Томми, — и Бекки на них писала. Кошмарный получился дневник...

— Ты его читал? — спросил Хозяин с долей скепсиса.

— Нет, *это* почти никто не читал. Надеюсь, судья Тетчер его сжег. Никому не надо читать такие вещи — и незачем. Но мне рассказывал Бен Роджерс — ты должен его помнить, он сейчас окружной коронер... Так вот — он читал. И, говорит, не спал потом две ночи. Они... Они умирали от голода, Берри. Вода там откуда-то сочилась. У них была с собой маленькая корзиночка для пикников — пирог, что-то еще из продуктов... Растягивали как могли, Томми уверял, что их ищут и обязательно найдут. А сам слабел и через неделю умер первым. Она нащупала рядом сверток со всеми его порциями... Томми до конца надеялся, что Бекки дождется помощи. Она написала большими неровными буквами, свечи давно кончились: ЛЮБЛЮ ЕГО. НЕ ХОЧУ ЖИТЬ. И больше дневник не вела, сколько еще прожила, никто не знает... Мне порой хочется написать про них — но с хорошим концом, чтобы они спаслись, выбрались, чтобы жили долго и счастливо, чтобы она родила ему пятерых детей...

— Напиши. А то история действительно поганая, — сказал Хозяин. — Но... знаешь, Сэмми, — я даже не помню лица девчонки. И имя — Бекки — вспомнил, только когда ты его назвал. Звучит для меня всё как сказка, — страшная, но сказка... Надеюсь, Томми успел, пока оставались силы, попользоваться ее любовью.

Прошедшие годы изрядно добавили ему цинизма.

— Как ты догадался? — неприятно удивился Писатель. — Я ведь не хотел тебе говорить...

— Нашел загадку... Чем еще может заняться четырнадцатилетний парень с ровесницей — если темно, идти некуда, и надо чем-то задавить страх смерти? Мне тоже было четырнадцать, когда...

Хозяин неожиданно замолчал. Писатель отметил странную вещь: лицо у его старого приятеля стало другим — мрачным, темным. Суставы пальцев, сжимавших бокал, побелели. А ведь про заблудившихся в пещере слушал гораздо спокойнее. Вспомнил *свою* страшную сказку?

Хозяин встал. Сделал шаг к иллюминатору. Постоял, глядя на круглый проем, — Писатель мог поклясться, что звездного неба Хозяин не видит. Потом — два шага к двери. Застыл снова. Потом — быстро, уверенно — раскрыл отделанный слоновой костью погребец, ухватил сразу две бутылки. Поискал глазами штопор... Не увидел, и — резко — горлышком о край стола.

Писатель вздрогнул. Стекло хрустнуло. На палисандре столешницы появилась глубокая вмятина — и была видна даже сквозь накрахмаленную скатерть.

Вино — то, что не выплеснулось при ударе — хлынуло в бокалы кроваво-красной струей. На скатерти набухали лужицы...

Сейчас расскажет все, думал Писатель с холодным удовлетворением. Расскажет, никуда не денется, — потому что дернул за какую-то дверцу в своей памяти, к которой прикасаться совсем не стоило. Пусть расскажет, а я послушаю. Может, куда-нибудь вставлю.

Прошедшие годы изрядно добавили цинизма и ему.

Но знания жизни добавили тоже. Писатель оказался прав. Хозяин рассказал всё. Причем — Писатель удивился — речь его изменилась разительно, словно и не платил старый знакомый кучу хорошеньких кругленьких долларов своим педагогам, словно действительно пароход плыл вверх по реке времени, словно рассказывал эту историю парнишка в лохмотьях, сидящий на старом бочонке, покуривающий трубочку из маисового початка и временами лихо сплевывающий сквозь зубы...

* * *

Это случилось в то лето, когда меня убили. Меня и моего папашу. Помнишь, Сэмми, ту историю? Я думаю, что в Сан-Питере о ней толковали долго.

Так вот, в то лето мой старик допился до белой горячки. Вроде бы обычное для него дело, да не совсем. На этот раз вместо розовых тараканов или зеленых утопленников на папашу напустился сам Ангел Смерти. Причем мнится ему, что Ангел — это я. Ну, старик мой за топор — и давай отбиваться. Хибарка у нас была — семь футов в ширину, десять в длину, дверь заперта, в окошечко разве что кошка проскочит. Вижу — конец пришел. Ни увернуться, ни убежать, — разделает, как баранью тушу. Хорошо, успел я... В общем... Короче говоря, споткнулся старикан о бочонок с солониной — и на пол рухнул. А там как раз мой ножик фирмы «Барлоу» валялся, и...

И осиротел я, Сэмми, в четырнадцать лет. Горько мне стало, муторно. Сижу, думаю: вот папашка мой всю жизнь пил, всё, что под руку подворачивалось, — крал, вечно рядом со свиньями на старой кожевне пьяным валялся... А ведь никто мне руку не пожмет, спасибо не скажет за то, что если не веревку, то уж ведро смолы и старую перину городу точно сэкономил. Нет, сэр! Сразу вспомнят, что был он каким-никаким, а гражданином Соединенных Штатов, — и упекут меня в кутузку. Могут, правда, туда и не довести, по дороге повесить, — другим строптивым сыновьям для острастки.

И решил я сказать «прощай!» штату Миссури. Но так, чтобы меня потом не ловили и не искали. Ну, и обставил дело соответственно — будто кто-то дверь снаружи топором изрубил, нас с папашей прикончил, а мой труп до реки дотащил — и в воду.

Короче говоря, загрузил в лодку всё, что в хибаре ценного нашлось, — и на Индейский остров. Затаился, день сижу, другой сижу, — самого сомнения гложут. Поверили моей выдумке? Нет? Дай, думаю, сплаваю на миссурийский берег. Подкрадусь-подползу к пристани, может, и узнаю чего... Дождался темноты, поплыл. Едва причалил в сторонке — слышу: шум, крики, лай собачий. Факелы мелькают, пальнули пару раз из ружья вроде как... Нет, думаю, не судьба, другой раз как-нибудь. Стал отчаливать — из кустов человек. И прыг ко мне в лодку! Гляжу — негр! Здоровенный, зараза, пахать на таком можно. Ну вот, думаю, сейчас моя придумка правдой обернется — и поплывет мой труп вниз по матушке-Миссисипи.

Но негр вроде мирный: чуть не на коленки хлопается, — спаси, мол, масса, не дай безвинно погибнуть. Линчевать его, видишь ли, собрались. Но мне-то что до его проблем? Своих куча. Да только пока я его из лодчонки выпихивать буду — тут обоих и повяжут. Ладно, говорю, садись за весла. Как он греб, Сэмми, как он греб! Борта трещат, весла гнутся. Даром что негр, а висеть тоже не хочет. Стрелой отплыли мили две — тут луна из-за туч. Негр лицо мое разглядел — и чуть за борт не сиганул. Да не смог — сомлел, отнялись руки-ноги. Тут и я его признал — Джим же это, его сестра старой вдовы Локхид к нам привезла, — когда погостить приехала, да на три года и застряла. Что, говорю, весла-то бросил, — греби давай к тому берегу. А он: не тронь меня, не тронь, я мертвецов не трогал никогда, и ты меня не тронь...

Ну, отвесил я ему затрещину, чтоб прочувствовал, какой я мертвец. Помогло. Выяснилось: линчевать Джима собрались не за что-нибудь — за убийство меня и папаши. Он в тот вечер за дровами поехал, как раз неподалеку от нашей хибарки рубил. Ну, видел его кто-то там, потом вспомнил, — и пошла потеха. В Миссури, сам знаешь, даже сейчас негру лучше не мелькать возле места, где белого убили. А уж тогда...

Ладно, думаю, негра от себя отпускать нельзя. Никому он не должен проболтаться, что я еще по этому свету разгуливаю... Тут он меня за рукав: пойдем, дескать, расскажешь, что я не убивал тебя вовсе... Говорю ему в ответ так спокойненько: мол, папашка мой, думаешь, тоже придет — и пятерней на Библию, что не ты его на ножик насадил?

Призадумался черномазый. Да и я в затылке чешу. А лодочку мою помаленьку течением сносит.

В результате всех раздумий получается, что сидим мы с Джимом в одной лодке. И в прямом смысле, и в переносном. Если его линчеватели поймают и он все расскажет — конец моей привольной загробной жизни. А если я попадусь — придется на него убийство папаши навесить, нет другого выхода. Так что лучше нам друг другу помочь унести ноги из тамошних мест.

В общем, поплыли мы в сторону устья Огайо вместе, Джим в свободные штаты податься решил. А мне все равно куда, лишь бы от дома подальше. Ночами плывем, днем отсыпаемся, питаемся чем бог пошлет. Пошлет курицу — едим курицу, пошлет коптильню незапертую у берега — едим окорок, поле с молодым маисом пошлет — и за это богу спасибо. Рыбу еще ловили. Папаша мой, наверное, в гробу ворочался — если, конечно, ему городская казна на гроб расщедрилась. Сам-то был он рвань рванью, но белым цветом кожи крайне гордился. А тут сынок его единственный с негром связался, из одного котелка с ним пьет-ест, в одном шалаше спит, одной циновкой укрывается... Мне и самому дико поначалу казалось. Потом ничего, привык. Да и к Джиму пригляделся получше — все почти как у людей у него. Не совсем, конечно, но очень похоже. Жену он свою вспоминал, дочек, сына, — плакал даже. А со мной — я когда понял это, чуть за борт не свалился — со мной просто подружился. Хуже того, я и сам стал как-то не знаю, как сказать... в общем, никогда не думал, что я за какого-то негра так тревожиться буду, когда нас у Сен-Луи чуть охотники за беглыми рабами не прихватили. Не того испугался, что все он обо мне расскажет, ничего бы он не рассказал, — за него самого.

Тем временем бог нас не забывал. Послал весьма удачно лавочку скобяную плохо запертую. И стали мы с Джимом богачами — по шестнадцать с лишним долларов на брата, не шутка. Купили у плотовщиков за полдоллара звено плота, палатку там капитальную установили, парусиной обтянутую, — чтоб не возиться с шалашом на каждом новом месте. Да и вообще, плот не челнок — на том целую ночь плыть тяжко, ни встать, ни пройтись, ноги не размять. На плоту же — иное дело. Медленнее, конечно, ну да нам спешить некуда.

В общем, плывем вольготно, как короли или герцоги. Обленились, ночью по берегам не пиратствуем, еду покупаем. Одежду себе новую справили... Тогда-то я на всю жизнь и понял, что главное в этой стране капитал заиметь...

...В свободные штаты мы не попали. Вместо этого ночью в тумане угодил плот наш под колесо парохода. Они там, как положено, в колокол били, — но в тумане, знаешь, звуки странно расходятся, — казалось, мимо пароход проскочит... Не проскочил.

Короче, что получилось: плот вдребезги, пароход своей дорогой уплыл, мы на берег выбрались — без ничего и до нитки мокрые. Вокруг тьма, ни огонечка, лишь звёзды над головами. Вдруг: копыта цок-цок-цок — всадники. Подъехали, окружили, все с оружием... Дверцу фонаря распахнули, в лицо мне светят — на старину Джима никто и внимания не обратил. Всё, думаю, конец, догнали нас все-таки... Думал, к миссурийским линчевателям в лапы попал. Но попал я к Монтгомери, канзасским плантаторам. И до сих пор иногда сомневаюсь: может, к линчевателям лучше было бы, может, столкновался бы с ними как-нибудь...

***

Полковник Роджер Монтгомери оказался настоящим джентльменом, Сэмми. Мой старикан говорил, что для джентльмена самое главное — порода, хотя сам папаша был не породистей подзаборной дворняжки. Уже ведь в немалых годах был полковник — но высокий, стройный как юноша. Всегда чисто выбрит, каждый божий день — свежая рубашка. Говорил негромко и мало, но когда начинал говорить — все замолкали.

Вся семья — такая же. Джентльмены. Полковник овдовел лет десять назад, три сына с ним жили — Питер, Бакстон и Роджер-младший. Старшим — Питу с Баком — лет под тридцать, Род мой ровесник. И дочь у полковника была, Эммелина, восемнадцатый год ей шел. Ну и еще — «сестренки» и «братцы», но про них чуть позже.

Дом у полковника стоял большой, внушительный. Двухэтажный, у входа восемь колонн — деревянные, но гипсом обложены, от камня не отличить. Вместительный, пять таких семей разместить можно, но... Но вот чем-то не понравился мне сразу дом тот. А чем — не пойму. Только смотрю на него, Сэмми, — и нехорошо на душе как-то. Муторно. Словно за окно глядишь в ноябрьский день, когда все серое и жить не хочется... Хотя лето в тот год стояло солнечное.

Вот... Комнат в полковничьем доме было чуть не тридцать. Ладно, спальня у каждого своя, ладно кабинет у полковника отдельный, ладно гостиная без единой кровати (а в те годы и в городах-то такое редко у кого увидишь) — так там еще и курительная комната оказалась! У меня — тогдашнего — просто в голове не укладывалось. Ну и комнаты для гостей, понятно, — в одной из них меня поселили. А Джим где-то при конюшне ночевал, с другими неграми.

Я ведь какую историю полковнику рассказал: дескать, была у моего отца плантация небольшая в Миссури, негры были, там и жил я с семьей, пока не пришла эпидемия оспы. Родные все померли, плантацию банкиры-янки за долги забрали, а я с единственным негром моим оставшимся на плоту в Луизиану плыл, потому что денег даже на билет третьего класса не осталось... В Новом Орлеане у меня, дескать, родня дальняя — примет ли, нет, неизвестно, — но больше податься не к кому. Ну а дальше всё по правде — про туман, про пароход.

Тогда думал — ловко это я про банкиров-янки ввернул, плантаторы их всех поголовно грабителями с большой дороги считали... Лишь годы спустя понял: едва ли старый Монтгомери сказочке моей поверил. Какой уж из меня плантаторский сынок — сразу видно: белая рвань. Но виду полковник не подал. Живу я у него в гостях неделю, вторую, третью — никто меня гнать не собирается. Кушаю за столом со всей семьей, словно родственник, негры ихние ко мне уважительно: «масса Джордж». Я на всякий случай полковнику Джорджем Джексоном назвался — вдруг в Миссури все-таки меня в розыск объявили...

А один «братец» — Джоб его звали — надо мной как бы опеку установил. Надо думать, по просьбе полковника. Если я за столом что не так сделаю или еще где, — полковник и сыновья вроде как и не заметят, а братец Джоб мне потом наедине тихонечко объясняет: так, мол, и так поступить надо было, мистер Джексон. И ничего, пообтесался я за то лето...

Кто такие «братцы»? Ну как попроще объяснить, Сэмми... Десятка два их там жило, если с «сестрицами» вместе считать, самому младшему лет двадцать пять уже. В общем, это тоже дети полковника оказались — но от мулаток, от квартеронок, грешен был старик в молодости, хотя совсем черными женщинами брезговал. На вид эти братцы-сестренки почти совсем как люди — от орлеанских креолов и не отличишь. Жили, понятно, не с неграми в хижинах, в доме — но в двух общих спальнях. И на плантациях спину не гнули: один слугами черными командовал, второй счетами да бумагами всякими занимался (они же все грамоте были обучены, что ты думаешь...), еще несколько за полевыми работами надзирали... Сестренки же просто без дела болтались — продать их у полковника рука не поднималась, а замуж кто возьмет... В общем, ни то ни се — ни люди, ни негры.

Как утро — полковник с сыновьями на коней и поля свои осматривать или на охоту. А я к этим делам непривычный, в доме остаюсь. Хожу, как по музею, — все в диковинку. Картины висят, гравюры старинные — хотя я много позже узнал, что это именно гравюры, но все равно красиво. Статуи опять же — целых три, не гипс какой-нибудь — натуральный мрамор. Хожу, смотрю — нигде ничего не заперто, даже спальни хозяйские — но туда-то я не совался. Только вот одна дверь... На первом этаже ее нашел, в неприметном коридорчике у черного хода, — я тот закуток не сразу и заметил. Толстенная, дубовая, с коваными накладками — и два замка врезаны, а третий сверху висит. Интересно, интересно... Дом снаружи обошел — дай, думаю, в окно загляну, что там такое... Не вышло — нет окон в том месте. Решил: может, каморка какая, где полковник капиталы свои держит? Этаж шагами измерил — ан нет, не каморка, здоровенная комната получается, чуть не больше гостиной. Монтгомери, понятно, не из бедняков был, — но и ему под казну что-то больно просторно выходит...

В общем, загадка. Тайна. Всякие мысли в голову лезут. А тут еще братец Джоб меня грамоте учить затеял — и успешно, я ведь все всегда на лету схватывал. По книжке детской учил — картинки там были, буквы крупные. Хитрую методу придумал — начнет какую сказку читать, до самого интересного места дойдет, я от любопытства разрываюсь, до того узнать хочется, чем дело кончилось. А он: стоп, давай-ка сам дальше — ну я и пыхчу, слова из букв складываю... Одолели мы таким манером сказку про Синюю Бороду. И в башку мою дурная мысль втемяшилась: а ну как у полковника там комната, как у той Бороды? С мулатками-квартеронками зарезанными?

Сам понимаю, что глупость, но из головы не выходит.

А как разузнать доподлинно — не знаю. Не спросишь же полковника: что это, мол, вы тут, мистер, от честного народа прячете? Но в закуток тот порой заглядывал вроде как невзначай — вдруг да увижу, как кто входит-выходит. И увидел-таки! Дважды туда Мамочка при мне заходила, да выходила один раз.

Кто такая Мамочка?

Это, Сэмми, негритянка была. Я таких, скажу честно, ни до, ни после не видал. Ростом — на голову выше меня теперешнего. Толстенная — не обхватишь. Старая-престарая, лет сто на вид, не меньше, но совсем даже не усохла, как со старухами бывает. И вполне бодро так по дому шныряет.

Ее полковник Монтгомери откуда-то лет пять назад привез... Причем не купил, а... Не знаю, смутная там какая-то история вышла, мне так толком и не объяснили. Но вроде как ее, Мамочку, продать нельзя, если сама к другому хозяину уйти не пожелает. Что — странно? Мне и самому, Сэмми, тогда странным это показалось — чтоб на Юге, да в те годы, да негритянка сама решала, у какого хозяина жить... Но такие слухи ходили.

Вот... А привез полковник Мамочку не просто так. Я уже говорил — дочка у него росла, единственная, Эммелина, попросту если — Эмми. Красивая девчонка — тоненькая, бледная, хрупкая, на «сестриц» пышнотелых вовсе не похожая. И — с самого детства талант имела. Стихи писала, картинки всякие рисовала — и карандашом, и маслом, и водяными красками... Видел я те картинки и стихи в альбоме читал — благо крупными буквами, как печатными, написаны оказались. Хорошие стихи, и рисунки тоже, но... Мрачные какие-то.

Всё про смерть, да про разлуку. Но талант от бога был, это точно.

Только недаром говорят: кому бог много дает — в смысле души, не денег, — того к себе и прибрать норовит поскорее. В тринадцать лет заболела Эмми — на глазах чахнет, слабеет, врачи руками разводят, ничего понять не могут. Старик Монтгомери денег не жалел — из Мемфиса докторов привозил, из Сен-Луи. Один даже из Орлеана профессор приехал. Да все без толку. Осмотрел Эммелину профессор, руки вымыл, говорит: мужайтесь, полковник, но жить дочке вашей не больше месяца.

Тогда-то в доме Монтгомери и появилась Мамочка. Поскольку среди негров слухи ходили — знахарка она, силу великую имеет, хоть мертвого на ноги поставит. Слухи и есть слухи, тем более между черными, — кто же к белому больному негритянку-то подпустит. Но полковнику тогда уже не до приличий оказалось.

И — что ты думаешь, Сэмми? — вылечила Эмми старуха. Каким способом — никто не знал и, кроме полковника, не видел. А он никому не рассказывал... Стала дочка здоровее прежнего, однако рисовать и стихи писать перестала. Напрочь. Словно жилка художественная в мозгу от болезни лопнула... Но полковник и без того рад был безмерно.

Мамочка же так в доме у него и осталась. При Эммелине. Вроде как прислуга личная, только никакая не прислуга, — хотя много времени рядом с Эмми проводила. Знаешь, сейчас я ее бы назвал наблюдающим врачом. А тогда... Врач-негритянка? Смешно...

А теперь, значит, выясняется, что и в тайную комнату полковника старуха допущена. Меня пуще прежнего любопытство разбирает. Решил у негров что-нибудь вызнать — через Джима, понятно. Его, лентяя этакого, в поле работать не гоняли, он ведь моим негром считался... Иногда, если я куда прокатиться-прогуляться на бричке соберусь — он на козлы, а так в основном бездельничает. Питается от пуза, раздобрел, животик уже наметился... Ну ладно, провел через него разведку. Выяснилось: ничегошеньки про то, что внутри тайной комнаты, негры не знают. С приездом Мамочки окна там кирпичом заложили, в дверь замки врезали, — и никому туда хода нет. Саму же Мамочку, между прочим, негры до смерти боятся. Полковник, дескать, ни одного негра не продаст и не купит, с ней раньше не посоветовавшись. А продавать-покупать в последние годы стал отчего-то постоянно, зачастили к полковнику работорговцы. Причем как-то странно все происходит: сегодня партию рабов полковник продаст, завтра — примерно такую же купит, словно не хочет, чтобы черные у него на плантациях долго задерживались. Дворовых слуг, с которыми Джим общался, это не касалось, хотя и они порой под горячую руку попадали — и отправлялись на продажу. Но этих-то хоть за дело, за провинности какие-нибудь...

В общем, тайна осталась тайной.

И лишь в конце лета я ее разгадал. Вернее, мне показалось, что разгадал.

А тогда, в июле, на время загадка той комнаты у меня из головы вылетела. Потому что со мной другое происшествие случилось.

***

Месяц я где-то у Монтгомери прожил, может чуть больше. И вот как-то утром, перед тем как в поля отправиться, приглашает меня полковник, негромко и вежливо: не угодно ли вам, мистер Джексон, проследовать в мой кабинет для серьезного разговора.

Я не против, в кабинет так в кабинет. Хотя у самого мыслишка — скажет сейчас мне полковник: загостился, парень, пора и честь знать. Одна надежда — может, денег на пароход до Луизианы предложит.

Ладно, прошли в кабинет, полковник за стол свой усаживается, на столе бумаги какие-то. Мне сесть предлагает и начинает разговор свой серьезный.

Для начала документ мне протягивает — возьмите, мол, мистер Джексон, ознакомьтесь. Я ознакомился — но не всё понял, а лишь где буквы печатные были.

Полковник объясняет, что мне негра моего, Джима, без документов везти в Луизиану никак невозможно, и продать нельзя — отберут попросту. А это, значит, купчая, — дескать, купил я его у полковника вполне законно, и все приметы Джима там изложены.

Так-так, думаю, угадал: пришла пора прощаться. Слушаю, что дальше Монтгомери скажет. А он спрашивает этак по-простому: чем вы в жизни заняться собираетесь, мистер Джексон? Как равного спрашивает, как взрослого. А мне всего-то пятнадцатый год идет, хоть ростом и удался, на пару лет старше выгляжу, но сам — пацан пацаном.

Призадумался я: чем, действительно, в жизни бы заняться? Ну и вспомнил, как папашка мой однажды торговца хлопком ограбил и не попался — и полгода себе ни в чем не отказывал. Жил в Сен-Луи в лучшей гостинице — за три доллара в день, не шутка! Сигары курил дорогущие и хлестал вина, аж из Европы привезенные. Да еще устриц на закусь требовал — правда, без толку, никто таких зверей в Сен-Луи и в глаза не видел. Потом-то старик все спустил, конечно, но случай мне запомнился.

В общем, я солидно так отвечаю, что хочу заняться хлопковым бизнесом.

Прекрасно, говорит полковник, тогда я напишу письмо моим старым друзьям в Новый Орлеан, в торговый дом «Монлезье-Руж» — чтобы, значит, они вас, мистер Джексон, приняли и к делу этому пристроили.

И что ты думаешь, Сэмми, — взял перо и тут же написал. Мне отдал, потом еще одну бумажку заполнил. Тоже мне протягивает.

Вот, говорит, мой вексель к Монлезье, на тысячу долларов,— чтобы вы, мистер Джексон, не просто наемным работником стали, но младшим партнером. А четверть прибыли, что на эти деньги причитаться будет, мне пойдет, — пока весь долг не покроете.

Ну, тут я обалдел просто. В те времена тысяча долларов ого-го какими деньгами была, а уж для меня...

Так и это не всё. Вручает мне полковник восемьдесят долларов наличными — на проезд в Орлеан и на прочие расходы. Ну дела... Уж не ждал, что Монтгомери так по-царски меня выпроводит. Благодарю его, откланиваться собираюсь. Ан нет, разговор не закончен еще.

Теперь, говорит, когда я помог вам из стесненного положения выпутаться, и свобода выбора у вас, мистер Джексон, появилась, делаю вам от чистой души предложение: оставайтесь жить с нами. Вы нам, дескать, понравились, да и вам здесь вроде неплохо — будете, значит, как член семьи нашей. Ну а не хотите — так вольному воля, пожелаю вам удачи во всех начинаниях.

Удивил, ничего не скажешь. Озадачил.

По уму, ясное дело, хватать надо было деньги и документы да бежать, пока полковник не передумал. Когда еще такая удача подвалит?

А я бумаги взял — но остался. Почему, спрашиваешь?

Все очень просто. Я к тому времени влюбился в Эммелину Монтгомери. Запал. Втюрился. Втрескался. По самые по уши втрескался.

* * *

История, конечно, глупейшая, как в дешевом романе. Босяк, голодранец, — и положил глаз на дочку богатого плантатора.

Но что делать? Сердцу-то не прикажешь... Сердце, как Эммелину увижу, — норовит из груди выпрыгнуть и ускакать куда-то, будто лягушка какая. На пятнадцатом году жизни только так и бывает.

Она, Эмми, не каждый раз к обеду или ужину спускалась. Да и когда спускалась — поклюет чуть-чуть, точно птичка, непонятно даже, как прожить можно с таким питанием. Но у меня вообще кусок в горло не лезет. Сижу дурак дураком, чувствую лишь, что уши огнем полыхают. Ночью порой до утра ворочаюсь, представляю: как подойду к ней, что скажу... Но днем увижу — и стою одеревеневший, двух слов связать не могу. А если услышу, как на втором этаже она на клавикордах заиграет (к музыке способность у Эмми осталась), что-нибудь грустное такое, так просто места себе не нахожу. Выбегу из дому подальше, лицом в траву упаду, а мелодия все равно где-то там в голове звучит — и не понимаю я: не то мне петь под нее хочется, не то к реке пойти и утопиться. Дела...

Не поверишь, Сэмми, даже стихи писать пробовал — хотя только-только карандаш в руке держать выучился. Ничего не получилось, понятно.

Полковник Монтгомери, как я думаю, все заметил и все понял. Он, по-моему, вообще все замечал. И понимал... Потому что в тот же день, как мы с ним в кабинете побеседовали и я остаться согласился, ко мне в комнату, уже затемно, пришла...

Хотя нет, сначала про другое рассказать надо.

Полковник, со мной поговорив, плантации объезжать отправился. С сыновьями, как обычно. А ко мне в комнату братец Джоб заходит — ну, тот, что и грамоте меня учил, и другому...

Тоже разговор задушевный начинает — такое уж утро богатое разговорами получилось. Вам, спрашивает, мистер Джексон, наверное, полковник предложил здесь насовсем поселиться? Не иначе как у дверей подслушивал, морда квартеронская. Я молчу, даже головой не киваю. Он тогда мне так тихонько, чуть не шепотом: прежде чем вы решение примете, хочу вам кое-что поведать о жизни здешней. Если, конечно, весь разговор наш в тайне останется.

А я всегда страсть какой любопытный был. Помереть мне, говорю, на месте, если проболтаюсь кому.

Ну и начал он рассказывать.

Раз уж, говорит, вас полковник усыновить решил, не мешает вам узнать об одной семейной традиции.

Я перебиваю: как усыновить? С какой-такой радости? У него и своих сыновей-наследников хватает.

И тут выясняется, что родной сын у Монтгомери один — Роджер-младший. А Питер и Бакстон — приемные. Хотя родила в свое время покойная миссис Монтгомери ни много ни мало — девятерых сыновей, а десятую дочку, Эммелину. И шесть мальчиков от детских болезней не умерли, выросли, возмужали...

Где ж они все? — спрашиваю. Оспа, что ли, случилась?

Да нет, говорит, поубивали всех...

Оказалось, что Монтгомери и еще несколько семейств, с ними в родстве состоящих, издавна враждуют с Шеппервудами, — тоже кланом богатым и не маленьким. Кровная месть. Вендетта. Лет уж сорок тянется, а то и больше. Из-за чего началось, разве что старики помнят, — но стреляют друг в друга Монтгомери и Шеппервуды регулярно. Каждый год кого-нибудь и у тех, и у других хоронят. В смысле убитых, не своей смертью померших...

Вот оно что, думаю... Я краем уха слышал что-то про вражду с Шеппервудами, но и знать не знал, что тут война натуральная. То-то я удивлялся: чего это полковник и сыновья поля свои осматривать ездят, по ружью да по паре пистолетов на каждого прихватив, — словно там за каждым кустом команчи засели...

Как же, спрашиваю, эти господа еще не закончились все? За сорок лет-то?

Объясняет братец Джоб: палят они друг в друга не абы как, а только по правилам. Нельзя, например, застрелить противника в его доме, или в церкви, или на кладбище, или когда он с женой своей или ребенком. А если праздники какие, или война с индейцами, или наводнение, — то перемирие наступает. И опять же, стараются Монтгомери с Шеппервудами делать так, чтобы случайно — в лесу или на реке — пореже сталкиваться. Потому как тогда — хочешь не хочешь — стрелять надо. Родовая честь обязывает.

Ну и, само собой, вендетта — занятие для джентльменов. Неграм и «братцам» вмешиваться не положено.

Рассказал мне все это братец Джоб — и ушел.

А я сижу, думаю: ну спасибо, господин полковник, за честь великую. Это что же, и мне в Шеппервудов стрелять придется? Дудки, нечего мне делить с ними. Понимаю: надо брать Джима да бумаги, полковником написанные, — и дай бог ноги.

Ну вас к черту с вендеттами вашими и с дверьми секретными запертыми... Уж как-нибудь сам по себе проживу. И знаешь, Сэмми, — даже собираться начал. Пожитки, что у Монтгомери нажил, в тючок стал укладывать.

Но тут наверху Эммелина на клавикордах заиграла.

И я остался.

* * *

Я уже говорил: полковник, старая лиса, наверняка понял, что я на Эммелину неровно задышал. И — принял меры. Хотя, может, все случайно совпало...

А произошло вот что.

Тем вечером гроза случилась, в июле не редкость. Я спать лег, — а за окном грохочет, сверкает... Вдруг — между ударами грома — «тук-тук-тук» в дверь тихонько. Сестричка Молли на пороге — со свечой, в одной ночной рубашке. Было ей лет двадцать семь или двадцать восемь — полногрудая такая смуглячочка, кровь с молоком. Я удивиться еще не успел, как она мне говорит: страшно, мол, — грозы боюсь до смерти... Задула свечку — и юрк под мое одеяло.

Ну и...

В общем, стал я мужчиной — под гром и молнию. Молли в этом деле большой искусницей оказалась — когда ушла и уснуть мне наконец довелось, спал крепко, без всяких тебе до утра воронаний... На другую ночь грозы не было — но сестричка снова ко мне... Не скажу, что мне все это не понравилось, наоборот... Но мысль об Эммелине все равно в голове гвоздем сидела — даже когда Молли самые свои заветные умения показывала.

И началась у меня жизнь странная. Раздвоенная.

Ночью с сестричкой кувыркаюсь, а днем по Эммелине все так же сохну — но, правда, чуть уже поспокойнее. Аппетит вернулся, и стихов писать больше не пробую.

Порой мысль в голову приходит: нельзя так, надо что-то решить, определиться как-то... Но ничего не делаю, живу как живется.

А потом все рухнуло.

В одночасье.

* * *

В августе все случилось, в конце месяца где-то, — как сейчас помню, жара не кончилась, но клены у дома полковничьего уже желтеть начали. Хотя тополя еще зеленые стояли...

...В воскресенье мы все в церковь отправились — и семья полковника, и другие его родственники. И Эммелина. Ну, и я с ними. Шеппервуды тоже были — сидят на левых скамьях, Монтгомери на правых. Посматривают друг на друга недружелюбно — но все тихо, пристойно. Там, слева, и Ларри Шеппервуд сидел, красивый такой молодой человек лет двадцати пяти. Но я его и не заметил, во все глаза на Эммелину глядел. И думал... В общем, не очень подходящие для церкви мысли думал. После близкого знакомства с Молли у меня вообще мысли не особо возвышенные часто в голове бродили. У нас, кстати, с сестричкой отношения странные были — за все время и полусотней слов не обменялись; днем она со мной держалась так, словно и незнакомы вовсе, ну а ночью я старался языку воли не давать — чтобы не назвать ее «Эмми» случайно. Потому как — что уж скрывать — всегда Эммелину представлял на ее месте.

Служба закончилась, все по домам разъехались, и мы тоже. Отобедали — и старик с домочадцами вздремнуть прилегли, был у них такой обычай. Я в своей комнате сижу, чем заняться, не знаю.

Вдруг — в дверь кто-то тихонечко поскребся. Словно ногтем царапнул.

Открываю, и — гроб моей мамочки! — Эммелина. Первый раз ко мне заглянула. До того все мои вздохи-страдания она и не замечала вроде бы — и держалась со мной, прямо скажем, как с мальчишкой. Как с младшим братом примерно.

Я стою, язык проглотил, то в жар бросает, то в холод. Но — мыслишка где-то шевелится — а ну как она навроде Молли пришла... Ну как днем в жару одна спать боится?

Эммелина вошла и меня спрашивает: а как я, собственно, к ней отношусь? Вот так вопрос... Ну, я что-то пробормотал-выдавил: дескать, лучше всех к ней отношусь, ни к кому, мол, так не относился и относиться в жизни не буду... Глупо, наверное, всё звучало.

Тогда она ко мне шагнула и говорит, что забыла в церкви свой молитвенник, на скамье оставила. И не мог бы я за ним сходить и принести, да не рассказывать никому про это...

А я, честно говоря, стою такой ошалевший, что ее слова до меня с трудом доходят. Молчу — ни да, ни нет. Хотя по ее просьбе не то что милю до церкви — во Флориду и обратно готов был сбегать.

Она еще ближе ко мне придвинулась. Руку на плечо положила. И говорит спокойно так: хочешь, поцелую тебя за это?

Хочу ли, ха... Только вот сказала она это опять же как братишке младшему, — словно в лобик на ночь его поцеловать собралась.

Но я, спасибо сестричке Молли, уже не мальчик был. Притянул Эмми к себе да и поцеловал в губы — по-настоящему, долго, пока дыхания хватило, да со всеми сестричкиными поцелуйными штучками...

И странное дело, Сэмми, она вроде мне как и отвечает, но...

Показалось мне отчего-то, что губы у нее холодные, неживые какие-то — словно я сдуру статую в полковничьей гостиной поцеловать решил. Причем именно *показалось* — так-то чувствую, что нормальные губы, теплые...

Всё это я потом понял — когда вспоминал тот момент раз этак, наверное, с тысячу. А тогда все внутри играло и пело — ну как же, сбылись мечты! И — снова Молли спасибо — вся робость делась куда-то, и я в ход уже не только губы, но и руки пустил...

Однако — сломалось между нами что-то. Она мне и не мешает вроде, но опять же — кажется, что взялся за мраморные сиськи у статуи. Хотя вроде грудь нормальная, упругая... Я попробовал еще немного ее хоть как-то расшевелить — ни в какую. Руки у меня и опустились... Стою дурак дураком.

А она говорит тихонько: не надо. Сейчас — не надо. Выполни просьбу мою — и, если захочешь, приду к тебе завтра, отец на два дня по делам уезжает...

Ух, я обрадовался. Значит, не безразличен ей все-таки. Значит, лишь отца опасается — и за меня, небось, опасается; прихватит полковник за таким делом с дочкой — мало не покажется...

В церковь пулей домчался. Гляжу — есть молитвенник, лежит на скамейке. Подхватил, обратно тороплюсь — и тут какой-то листок из книги выпадает, к полу кружится. И что-то на нем написано. Поднял, а прочесть не могу, — только печатным буквам научился...

Вернулся, и к ней в комнату сразу — впервые за все время, кстати. Она у дверей встречает, сразу молитвенник берет и на листок тот смотрит. Я возьми да спроси: что за бумажка, мол, а то чуть не выпала, не затерялась... Просто закладка, отвечает Эмми, да псалмы на ней кое-какие отмечены, чтобы не искать долго.

Отложила и книгу, и листок, снова меня поцеловала — и к двери легонько толкает, шепчет: завтра.

Я по лестнице спускаюсь, сам от счастья не свой. А навстречу — Мамочка. Вперила буркалы свои в меня, говорит: пойдем, молодой масса, погадаю тебе.

С чего бы? Никогда ни с чем ко мне не обращалась. Может, засекла нас с Эммелиной сегодня? Ну, пошел с ней.

Завела в каморку свою — жила Мамочка тоже в доме. На стенах какие-то растения сухие развешаны, на полках бутылки с чем-то мутным. На столике штучки разные — деревяшки странного вида, два барабанчика маленьких, погремушки из тыкв высушенных... А еще — череп. Не человечий, здоровенный такой, вытянутый — вроде как конский, а пригляделся — и не конский вовсе.

Стала гадать мне Мамочка. Странно гадать — без карт, без бобов, без шара волосяного. Подожгла от свечи две палочки — не горят, но дымят, тлеют. На меня уставилась — глаза в глаза. И молчит. Я тоже молчу, только слышно, как палочки дымящие потрескивают.

А потом что-то непонятное получилось. Что-то со стенами ее каморки твориться начало — то надвинутся они на меня, то обратно разъедутся. Я это только краем глаза видел — от Мамочки взгляд не оторвать было. Глазищи у нее огромные стали — словно плошки с дегтем.

Потом заговорила — странным голосом, чуть не басом. Суждено тебе, говорит, быть богатым и счастливым, ни в чем себе не отказывать, прожить до глубокой старости, детей иметь и внуков, и умереть в почете и уважении. Но для этого придется тебе любимую убить и друга предать, иначе не сбудется ничего. А теперь, говорит, уходи.

И — отпустило меня. Стены нормальные стоят, глаза у Мамочки тоже обычные стали. Хотел что-то я спросить у нее, да она как рявкнет: УХОДИ!!! Аж пучки травяные со стен посыпались.

Меня из каморки будто ветром выдуло, чуть в штаны не напустил.

Пошел к себе, стал думать: что же мне старая ведьма напророчила? Гадания-то разные бывают. Одни тютелька в тютельку сбудутся, а другие цента ломаного не стоят — плюнуть да растереть.

Понял: все наврала Мамочка. Потому как я уже богатый — вексель полковника никуда не делся, в комнате у меня припрятан, и — братец Джоб мне объяснил — бессрочная бумажка эта, хоть сейчас пользуйся, хоть через пять лет. И счастлив я уже — а завтра еще счастливее стану. Если, конечно, полковник поездку не отменит. Так что все сбылось — и не надо мне Монтгомери (а какие у меня еще друзья тут?) предавать, и Эмми убивать не надо. Даже Молли — незачем.

Светло на душе стало, радостно. До завтрашнего дня часы считаю — и кажется мне, что ждать целую вечность. Подумал — может, сестричке сказать, чтоб не приходила? Усну — глядишь, и ночь пролетит незаметно. Но не сказал, запамятовал.

А тем вечером и тайна запертой комнаты раскрылась. Я тогда подумал — раскрылась. Только совершенно тому не обрадовался — голова другим занята была.

Дело в том, что к полковнику опять работорговец приехал, уже затемно. Негров пригнал, десятка полтора — за его фургоном топали, цепями звенели. Ну, их принимают, расковывают, суета на заднем дворе, факелы горят... Я как раз по улице бродил после ужина — совсем не сиделось на месте что-то, сам не свой стал. Вижу: от фургона торговца, на отшибе стоящего, две фигуры в темноте к дому идут. И — с черного хода внутрь. Скрытно прошли, незаметно. Мамочку я сразу узнал — эту глыбу ни с кем не спутаешь. А рядом вроде как другая женщина, в покрывало закутана... Не Эмми, и не из сестричек — те вальяжно выступают, по-хозяйски, а эта робко семенит, неуверенно... Любопытно мне стало. Вошел тихонько следом — дверью не хлопнул, ступенькой не скрипнул. В доме темно, но я слышу — ключи в замках громыхают. Как раз там, у потайной комнаты.

Э-э-э, смекаю, вот в чем дело... Все понятно. Ларчик-то просто открывался, стоило ли голову ломать...

Бак и Пит, думаю, мужчины в самом соку — но пока неженатые. И пошли по стопам папашиным — по мулаточкам-квартероночкам. А Мамочка при них сводней. То-то работорговцы сюда зачастили. Надоест ребятам очередная красотка — продают, а в клетку без окон новую пташку сажают. И не мне их судить, в своем праве люди.

Скучно как-то загадка решилась...

И пошел я спать. Сначала, понятно, с Молли поигравшись.

***

А утром *грянуло*.

Проснулся — за окнами едва брезжит. Слышу — шум, на улице голоса громкие, ржание конское... Что такое? Потом как стукнуло: не иначе вендетта проклятущая. Ох, не вовремя. Оделся быстренько, и — на всякий случай — бумаги полковничьи в кожаный мешочек и на грудь. Вдруг Шеппервуды нагрянут, смываться быстро придется... Мало что у них врагов в их домах убивать не положено. Любое правило и нарушить можно. Я бы лично так и сделал. Перестрелял бы всех ночью, в постелях, — да и покончил бы навсегда с этой кровной глупостью.

Выхожу из комнаты тихонько. Навстречу — Молли, одетая уже. Хотела шмыгнуть мимо — я ее за ворот. Что, мол, за переполох? А она мне: мисс Эммелина сбежала! С молодым Ларри Шеппервудом! Любовь у них, не иначе. Сейчас все Монтгомери в погоню поскачут.

Ну, дела... Но я-то вроде как не Монтгомери? Мне-то скакать вроде как не обязательно?

И тут — сам полковник. К комнате моей шагает размашисто. Молли тут же испарилась, была и нету. А полковник мне говорит: ну что, мистер Джексон, пора решать. Вы под моим кровом спали, хлеб мой ели, а теперь вот беда пришла, надо за ружья браться. С нами вы или нет? Неволить не буду, откажетесь — негры вас отвезут на пристань, парохода дождетесь, — и будьте счастливы.

Ну что тут ответить? По уму надо бы распрощаться — да и к пристани. Только чувствую — если так сделаю, всю жизнь буду ходить как дерьмом облитый. Сам к себе принюхиваясь. Сам от себя нос морща. И не потому, что полковник меня последней дрянью считать будет, нет. А потому что вовек себе не прощу, как эта вертихвостка меня обманула. Как своими руками я ее побегу помог — дураку ведь ясно, что за псалмы на том листке были...

Да и еще одна мыслишка копошится. Если не врал братец Джоб, и действительно меня Монтгомери в семью свою принять хочет, — так можно же и не сыном. Можно и зятем. Если именно мне посчастливится первым их догнать да Ларри-подлеца подстрелить, то...

В общем, размечтался я сдуру. Даже за эти секунды подумать успел, что супружницу в большой строгости держать буду — примерно как папашка мой мамашу-покойницу. Он, бывало, сантиментов не разводил — лупцевал до потери сознания тем, что под руку подвернется. Старой закалки был человек.

Всего этого, понятно, не сказал я полковнику. Я с вами, говорю. И ничего больше.

Отправились в погоню ввосьмером — полковник, сыновей трое, да еще трое родственников. Ну и я с ними. Как и все, с ружьем.

* * *

А как из ворот выезжали — только тут я понял, что шутки кончились. Потому что висел на воротах братец Джоб собственной персоной — голова набок, язык наружу, сам страшный, аж кони шарахаются.

За что его? — у Рода спрашиваю. А он зубы скалит: за шею, парень, за шею! Не узнать старину Рода — нормальный был мальчишка, а тут стал весь дерганый, лицо кривит, в глазах черти пляшут. Но объяснил: через Джоба, мол, любовь вся у них и закрутилась. Зол был тот, дескать, на полковника — и нагадил, как сумел.

Думаю: и чего же человеку не хватало? Ну, пусть не человеку, пусть квартерону, но все равно? Даже часы имел на цепочке... Но разговор тот замял я — у самого рыльце в пушку. Не хотел на ворота, к братцу в компанию. Да и поскакали тут мы так, что не до разговоров стало.

До пристани, где пароходы причаливали и куда парочка могла направиться, — миль восемь примерно. Можно успеть перехватить было. Да и дождись еще парохода, расписание лишь на бумаге исполнялось — пять-шесть часов никто и за опоздание не считал.

Ладно, скачем мы по дороге, потом скачем по лесной просеке — изгиб реки срезаем. А из меня наездник-то аховый, таким галопом в жизни мчаться не приходилось, — задницу отбил быстро и капитально. Но креплюсь — спасибо папаше-покойнику, эта часть тела у меня закаленная...

К берегу вылетаем — видим: негры, штук тридцать, лес корчуют. Шалаши стоят — ночевали здесь же. Мы к ним: проезжал, мол, кто?

Надсмотрщик-мулат объясняет: было дело, проскакали трое в сторону пристани — двое мужчин и женщина. Быстро скакали, словно черти за ними гнались. Еще кто был? Ну и еще одна парочка на двуколке катила в другую сторону, к Зеленой косе вроде, — но те медленно, спокойно, не торопясь. Когда те трое проезжали? А откуда он знает, часов не имеет, недавно вроде...

Понеслись мы к пристани. Мили две еще проскакали — глядь, лошадь дохлая валяется. Нога сломана, голова прострелена... Ага, втроем на двух лошадях быстро не поедешь... Мы еще наддали.

Тут я вижу — лошади у других от этой скачки сдавать начали. А моя кобыла этак бодро топает, вперед вырвалась. И — Роджер-младший рядом. Монтгомери мужчины все как на подбор крупные, мы их раза в полтора меньше весили...

Никак, думаю, и вправду суждено отличиться. Про опасность позабыл — азартное дело погоня.

И тут — показались конные впереди! Мужчина и женщина на одной лошади — и еще один всадник. Платье Эммелины узнал я сразу, сто раз его видел. Оглянулись они, нас увидели, поняли — не уйти. Конь двоих еле тащит.

Так они что придумали: женщину на круп второго коня пересадили, тот посвежее был. Видать, на нем сам Ларри Шеппервуд ехал — потому что с Эмми дальше поскакал. А второй мужчина развернулся — и нам навстречу. Скачет, в руке ружье — и в нас с Родом целит. Прижался я к гриве конской, только подумать успел: эх, зря мне такая резвая лошадка досталась...

Бах! — что-то над нами свистнуло. А всадник тут же свернул — и в лес, между деревьев запетлял. Думал, видно, за ним кинутся. Да просчитался — Род лишь пальнул на ходу в его сторону, вроде коня зацепил, не разглядел я толком...

Догоняем мы парочку, догоняем! Сердце о ребра бьется, ору что-то громкое и самому непонятное. И — обхожу Рода! На полкорпуса, на корпус, на два...

На берегу, среди деревьев, хибарка какая-то, хижина бревенчатая. Те двое с коня соскочили — и за нее. Тут я подскакал, сзади Род нагоняет, еще дальше — остальные наши растянулись. Я с коня спрыгнул, на ружье курок взвел, за угол хижины заворачиваю... И едва не обделался.

Потому что вижу — прямо в лицо мне ружейное дуло смотрит. Широченное со страху показалось, как пушка. А держит ружье моя Эмми.

Только через секунду понял — не она вовсе, парень какой-то в ее платье шагах в десяти стоит. Молодой, едва усики пробиваются. Не знаю, отчего он с выстрелом промедлил. Может, удивился, что совсем пацан против него оказался. А я про свое ружье вообще не вспомнил, будто и нет его.

Парень первым опомнился — и в голову мне выстрелил. Осечка! Ах так, ну погоди... Пальнул я тоже. Стрелок из меня примерно как наездник. И ружье мне картечью зарядили — убить труднее, но попасть легче.

Грохнуло ружье, по плечу врезало. Дымом вонючим все затянуло, но ненадолго. Вижу — попал.

Зацепила картечь парня, правда самым краем. К стволу древесному откинула, а на платье белом, справа, пятнышки красные набухают, — два пятна на груди, и на рукаве тоже... Я стою — и что делать, не знаю.

Но это я рассказываю долго. А на самом деле все быстро вышло. Еще дым не рассеялся — из-за угла Род. Ружье вскинул — а оно не стреляет. Забыл перезарядить впопыхах. Так он к парню подскочил — и прикладом. По голове. Раскололась, как спелый арбуз. Звук, по-моему, за милю был слышен...

Тогда и остальные подскакали, спешились. Я полковнику на парня в женском платье показываю. Хотел спросить: где же Эмми-то настоящая? Да не успел.

Нас тут как раз убивать начали.

* * *

Обманули нас Шеппервуды. Провели.

Пустили погоню по ложному следу и засаду устроили. А как наши в кучу собрались — со всех сторон стрелять по ним стали.

Но не такие люди были Монтгомери, чтобы дать перебить себя как кроликов. У полковника ружье двухствольное: бах! — в одну сторону, бах! — в другую. Попал — застонал в кустах кто-то. Ну и остальные наши пальбу открыли — кто от первого залпа уцелел.

А я так даже и не понял, зацепили меня или нет. В ушах грохот стоит, ноги подкашиваются. Рухнул на землю на всякий случай, прижался. Кто-то на меня сверху навалился, лежит, не шевелится. Надо мной — выстрелы, выстрелы, выстрелы. Ружейные, пистолетные... Потом стихли вроде. Слышу: хрип, ругань, дерется кто-то с кем-то. Потом и это стихло. Полежал еще — и встаю осторожненько. На мне, оказывается, Роджер-младший лежал. Мертвый. Костюм мне весь кровью залил, новый, полковником подаренный...

Гляжу — вокруг одни трупы, никого живых. Да неужто, думаю, они все тут друг друга до единого истребили? Но нет, слышу: топот конский, удирает кто-то. Потом полковника увидел. Весь в крови, лицо от пороха черное. Хрипит мне: одни, мол, мы уцелели... Ты ранен, сынок? А я ему так небрежно: пустяк, дескать, царапина. Но сам чувствую — ничего мне не сделалось, цел, слава богу.

Он говорит: тогда поспешим. И в кусты меня ведет — там кони Шеппервудов привязаны, свежие, наши-то уже никуда не годились.

Полковник в седло, и я в седло. Хотя сам думаю — ему сейчас разве что к врачу поспешать, едва на коне держится.

Однако держится. И поскакали мы обратно — по берегу, мимо негров-корчевщиков — к Зеленой косе. Моя задница уж и болеть перестала — будто нет ее, будто конец хребта о седло бьется — и боль от него по всему телу разбегается.

Примчались мы на косу. И опоздали. Видим — двуколка пустая. Да лодка на реке — двое негров-гребцов и мужчина с женщиной. Далеко, лиц не разобрать, но знаем — она, Эммелина. Больше некому. Тут и пароход из-за косы — чух-чух-чух. Мужчина ему тряпкой какой-то машет — знать, заранее уговор с капитаном был.

Полковник сгоряча двухстволку свою вскинул, да опустил без выстрела — не достать уже.

Застыл на берегу, как памятник, смотрит, как трап опускают и парочка на борт поднимается. И я смотрю — а что еще тут сделаешь? Даже название парохода запомнил: «Анриетта». Не иначе как с низовьев был, там любят имена такие корытам своим давать...

Ну и поплыл себе пароход дальше. Думаю: все, конец истории. Но, как оказалось, ошибся. Я тебе больше, Сэмми, скажу, — самое странное и страшное после случилось. Такое, чему и поверить трудно. Я порой сам сомневаюсь: может, и не было ничего? Может, меня пуля у той хижины по черепушке чиркнула — и привиделось в бреду всё?

Сам себя уговариваю — а память, проклятая, мне твердит: было, было, было...

Жила бы, Сэмми, у меня собака, назойливая, как память, — я бы ее отравил.

* * *

Честно сказать, я не понимал, зачем полковник к усадьбе своей торопится. Дочь сбежала — ничего теперь не поделаешь. Но сыновья-то на берегу валяются, убитые, прибрать надо бы. Негоже парням из рода Монтгомери ворон кормить. Я, Сэмми, к тому моменту себя уже вполне членом семьи считал. И на усыновление был согласный. Другие-то наследнички — тю-тю...

Ладно, полковник скачет, я рядом. Железный он, что ли? — думаю. Кровь из ран сочит и сочит, другой бы свалился давно, а этот лишь побледнел как смерть — и всё.

Проскакали мы в ворота — братец Джоб там так и болтается. Только кто-то штаны с покойника стащил, хорошие штаны были, выходные, почти новые. Вороватые тут негры, думаю. Ну да ничего, наведу еще порядок. А вендетту замну как-нибудь — дурное это занятие, если честно.

Полковник с седла спрыгнул — и в дом. Я, чуть поотстав, за ним. И слышу: впереди перебранка. Орет на полковника кто-то — голос неприятный, словно ворона каркает. Подхожу поближе — Мамочка! Дорогу хозяину загородила, не пускает.

А полковник, между прочим, прямо в тот коридорчик рвется, где дверь секретная. Интересные дела, думаю...

Ну, он старуху отталкивает. А такую тушу сдвинь, попробуй. Но полковник попробовал — и отлетела она, как кегля сбитая. Вскочила кошкой — не ждал я такой прыти от старой рухляди. Из одежек своих разноцветных нож выдернула. Во-о-о-т такенный — туши свиные хорошо разделывать. Но и человека порубить можно так, что любо-дорого. И — с тесачищем этим — на полковника.

У него двухстволка за спиной висела. Я и не думал, что так быстро с ней управиться можно, — одним и тем же движением полковник ружье вперед перебросил, курки взвел, приложился — бах! бах!

Стрелок он был — не мне чета. Оба выстрела — ровнехонько в голову. Только пули, похоже, у полковника еще на берегу закончились. Картечью зарядил или дробью крупной. А она, если почти в упор стрелять, — плотной кучей летит, страшное дело. Короче, была у Мамочки голова — и не стало. Разлетелась мелкими ошметками.

А туша — стоит и тесак сжимает! Ну, дела...

Полковник мимо нее — и уже ключами в замках гремит. Я чуть задержался — на Мамочку смотрю, и жутко мне, и любопытно. Она все стоит. Головы нет, вместо шеи лохмотья красные — но стоит! И странное дело, вроде бы кровь должна хлестать из жил разорванных — а не хлещет!

Не по себе мне стало. Толкнул Мамочку в брюхо толстое стволом ружейным. Осела она назад — словно человек живой, смертельно уставший. А я — за полковником, он уже в комнату секретную входит.

А там...

А того, что там, лучше бы, Сэмми, никому и никогда не видеть. Идолы какие-то стоят кружком, из дерева черного. Человеку по пояс будут. Скалятся мерзко. Губы чем-то измазаны, на черном не понять чем, — но подумалось мне, что совсем не кленовой патокой... А на стенах... На стенах головы! Настоящие самые головы!!! Женские — негритянок, мулаток, квартеронок! Пара сотен их, не меньше. Одни свежие, другие ссохлись, сморщились, кожа черепа обтянула, глаза высохли, внутрь запали — как гнилые изюмины там виднеются. Но трупным запахом не тянет — лишь дымком пованиает, тем самым, под который гадала мне Мамочка.

Я так и сел. Натурально задницей на пол шлепнулся. Думал — стошнит сейчас, но удержался как-то.

С большим трудом от голов этих взгляд оторвал. Но там и остальное не лучше было. Всего я разглядеть не успел, да и темновато — весь свет от свечей шел — они в виде звезды шестиугольной на полу стояли. Идолы как раз звезду ту и окружали — охраняли словно бы.

В центре звезды что-то небольшое лежало. Ну... примерно с руку мою до локтя. А что — не рассмотрел я сразу. Свечей вроде и много, но все из черного воска, и горят как-то не по-людски — темным пламенем, не дают почти света.

Кресло я чуть позже увидел. Потому как высоко стояло, чуть не под потолком, на глыбе квадратной каменной. Нормальные люди так мебель не ставят.

А в кресле — девушка! Пригляделся — нет, квартеронка. Чуть шевельнулась — никак живая? Оторвал я от пола задницу и к глыбе и к креслу тому поближе направился.

Полковник тем временем — к идолам и к звезде из свечей идет. Только странно идет как-то, Сэмми... Всего шагов пять-шесть надо сделать — а он согнулся весь и по дюйму едва вперед продвигается. Словно ураган ему встречь дует. Но в комнате — ни сквозняка, ни ветерочка.

Я к креслу подковылял — тоже медленно, ноги что-то ослабли. И разглядел: точно, на нем квартеронка молоденькая. Сидит, ремнями притянута. На левом запястье ранка небольшая кровит. От подлокотника желобок — поверху тянется, на цепочках к потолку подвешен. Через всю комнату — и ровнехонько над центром звезды обрывается. И с него — кап, кап, кап — кровь вниз капает, почти черной от свечей этих дурных кажется...

И тогда наконец я увидел, что там, между свечей, лежит...

Эммелина там лежала!

Крохотная, с фут длиной, — но как живая. Из воска, наверное, была вылеплена и раскрашена — но будь размером больше, точно подумал бы, что никуда Эмми не сбегала. Лицо — ее, фигура — ее, волосы — ее, одежда — тоже ее. Даже ожерелье на шейке такое же, но уменьшенное. Сережки в ушах знакомые, синими камушками поблескивают — но крохотные-крохотные, скорее догадался про них, чем разглядел.

А кровь сверху — прямо на нее капает. Но что удивительно — должна бы маленькая Эмми при таких делах вся липкая и заляпанная быть — ан нет! Лежит чистенькая, нарядненькая, на платьице — ни пятнышка. Вижу ведь, как капли на нее попадают — но исчезают тут же, словно испаряются. Чудеса...

А полковник тем временем почти уже до идолов добрался — рукой дотянуться можно. Но не успел он ни дотянуться, ни чего иного сделать... Шаги сзади затопали. Тяжелые, грузные.

Обернулся я — и натурально обделался! Полные штаны наложил. И ничуть не стыжусь. Другой на моем месте вообще бы от ужаса помер.

Мамочка к нам шагает!

Как была — без головы! И тесак в руке занесен! Тут все, что я до того момента повидал, показалось мне пикником младшего класса воскресной школы. А уж денек выдался на зрелища богатый. Но до того все пусть и страшно было, и мерзко, но... как-то жизненно, что ли... А тут...

Окаменел я. К месту прирос. В голове пусто. Мыслей нет. Совершенно. Исчезли куда-то мысли. Потому что человек в присутствии ТАКОГО мыслить не может. Может лишь с ума сходить — причем очень быстро. Чем я и занялся. Мыслей-то нет, но чувства остались. Хорошо мне так стало, тепло и расслабленно, — словно я бадье с горячей водой нежусь, а Молли мне спинку трет, и не только спинку — бывали и такие у нас развлекушки. И совсем мне все равно, что дальше со мной будет.

Не знаю, как уж там полковник — думал что-нибудь в тот момент или нет. Скорее он на направленное оружие без всяких мыслей реагировал. Тело само по привычке что надо делало.

В общем, когда Мамочка попыталась его тесаком рубануть, полковник ствол ружья поставил. Дзинк! — только искры полетели. Она снова, да быстро так. И еще. И еще. Дзинк! Дзинк! Дзинк! — не поддается полковник. И орет что-то.

Что именно — я не понимаю. И вовсе мне безразлично, чем эта кошмарная дуэль закончится.

А они по комнате кружат, места хватает там. Дзинк! Дзинк! Дзинк! Дзинк! Полковник едва прикрываться успевает, самому и не ударить никак. Да и что толку бить труп безголовый? Мертвее всё равно не станет. И кричит, кричит всё время что-то... Да нет, не труп кричит, — Монтгомери.

И докричался-таки. До меня докричался. Услышал я. Пробудился от безмыслия своего. Разбей ее! — вот что полковник кричал. И я как-то сразу понял, кого разбить надо. Эммелину восковую. В ней вся пружина этой свистопляски. Ладно, разобью...

Но это легче оказалось подумать, чем сделать. Шагаю я к идолам — точь-в-точь как полковник давеча. Чувствую как бы, что бреду я в реке из липкой патоки — причем против течения. Давит, отталкивает что-то. А сзади всё: дзинк! дзинк! дзинк!

Через плечо глянул — гроб моей мамочки! — трупешник-то старухин до меня теперь добирается! Полковник из последних сил спину мне прикрывает. Стиснул я зубы, шагаю, по ногам дерьмо теплое стекает — потом думал не раз, что про героев всё в газетах пишут, лишь про подштанники их после подвига — ни словечка.

Оскалы идольские все ближе, но чувствую — не дойти. Кончаются силушки. И тут как надоумил кто. Ружье-то у меня в руке оставалось, протянул я его — тык идола ближайшего прямо в рожу.

Помнишь, Сэмми, на ярмарке в Сан-Питере один чудак фокусы показывал с банками лейденскими? Так здесь то же самое вышло. Словно голой рукой за ту банку схватился. Тряхнуло аж до печенок, и онемела рука. И потом три года еще немела время от времени...

Но идол упал с грохотом. И — все. Нет патоки, нет течения встречного. Слышу сзади не то вой, не то рев какой. Оглянулся скорей — неохота тесаком получить по затылку.

А это Мамочка трубит гудком пароходным. Стоит, замерла, тесаком не машет больше — а из шеи разлохмаченной вой несется и струи кровавые фонтанами — чуть не до потолка достают.

Ага, не нравится! Свалил я еще двух идолов — и ничего, никаких тебе лейденских банок. Сквозь строй их протиснулся, свечи перешагнул. Над Эммелиной помедлил немного — красивая все же была, и как живая. Затем — сапогом сверху — хрясь!!! Разлетелась на куски. Я и куски топтать давай... Но не успел в мелкую крошку растоптать. Пол чуть не дыбом встал, я на ногах не удержался. И обратно провалился. И снова — дыбом. Словно не дом тут, а пароход. И угодил тот пароход в самую страшную бурю. Лишь много спустя я узнал, что и с домами такое бывает — узнал, когда в Калифорнии в землетрясение попал.

Ну, головы со стен попадали, как тыквы по полу покатились. Идолы, что стояли еще, свалились. Кресло с квартеронкой рухнуло — я это не видел уже, лишь услышал — свечи упали и погасли почти все. Что с полковником и с Мамочкой происходит — не видать. Да и некогда всматриваться — выбираться скорее надо, похоже, дом развалиться собирается. Я на карачках к двери — как пьяный матрос в шторм по палубе. Пол всё в свои игры играет, сверху дрянь какая-то сыплется — штукатурка, еще что-то. Вижу — светлее стало, по наружной стене трещины сквозные поползли. Все, думаю, конец — сложится сейчас особняк полковника, как домик карточный. Но кое-как в коридорчик вытряхнулся, к черному ходу ползу...

И всё кончилось.

Для меня кончилось — доской тюк по темечку, только через два дня я оклемался. Открыл глаза — темно, лежу я вроде как на полу, на груде тряпок всяких. А пол не угомонился, все качается, — правда, едва-едва уже. Но тут плеск волн услышал — понял, что опять на плоту мы плывем.

Джим, оказывается, не только пузо у Монтгомери отъедал — он и плот новый потихоньку сколотил, как чуял, что добром житье тамошнее не кончится.

Как спасся я из дома рухнувшего? Джим же и вытащил. Услыхал он выстрелы полковника — и в дом вошел. Не сразу, но вошел. Один он только на это и отважился, все братцы и сестрички разбежались-попрятались. В комнату потайную лезть побоялся, но из-под перекрытий падающих меня выдернул.

А дом не просто на куски рассыпался — даже руины дотла сгорели. Джим говорил: необычным пламенем горело, никогда он такого не видел. Не горит так дерево, хоть бы и нефтью политое.

Тем и закончилась история. Вот только не спрашивай, Сэмми, как вся эта чертовщина происходила. Как Мамочка Эмми спасла и жизнь в ней поддерживала, медленно две сотни чернокожих девчонок загубив. Не знаю и знать не хочу. Я и то, что своими глазами видел, позабыть бы хотел. Да не получается никак... До сих пор глаза ее голубые помню. И ложь ее проклятую...

Нет, нет, Сэмми, насчет судьбы Эммелины Монтгомери ты ошибаешься — кое-что я о ней узнал. Очень нескоро, через десять с лишним лет, но узнал.

Я пароход тот, «Анриетту», купил. Не особо в нем нуждался — но название вспомнил и купил. Крепкое оказалось корыто, потом машину заменили — до сих пор плавает.

Кое-кто там из экипажа десятилетней давности оставался. И странную историю они любили после стаканчика рассказывать. О том, как забронировала каюту первого класса — третью по левому борту — молодая парочка супружеская. С тем чтобы подсесть по дороге. Ну, подсели, — на лодке подгребли. И сразу в каюту — нырк. И ни слуху ни духу. Прислуга всё понимает — то да се, медовый месяц. Но одной любовью сыт не будешь. А эти два дня взаперти сидят — ни глотка воды, ни корочки хлеба не заказывают. Постучались к ним — звуки из каюты какие-то странные.

И что ты, Сэмми, думаешь? Когда дверь в конце концов сломали — не было там молодой парочки. Мужчина был — седой, голый, ничего не говорит, мычит, слюни пускает. С ума сдвинулся. По слухам, через год в богадельне умер.

А еще в каюте труп нашли — совершенно сгнивший. На вид — тринадцатилетней девочки. Вот как оно бывает...

Конечно, парочка записалась как мистер и миссис Джон Смит — но если это были не подлец Ларри Шеппервуд и не проклятая потаскушка Эммелина Монтгомери — то тогда нет, Сэмми, справедливости. Ни на земле нет, ни на небе...

* * *

Сквозь задраенный иллюминатор — который Писатель, как человек сухопутный, продолжал считать закрытым окном — пробивались первые лучи рассветного солнца. В каюте стояло сизое марево. Пепельницу переполняли сигарные окурки. Роскошный ковер был завален бутылками с отбитыми горлышками. Писатель отстал на середине дистанции — окончательная победа над содержимым погребца была достигнута трудами одного лишь Хозяина.

Но, странное дело, пьяным он не казался. Говорил тихо и мечтательно:

— Знаешь, Сэмми, я человек по большому счету не злопамятный. Иногда я думаю, что раздавил восковую Эмми как раз в тот момент, когда настоящая впервые улеглась в койку с подонком Шеппервудом, — и мысленно прощаю им все их подлости. Пусть покоятся в мире.

...После долгой паузы Писатель сказал:

— Берри, я, пожалуй, выйду на палубу. Душно тут, глотну свежего воздуха. А потом попробую поспать... Когда мы прибудем в Санкт-Петербург?

— Часа через четыре, не раньше. Но ты спи спокойно, без нас все равно не начнут. Подождут, никуда не денутся. Когда проспишься — загляни сюда, в мою каюту. Тогда и сойдем на берег. А я лягу здесь, проветрю — и лягу. Привык я к этим стенам...

— Загляну, — усталым голосом пообещал Писатель. Шагнул к двери, что-то вспомнил, обернулся:

— Послушай, Берри... Если ты не против, то я, может быть, когда-нибудь использую твою историю...

— Используй, — сказал Хозяин равнодушно. — Только измени фамилии. И пожалуйста, припиши другой финал. Чтобы все были счастливы...

— Постараюсь. Но тогда еще один вопрос: а что стало в конце концов с Джимом? Тоже ведь немаловажный персонаж. Он добрался до свободных штатов?

— Нет, Сэмми. Устье Огайо, Каир и участок кентуккийского берега он и не заметил — плот проскочил мимо, когда старина Джим ухаживал за мной, лежавшим без сознания. Вместо этого мы попали в Новый Орлеан — благо с бумагой полковника бояться охотников за беглыми рабами не стоило. А там... О, там Джим оказал мне бесценную помощь в первых шагах моей карьеры. Без него я просто никем бы не стал, Сэмми...

— Ты взял в компаньоны *черного*? — приятно удивился Писатель. — Тогда? В Луизиане?

— Ну что ты, Сэмми... Дело в том, что вексель полковника после его смерти ничего не стоил, в отличие от рекомендательного письма. Мне позарез нужен был стартовый капитал. Я продал Джима на хлопковую плантацию — за такого здоровяка мне отвалили девятьсот долларов. Года через три попытался выкупить, денег уже хватало. Не сложилось. Сам знаешь, какой недолгий был век у негров «на хлопке»... Но ты иди, Сэмми, поспи. Что-то вид у тебя совсем тусклый.

Писатель понял, что ему стоит поспешить на палубу. И глотнуть свежего воздуха. Немедленно. Пошатываясь, вышел из каюты. Потом вдруг понял, что не помнит ее номера. Как, впрочем, и названия парохода — на борт они с Хозяином взошли два дня назад уже изрядно навеселе.

Обернулся, посмотрел на роскошную дверь красного дерева. Цифр там не было. Тогда Писатель стал отсчитывать двери от начала коридора.

Каюта оказалась третьей. По левому борту.

Совпадение, конечно совпадение, не мог же Берри и в самом деле... — твердил себе Писатель, шагая к свежему воздуху.

На палубе он вцепился в фальшборт, перегнулся вниз и долго разбирал перевернутые — для его взгляда — буквы на борту, не замечая висевших неподалеку спасательных кругов, тоже украшенных названием парохода.

На середине процесса чтения Писателя стошнило. Он смахнул с губ вязкую горькую жидкость, подышал широко распахнутым ртом. Перегнулся снова — и узнал-таки, на каком судне плывет.

Пароход назывался «ЭММЕЛИНА». Но Писателю показалось, что сквозь слои белой краски легчайшим намеком проступает другое название.

Тоже женское имя...

РОДИТЕЛЬСКИЙ ДЕНЬ

Не дожившим до рассвета посвящается...

И сказал Посланник Божий, да благословит его Бог и да приветствует: «Ключей сокрытого знания, неведомого никому, кроме Бога, — пять: никто не ведает, что свершится в день грядущий; никто не ведает, что вынашивается в утробе; не ведает душа, что стяжает завтра; не ведает душа, в какой земле расстанется с телом; никто не ведает, когда ударит молния и пойдет дождь...»

*Мухаммад ибн Исмаил аль-Бухари,
«АС-САХИХ», III век хиджры*

КЛЮЧ ПЕРВЫЙ
ЧТО СВЕРШИТСЯ В ДЕНЬ ГРЯДУЩИЙ

ТРИАДА ПЕРВАЯ
НИКОГДА НЕ ОСТАВЛЯЙТЕ ТРУПЫ НА ДОРОГАХ

1

Удар по голове оказался страшен.

Сознание Кирилл не потерял, но был к тому весьма близок. Картинка перед глазами стала мутной, подрагивающей, *плывущей*. Во рту неведомо откуда появился неприятный привкус. Внутри черепной коробки перекатывались, медленно затухая, волны боли. Лгут, нагло лгут врачи, утверждая, что мозг лишен нервных окончаний и не способен к болезненным ощущениям...

Кирилл не удивился бы, окажись лобовое стекло покрыто сетью мелких трещин после плотного контакта с его черепом... Стекло выглядело целым, но и этому Кирилл не удивился. Не был сейчас способен к удивлению, и не только к нему...

В стороне, за гранью зыбкой мутности, возникли звуки, неприятно ударили по ушам. И далеко не сразу сложились в слова, произнесенные встревоженным Маринкиным голосом:

— Кира, ты жив?!

До того прозвучала еще одна фраза, но ее Кирилл толком не воспринял, вроде что-то про ремни безопасности, сама Марина их пристегивала всенепременно, доходя в своей педантичности до полного кретинизма... Так, по крайней мере, думал Кирилл. Ну к чему, скажите, пристегнутый ремень на *этой* дороге?! За двадцать километров не то что ни одного автоинспектора — ни единой встречной машины. И ни одна не обогнала их. И они — ни одну. Не видели ни единого пешехода...

Пешеход?

Боль в голове не то чтобы прошла, но стала тупой, ноющей, — и не помешала осознать простой и ясный факт: здесь и сейчас причиной для *такого* торможения мог стать лишь пешеход. Неведомо откуда выскочивший под колеса чертов пешеход...

Приехали...

Он медленно-медленно повернулся всем корпусом вправо, подозревая, что любое движение шеей закончится новым всплеском боли. Бросил взгляд на боковое зеркало — с нехорошим подозрением, ЧТО сейчас придется увидеть на пыльной дороге...

Не увидел ничего. Марина, едва сев за руль, попросила настроить зеркало под нее...

Он потянулся к ручке, регулирующей положение упомянутого оптического прибора, — плавным, аккуратно-расчетливым движением.

— *Живой?* — Сочувствия к мужу в голосе Марины явно убавилось. Зато появились знакомые резкие нотки, как же он их ненавидел...

— Жи...вой... — произнес Кирилл. Язык ворочался с трудом.

Манипуляции с ручкой успеха не принесли. Машина после экстренного торможения встала чуть под углом, с пассажирского места ничего не разглядеть.

— Что... это... было?.. — спросил Кирилл, понимая, что не хочет услышать ответ. Абсолютно не желает.

— Не знаю... Показалось — кошка. Но по-моему, не кошка...

Он выпустил воздух сквозь сжатые зубы с каким-то странным, шуршащим звуком. К нешуточному облегчению примешалась изрядная доля злости. Ну конечно, кошка... Кто б сомневался... Угробить мужа ради какой-то поганой кошки — это вполне в стиле Марины свет Викторовны.

Кошек она обожала, в отличие от Кирилла. И уже на втором месяце совместной жизни притащила в дом котенка, очаровательного пушистого перса, уверяя, что всего-то на пару недель — подруге, дескать, не с кем оставить... Кирилл, понятное дело, ни на секунду не поверил, но, наверное, смирился бы, как обычно, — однако на сей раз коса Маринкиной настойчивости напоролась-таки на камень: мифической «подруге» пришлось вернуться из мифической «командировки» на несколько дней раньше — жизнь в обществе мужа со слезящимися глазами, да еще постоянно хлюпающего носом, быстро надоела Марине. Аллергия на кошачью шерсть — не поддающаяся никаким лекарствам — мучила Кирилла с раннего детства.

— Может, маленькая собака? — неуверенно сказала Марина. И отстегнула ремень безопасности.

Он вылезал из машины значительно медленнее жены — делать резкие движения по-прежнему не хотелось...

Под ногами, на днище салона, валялась литровая пачка томатного сока, выплеснувшая изрядную часть содержимого. Там же лежали два круассана — наполовину раскрошившиеся, рассыпавшиеся плоской ломкой шелухой... Останавливаться и терять время на совместную трапезу они с Мариной не стали, перекусывали по очереди, сменяя друг друга за рулем... Момент для своего завтрака Кирилл выбрал неудачно.

Лужица кроваво-красного сока на черной резине коврика выглядела неприятно. Мерзко. Тошнотворно.

По крайней мере, Кирилл ощутил отчетливые рвотные позывы...

2

Как выяснилось, они задавили не кошку. И не маленькую собачку.

Да и откуда бы, в самом деле, взяться здесь домашним животным, — до ближайших домов, если верить карте, километров тридцать по прямой.

На лесной дороге с так называемым «улучшенным» покрытием лежала мертвая лисица. Наверняка очень невезучая лисица, родившаяся под злосчастным для лисьего племени расположением звезд. Надо же суметь — угодить под колеса первой и единственной за несколько часов машины.

Однако едва Кирилл успел подумать о фатальной лисьей невезучести, показалось еще одно механическое средство передвижения. Вернее, сначала они услышали натужный звук двигателя, затем из-за изгиба дороги вывернул ЗИЛ — судя по внешнему виду, хорошо помнящий всенародное ликование в связи с первым полетом человека в космос.

Космическая аналогия пришла в голову Кириллу неспроста — за дребезжащим грузовичком тянулся густой шлейф пыли, вызывая мысли о реактивных двигателях.

Водитель — парень лет тридцати — сидел в кабине в одиночестве. Глянул в сторону парочки, стоявшей над лисьим трупом, и отвернулся, сочтя событие не достойным ни вмешательства, ни внимания... ЗИЛ прогромыхал мимо. А Кирилла и Марину накрыл пресловутый шлейф.

Бежать и укрываться в салоне не имело смысла, стоило подумать об этом раньше, — клубы желтой пыли оседали и рассеивались достаточно быстро. Кирилл отвернулся в сторону леса, стараясь дышать через раз.

Марина пару раз чихнула, губы ее скривились, но адресованные водителю грузовика нелицеприятные слова так и не прозвучали — иначе тут и не проехать, за их «пятеркой» недавно тянулся не менее густой шлейф. Марина, получившая права полгода назад, весь свой невеликий водительский стаж накатала на городском и пригородном асфальте. И термин «улучшенная», отнесенный атласом автомобильных дорог к этой конкретной дороге, казался ей утонченным издевательством.

Затем пыль осела, и они вновь повернулись к виновнице происшествия.

К мертвой виновнице.

3

— Никогда не видела живых лис, — сказала Марина. — Те, что в зоопарке, не в счет.

Кирилл хотел было сказать, что и эта лисица не очень-то живая, но не стал. Болезненный гул в голове так и не рассеялся, не хотелось ничего говорить, ничего делать...

Да и жена могла расценить реплику как издевательство — животных она любила, и не только кошек. Но, как типичное дитя большого города, все познания о предмете любви черпала исключительно из би-би-сишного «Мира дикой природы» и ему подобных передач.

Марина присела на корточки:

— Бе-е-едненькая... — И эта ее интонация оказалась до боли знакома Кириллу. Трудно, впрочем, ожидать иного после шести лет совместной жизни.

Одержав в семейном скандале очередную победу — и, осознавая потом, на холодную голову, что была не права, — Марина никогда не извинялась, не признавала ошибок. Но на следующий день обращалась к мужу более чем ласково. Таким же примерно тоном... И обязательно совершала какой-нибудь кулинарный подвиг: к плите Марина становилась редко, но если становилась... Тогда результаты ее трудов исчезали из тарелок со скоростью, непредставимой для блюд быстрого приготовления, приводить которые в надлежащий для потребления вид являлось обязанностью Кирилла. А затем, после роскошного ужина с обязательной бутылочкой хорошего вина, наступала ночь, — доказывавшая, что вкусная еда — проверенный путь не только к сердцу мужчины. Но и к кое-каким еще частям его, мужчины, тела...

Говоря честно, Кирилл даже *любил* семейные скандалы, где неизменно оказывался проигравшей стороной... Вернее, любил следовавшие за ними дни и ночи, особенно ночи. Но эта вот фальшиво-ласковая интонация Марины...

— Бе-е-едненькая... — повторила Марина, осторожненько прикоснувшись одним пальцем к лисьей шерсти.

Кириллу вдруг, неизвестно почему, захотелось: пусть труп лисицы неожиданно оживет да и цапнет супругу за палец...

Не ожил. Не цапнул.

Судя по всему, колесо переехало зверька как раз посередине — сплющило, переломало кости. Ладно хоть кишки наружу не вылезли, такого зрелища Кирилл точно бы не выдержал... Его желудок начал протестовать даже сейчас, при виде небольшой лужицы крови, скопившейся возле пасти лисицы.

— Какая-то она совсем не рыжая, — сказала Марина.

Действительно, лисий мех был серовато-желтого цвета, и не только из-за осевшей на него пыли. Да и вообще летняя шуба кумушки выглядела непрезентабельно: шерсть редкая, свалявшаяся, клочковатая...

Кирилл сказал поучающим тоном:

— Они все по лету такие, и эта к зиме бы перелиняла, порыжела.

— Надо ее похоронить, — заявила Марина решительно.

— Хм...

Нет, он и сам понимал, что приличные люди за собой прибирают и не стоит оставлять лисий труп валяться на дороге. Однако почему бы попросту не оттащить его в придорожные кусты?

Спорить с женой Кирилл не стал. Невелик труд, в конце концов, — при наличии необходимых шанцевых инструментов. Но их-то как раз и не было, Кирилл давно собирался приобрести и возить в машине «малый джентльменский набор» — топор, ножовку, саперную лопату, да всё как-то руки не доходили.

— Положи ее в багажник! — сказала Марина приказным тоном.

Он попытался... Сходил к «пятерке», достал из багажника и надел брезентовые рукавицы, нагнулся и...

Желудок, и до того не выступавший образцом благонравия, взбунтовался окончательно. Кирилл сделал два коротеньких шага в сторону, согнулся, едва успев отвернуться от лисы и Марины. Затем издал мерзкий, из глубин утробы вырвавшийся звук, еще один...

— Эх ты...

Марина сдернула с руки мужа рукавицу, вторую Кирилл выронил на дорогу. За спиной послышалась короткая возня, потом металлический лязг захлопнувшегося багажника.

И все-таки он сдержался, отвратительными звуками все и ограничилось. Стоял, глотая воздух широко распахнутым ртом. Наконец сумел выговорить:

— Похоже, не слабо я приложился... Сотрясение, хоть и несильное.

Желудок объявил временное перемирие. Гулкая боль в голове, наоборот, усилилась. Больше всего хотелось лечь, вытянуться — и ничего не делать...

Лисы на дороге не было. Лишь лужица крови, почти впитавшаяся в улучшенное покрытие. Словно кто-то расплескал томатный сок.

— Бедненький... — произнесла Марина тем же приторно-ласковым тоном почти то же слово. — Ты б видел себя — уже не бледный, зеленый совсем... Садись скорей в машину, может, медпункт какой в Загривье найдется или фельдшер.

Она даже, уникальный случай, не попыталась выставить Кирилла виновником происшествия, вновь помянув про не пристегнутый ремень безопасности...

Он уселся на пассажирское место — медленно, осторожно, как будто опасаясь расплескать жидкое и болезненное содержимое собственного черепа. Супруга достала аптечку, положила Кириллу на колени:

— Посмотри, вроде бы я перед отъездом положила упаковку но-шпы...

Кирилл не сомневался, что так и есть, проблема «первого дня» всегда доставляла жене немало неприятностей. Он перебирал содержимое аптечки — не то, не то, а вот мезим отложим, вдруг и вправду незаменим для желудка...

И тут Марина закричала.

Истошно. Дико. Пронзительно.

ТРИАДА ВТОРАЯ
ПРЕЛЕСТИ СЕЛЬСКОЙ ЖИЗНИ

1

Приобретение загородной недвижимости — идея, придуманная супругой Кирилла.

У всех приличных людей есть дачи — а мы что, хуже других? Бесплодно мечтать о чем-либо долгие годы Марина не привыкла, приходящие ей в голову мысли воплощались в жизнь быстро и неуклонно.

Родители ее, надо сказать, дачным участком никогда отягощены не были. Соответственно, все представления Марины о пейзанском быте основывались на впечатлениях, полученных во время визитов на дачи знакомых. И были те представления не то чтобы далеки от реальности, но несколько однобоки: блаженное ничегонеделание в разложенном шезлонге, и вечерние прогулки по живописным местам, и барбекю либо шашлык на полянке, среди пчел-цветов-бабочек... Ну и банька, разумеется.

Кирилл относился к ее придумке несколько менее восторженно. Его-то семья как раз владела «фазендой» — восемнадцать соток с большим крепким домом в Гатчинском районе. Позже, после смерти отца — Кириллу шел четырнадцатый год — недвижимость пришлось продать, да и машину тоже, приснопамятное начало девяностых оказалось суровым временем для вдовы-домохозяйки с тремя несовершеннолетними детьми...

Но воспоминания о дачных трудах остались не самые радужные. Какой, к черту, отдых?! Самая настоящая каторга. И если для матери хоть добровольная, то для Кирюшки вполне принудительная. Вам когда-нибудь приходилось в нежном одиннадцатилетнем возрасте развозить тачкой по восемнадцати соткам громадную кучу навоза — вываленную самосвалом и гнусно воняющую? Развозить фактически в одиночку — отец пропадает на работе, мать беременна Танькой? Развозить в свои законные долгожданные каникулы? Рассказывайте кому-нибудь другому о прелестях сельской жизни.

Марину такие доводы не смущали. Вовсе незачем заморачиваться навозом, парниками и грядками. Беседка, аккуратные газоны, декоративный водоемчик с каскадом или фонтанчиком. А если ей вдруг придет идея сделать живописный альпинарий, благоверный может быть уверен — его эти труды никак не коснутся. Никакой каторги, самый настоящий отдых. Релаксация.

Кирилл был уверен: чтобы сия благостная картинка воплотилась в жизнь — сил, времени и денег придется вложить ой-ой-ой сколько. Но бороться с напористым энтузиазмом жены себе дороже... Согласившись с главным постулатом: дача и в самом деле не помешает, Кирилл выдвинул финансовые мотивы — показал бюллетень недвижимости с ценами на загородные дома. Да, зарплата у него по нынешним временам неплохая, но сразу такую покупку не осилить. Значит — кредит, петля обязательных взносов на шее... Они, если супруга позабыла, «пятерку» покупали на год-два, намереваясь именно на ней научиться как следует ездить — и сменить на что-либо более солидное. Покупка дома эти планы весьма отодвинет. И ежегодный отпуск за границей отменится. И еще кое-что отменится... А если он, тьфу-тьфу-тьфу, перестанет зарабатывать столько?

Но Марина подошла к делу конкретно: взяла бумагу, карандаш, калькулятор, произвела несложный расчет: нужна такая-то сумма на таких-то условиях на такой-то срок, чтобы не питаться одними макаронами, не одеваться в обноски и поменять спустя год машину. Ничего запредельного. Ищи подходящий банк.

Он начал искать... Вернее, лишь делал вид, что ищет, — не пытаясь найти...

И все-таки оказался здесь, на ведущей в Загривье дороге.

2

Марина закричала — истошно, дико, пронзительно.

Он рывком повернулся к ней, аптечка полетела под ноги, голова тут же откликнулась взрывом резкой боли.

Повернулся — и ничего не понял. Дикий вопль смолк. Марина — бледная, лицо искажено, губы подрагивают — сидела, далеко отставив нелепо вывернутую руку.

— Что с тобой?!

Она выдавила нечто совершенно нечленораздельное, показывая взглядом на обшлаг своего рукава.

Кирилл пригляделся и облегченно выдохнул. И быстро, двумя пальцами, снял ЭТО с руки Марины.

Дар речи вернулся к ней лишь спустя несколько секунд, да и то относительно:

— К-к-клещ? — Голос звучал растерянно, жалобно.

Клещей она панически боялась с детства. Причем не беспричинно: задушевная ее подруга-второклассница не пришла первого сентября в школу — за неделю до того умерла от клещевого энцефалита...

В восемь лет смерть кажется чем-то далеким и абстрактным, и уж никак не касающимся тебя и твоих друзей-сверстников, — последствия давней психологической травмы остались у Марины на всю жизнь. При всей платонической любви к природе вытянуть ее в лес за грибами было нереально. А неделю назад не поленилась, съездила в областной ЦГСЭН, выяснила: Загривье в «зоны риска» не попадает, вероятность подцепить энцефалит ничтожна.

Даже столь малый риск ее никак не устраивал, постановила сделать себе и мужу соответствующие прививки. Кирилл помнил, насколько это болезненная процедура, но не возражал: дело и впрямь нужное. Однако в поликлинику до поездки в Загривье они так и не сходили...

— Да никакой не клещ, — сказал он ровным, успокаивающим тоном. И сдавил насекомое кончиками ногтей. Прозвучал тихий, но вполне различимый щелчок. — Достаточно безобидная зверюшка... была. Встречал таких не раз. Не совсем, конечно, мирная, тоже кровь сосет, — из лесных животных, при случае из человека. Но никакой заразы не переносит.

Что убитое им насекомое в народе носит неблагозвучное прозвище «лосиная вошь», Кирилл не стал говорить. Останки маленького вампира отправились прямиком в пепельницу.

— Фу-у-у... Как оно сюда попало? Через окно? — Голос Марины все еще звучал встревоженно.

— Да с лисы, конечно же... На рукавицу, потом на рукав. Ты осиротила зверюшку, она и нашла быстренько новый источник пищи... — Он говорил, стараясь ничем не выдать легкое злорадство: это тебе не глянцевая картинка «Мира дикой природы», природолюбка ты наша.

— Значит, в багажнике теперь и другие могут ползать? Замечательно... — Марина быстро и полностью оправилась от потрясения, говорила в обычной своей манере: уверенно, безапелляционно. — В первом же магазине купим какой-нибудь дихлофос.

— Не надо... — вяло возразил Кирилл. — Нет других. У них массовый вылет в конце лета и начале осени. А эта или перезимовала, или слишком ранняя. Одиночка, в общем...

— Все равно вылезай, осмотрим друг друга хорошенько. Не желаю быть ничьим источником пищи.

Дурное какое-то место, никак с него не уехать, подумал Кирилл.

Словно заколдованное...

3

Не так давно произошло событие, поставившее крест на тихом саботаже Кирилла. Вернее, даже цепочка из трех событий.

Началось все, когда пару недель назад он возвращался в Петербург из Москвы, двух-трехдневные командировки в первопрестольную давно стали для Кирилла делом привычным. Диспетчер аэропорта «Пулково» отчего-то не сразу дал добро на посадку — и «тушка» заложила огромный круг над городом. День выдался на удивление ясный, безоблачный, — с высоты в несколько километров можно было бы отлично разглядеть не только каждый дом, но и каждую легковушку на питерских улицах.

Можно было бы, но...

На беду, стояло абсолютное безветрие. Ни дуновения. И прекрасно виднелась лишь исполинская медуза смога, придавившая огромный город. Все дымы из заводских и фабричных труб, из ТЭЦ и котельных поднимались вертикально и, никуда не уносимые ветром, расплывались, расползались в стороны, опускались вниз — сливаясь в гигантскую мутную линзу. Над пригородами слой смога был немного тоньше, прозрачнее — но лишь немного. Только над Царским Селом, стоявшим в отдалении на холме, атмосфера оказалась достаточно чистой — в бывшей императорской резиденции практически нет крупных промышленных предприятий.

Кирилл обалдел.

Просто-таки обалдел...

И в этом мы живем??!!!

И этим мы дышим??!!!

Нет, понятно, ему доводилось слышать тревожные цифры, о которых трубили экологи, но цифра — вещь абстрактная, а чтобы так вот зримо, наглядно...

Мысленно он клял на чем свет стоит власти, и городские, и федеральные. Проблема известна давно: относительно небольшой исторический центр города стиснуло кольцо промзон — как накинутая на горло удавка. И лишь за бывшими заводскими окраинами (давно утратившими право именоваться окраинами) — внешнее кольцо «спальных районов». Куда ветер ни дунет, ядовитая отрава летит на людей.

Проблема известна, известно и единственно возможное ее решение — постепенно демонтировать предприятия, вывозить производства далеко за городскую черту, и новые жилые микрорайоны возводить на их месте, а не у черта на куличках...

Но все декларации властей на эту тему остаются на словах и на бумаге, а реальное положение дел — вот оно, перед глазами, за иллюминатором самолета.

Попутчики тупо пялились на пейзаж задыхающегося города, и, казалось, не хотели ничего замечать... Кирилл едва сдерживался, чтобы не проорать громко, на весь салон: «Да протрите глаза, мать вашу! Вас убивают, травят, а вам хоть бы что!!»

У него была и еще одна причина для столь бурной реакции на увиденное. Перед командировкой Марина поведала: у нее *задержка*, уже две недели, в ближайшее время посетит консультацию. Он робко поинтересовался ее дальнейшими планами. Рожать, конечно же, удивилась она, — разве ты сам не заводил разговор о ребенке?

В такси, по дороге из аэропорта, он решил: если все подтвердится, большую часть беременности жена проведет подальше от ядовитой медузы смога. Ничего, уж сумеет он как-нибудь извернуться, тем более что преднамеренно не открывал Марине все карты — о корпоративных кредитах, например, она не имеет представления...

Все подтвердилось.

Через восемь месяцев следовало ожидать прибавления семейства.

Но к займам и кредитам прибегать не пришлось. Пока Кирилл ездил в Москву, на глаза супруге попалось объявление о продаже дома в Загривье.

Цену за недвижимость запрашивали удивительно, невероятно низкую...

И Кирилл сразу заподозрил неладное.

ТРИАДА ТРЕТЬЯ
АНГЕЛЫ БЫВАЮТ РАЗНЫЕ

1

С «заколдованного места» они наконец уехали.

Две таблетки но-шпы, принятые Кириллом, сделали свое дело. Голова вела себя относительно прилично — если не вертеть ею по сторонам и не притрагиваться к огромной шишке.

Можно сказать, легко отделался: первые десять километров пустынной дороги, ведущей к Загривью от Гдовского шоссе, оказались заасфальтированными, и Марина уверенно держала сто двадцать. Выбежала бы там лиса под колеса... — Кирилл болезненно поморщился, представив этакую перспективу. И постановил отныне всегда пристегиваться, на любой дороге и на любой скорости.

Меж тем дорога вынырнула из леса, потянулись поля, под колесами вновь зашуршал асфальт. Не стоило заглядывать в атлас, чтобы понять: цель их путешествия, Загривье, неподалеку. Единственный здешний центр цивилизации. Как убедился Кирилл после дотошного изучения карты-километровки, к названиям всех остальных деревень в радиусе пятнадцати километров присовокуплялась пометка курсивом в скобочках: *нежил*. Давняя война страшным катком прокатилась по населенным когда-то местам — неподалеку летом сорок первого происходила страшная мясорубка, именуемая историками «боями на Лужском рубеже».

Вдали показались первые дома. Кирилл со слабой надеждой достал сотовый телефон — а ну как здесь заработает? Тогда надо будет позвонить, предупредить, что подъезжают...

Надеялся он напрасно — стилизованное изображение антенны оставалось по-прежнему перечеркнутым, мобильником здесь можно фотографировать окрестные пейзажи, или использовать его в качестве будильника, или сыграть от безделья в «тетрис»... Только применить по прямому назначению нельзя.

Однако дозвонились же они сюда из города, значит чья-то зона покрытия зацепляет и эти Богом забытые места... Цифры кода оказались незнакомые, и оператора сотовой связи по ним Кирилл не опознал, — ничего, узнает и купит еще один телефон, подобрав подходящий тариф, чтобы не оставаться без связи при поездках.

Если они, поездки сюда, вообще будут... Но, судя по настрою благоверной, — всенепременно будут.

Когда мимо мелькнула белая табличка с надписью «ЗАГРИВЬЕ», Марина бросила быстрый взгляд на спидометр. Констатировала:

— Сто восемьдесят семь кэмэ, как одна копеечка. А по прямой... сколько ты говорил?

— Чуть больше сотни...

Неудивительно, что после войны большинство здешних селений не восстановили. Очень уж дорога неудобная — чтобы попасть сюда с Гдовского шоссе, приходится давать изрядного крюка, объезжая громадное болото с названием Сычий Мох. А по прямой от города — с востока, через реку Лугу, вообще не проехать: нет ни моста, ни паромной переправы.

— Не беда, даже на уик-энды можно ездить, — бодро сказала Марина. — Считай, под боком. Вон, Новотоцкие дом на Ладоге купили, в Карелии. Девять часов за рулем — раз в год в отпуск выбираются. А платили, между прочим, на пять тысяч дороже. По ценам трехлетней давности.

Кирилл кивнул.

И тут же пожалел об этом движении — голова откликнулась резкой болью.

2

Объявление, найденное Мариной в бюллетене недвижимости, и впрямь поразило несуразно низкой ценой.

Нет, хорошенько порывшись в пресловутом издании, можно было отыскать еще более смешные суммы. Но даже на фотографиях видно: предлагаемые к продаже дешевые строения — хибарки чуть больше собачьей будки размером — служат отнюдь не для отдыха. Для той самой садово-огородной каторги. Жить в них нельзя, лишь хранить сельхозинвентарь. Ну разве что иногда заночевать на раскладушке, припозднившись после праведных трудов к последней электричке. Впрочем, продавались задешево и большие, ладные деревенские дома — но где-нибудь в тмутаракани, в новгородской, псковской или вологодской глубинке.

Здесь же... Кирилл первым делом заподозрил опечатку в объявлении: или наборщики пропустили нолик, или по ошибке указали рубли вместо долларов или евро... Никак не могут стоить столько крепкие жилые дома с обширными участками в Кингисеппском районе Ленобласти. Город Кингисепп (поименованный так в честь пламенного эстонского революционера) — совсем рядом, в ста километрах по Таллинскому шоссе. Почти пригородная дача получается... Не бывает такого.

Он озвучил свои сомнения. Марина настаивала: позвони, что теряешь? Телефон в объявлении был указан областной. Судя по коду, агентство недвижимости располагалось в городе Сланцы. Ничего удивительного, Кингисеппский и Сланцевский районы граничат.

Кирилл позвонил, предчувствуя: даже если не опечатка, то какой-то лохотрон. Какой именно, так сразу и не представить, но наши люди куда как изобретательны в деле выманивания наличности у сограждан. Например, если дом действительно так хорош, может моментально объявиться второй покупатель, вернее — лжепокупатель, и предприимчивый продавец устроит аукцион — торг дело азартное, увлекшись, можно невзначай выложить сумму, раза в полтора-два превышающую рыночные цены...

Однако в телефонном разговоре ничего подозрительного не прозвучало: да, цифра правильная. Нет, никаких агентств, дом продает наследник, напрямую. Да, денег у него хватает, и единственная цель — избавиться от загородной обузы. Нет, цена фиксированная, никаких аукционов. Да, приезжайте и смотрите, понравится — покупайте. Деньги взять с собой? — да зачем же, расплатитесь позже, в городе, при оформлении.

Абсолютно ничего подозрительного не прозвучало. И по какому-то капризу логики именно это показалось Кириллу неладным. Раз не просят приехать с деньгами — надо надеяться, что потенциальных покупателей в Загривье не бьют ломом по голове и не зарывают на скотном выгоне. Но жульничество вполне вероятно. Например, чуть погодя объявится еще какой-нибудь наследник, чьи интересы продажа ущемляет, — и объявит по суду сделку незаконной. Ищи-свищи тогда продавца с твоими денежками...

Казалось, собеседник — мужчина с уверенным голосом — уловил между слов сомнения Кирилла. И предложил: вы с кондачка не решайте, приезжайте в Загривье в любое время, поживите пару дней (совершенно бесплатно, разумеется!) — присмотри́тесь хорошенько и к местам, и к дому.

Кириллу предложение понравилось. И не только потому, что за два дня можно не спеша выявить все недостатки потенциальной покупки — печь с плохой тягой или гнилое дерево под слоем свежей краски. Можно будет и с местными потолковать, в деревне шило в мешке не утаишь, всё расскажут, про самых дальних родственников-наследников вспомнят.

Хорошо, сказал он, как и когда нам это осуществить?

Да когда удобно, но, если затянете, могут другие желающие объявиться. Нет, сам он приехать не сможет: работа такая, что выходные крайне редко и нерегулярно выпадают. Но у соседа лежат ключи, и есть с ним предварительная договоренность как раз о возможном двухдневном визите покупателей. Позвоните ему, скажете, что от меня, условитесь о времени, — собеседник назвал имя соседа и десять цифр федерального номера.

Через две недели Кирилл и Марина поехали в Загривье.

3

В общем и целом, деревня понравилась обоим.
Дома большие, *справные*, все, как один, на высоких фундаментах, сложенных из грубо обте-

санного дикого камня. Кирилл где-то вычитал, что давным-давно эту архитектурную особенность русские крестьяне позаимствовали у аборигенов здешнего края, у чухонской народности водь. По крайней мере, можно не опасаться, что нижние венцы у покупки окажутся гнилыми.

И расположены дома вольготно, привольно — не то что в скученных шестисоточных садоводствах, где волей-неволей живешь под пристальными взглядами соседей.

Да и пейзаж неплох — с двух сторон поля, за ними, вдалеке, километрах в пяти-шести, темнел лес. С двух других сторон к Загривью примыкала вытянутая, дугой изогнувшаяся возвышенность. Местами она тоже поросла лесом, местами поляны перемежались с зарослями кустарника. Вот и название деревни объяснилось — наверняка такие протяженные и неширокие возвышенности в местном сленге как раз именуются гривами.

А за гривой, если верить карте, то самое огромное болото — Сычий Мох. Удобно: достаточно близко, если вдруг приспичит сходить за клюквой. А комары до Загривья не долетят, далековато для кровососов.

...Первый встреченный местный житель оказался на деле жительницей, девчонкой лет десяти: исцарапанные загорелые коленки торчат из-под подола цветастого платья, мышиные хвостики косичек, конопатая мордашка.

Марина притормозила, опустила стекло, поинтересовалась: как проехать к дому Лихоедовых?

Жительница склонила голову к правому плечу и воззрилась столь изумленно, словно ее попросили коротенечко, в двух словах, изложить суть специальной теории относительности.

Марина повторила вопрос, причем на удивление ровным тоном, ни следа раздражения в голосе.

Жительница склонила голову к другому плечу, и отражавшиеся на лице раздумья явно стали еще более напряженными.

«Может, немая или слабая на голову?» — подумал Кирилл. Пьют в медвежьих углах по-черному, и детки на свет появляются с самыми разными отклонениями.

Однако девчонка тут же опровергла его измышления.

— Так вон же! — указала на дом, до которого «пятерка» не доехала буквально полсотни метров. Захихикала и унеслась куда-то вприпрыжку — наверное, рассказать подружкам про городских дурачков, в упор не замечающих дом Лихоедовых.

Кирилл отметил, что искомый дом, как и некоторые другие из виденных в Загривье, украшен сразу двумя антеннами, поднятыми на высоченных еловых жердинах. Одна явно самодельная, слаженная из двух непонятных металлических деталей: здоровенных пластин с большими круглыми отверстиями. Вторая фабричная, но тоже несколько непривычного вида, с торчащими во все стороны металлическими штырьками.

...Очередной загривчанин (загривец?), встреченный уже на лихоедовском подворье, тоже оказался ребенком — мальчиком лет пяти-шести. (Значит, не такая уж здесь унылая жизнь, мельком подумал Кирилл, не только старичье доживает век, хватает и молодых, и рожают достаточно активно...)

Наружностью мальчонка обладал самой ангельской.

Конечно, встречи с ангелами наукой достоверно не зафиксированы, и внешность их мало кому известна. Но именно такими когда-то давно изображали (а ныне вновь начали изображать) ангелочков на рождественских и пасхальных открытках:

младенческая пухлость щек, вьющиеся белокурые кудри, невинный взгляд ясных-ясных глаз. Лишь крылышки — всенепременный атрибут с тех же открыток — у загривского херувимчика еще не прорезались.

Зато чудесное дитя явно отличалось ангельским трудолюбием и желанием помочь родителям: пристраивало на большой чурбак что-то, показавшееся Кириллу деревянной чуркой. Рядом лежал топор. Вернее, колун с потемневшей ручкой, обмотанной на конце синей изолентой.

Ни дать ни взять сюжет для нравоучительного рассказца в детскую хрестоматию: утомленные страдой отец с матерью еще спят, а любящий сынок колет дровишки для самовара — попотчевать проснувшихся родителей свежим горячим чаем.

— Ма-а-альчик! — протянула Марина неприятным, каким-то скрипучим голосом. — Немедленно отойди от этой гадости!

Кирилл удивился. Но тут же все понял. Разглядел, ЧТО именно лежало на чурбаке. ЭТО и раньше находилось в поле зрения, но мозг отчего-то не воспринимал, не осознавал увиденное — слишком уж оно не вписывалось в нарисованную воображением благостную картинку.

На неровной, иссеченной многими ударами топора деревянной поверхности лежала *крыса*.

Дохлая крыса...

Здоровенная — мордочка касалась края чурбака, кончик хвоста свешивался с противоположного. Голова у грызуна была неправильной, сплющенной формы — и причина того сомнений не вызывала: неподалеку валялась крысоловка.

Самая простая, без затей, крысоловка. Скоба, мощная пружина, сторожок и дощечка-основание. Последняя деталь вся в бурых пятнах — наверняка немудреное устройство прикончило многих представителей хвостатого племени.

Чудесное дитя, никак не реагируя на присутствие чужаков, внесло легкую правку в свой натюрморт — чуть изогнувшийся голый крысиный хвост лежал теперь идеально ровно.

— Мальчик! Слышишь меня?!! — чуть ли не завопила Марина.

Ангелочек, без сомнения, слышал — взглянул на нее бездонными, небесно-голубыми глазами. И с видимой натугой поднял колун на уровень груди.

— Ты... — Марина осеклась.

Колун опустился с глухим стуком.

Был он совершенно тупой, предназначенный не рассекать что-либо, но лишь раскалывать дрова. Да и силенок у мальчика не хватало на полноценный замах.

Металлический клин, угодивший ровно по середине крысиной спинки, не разрубил грызуна пополам — смял, сплющил, вдавил в дерево, ломая косточки... Кирилл отлично видел, как дернулись вверх задние лапки и хвост, передняя часть тоже дернулась, при этом из крысиной пасти вылетело, выплеснулось что-то мерзкое, тягучее, буро-красное...

Желудок отреагировал мгновенно, без всяких предупреждающих позывов. Кирилл чудом успел согнуться — хлынувшие наружу остатки завтрака все же не попали на одежду.

Он с ужасом глядел на кроваво-бурое отвратительное пятно у себя под ногами.

— Кровь...

— Кровь?!

Тут же вспомнил: сок, проклятый томатный сок, в жизни больше не возьмет его в рот...

Он понял, как смотрелся сейчас со стороны — точь-в-точь как та крыса, даже цвет выплеснутого очень похож, словно и ему, Кириллу, с хрустом опустилось на спину крушащее железо... Словно это он лежал на иссеченной плахе. Спина немедленно откликнулась тягучей болью — психосоматика чистой воды. Желудок тоже не остался в стороне, жесточайшие спазмы не прекращались...

Ангелочку, похоже, были не в диковинку блюющие неподалеку незнакомцы. Тюк! Тюк! Тюк! — работа колуна не прекращалась.

Марина что-то крикнула — смысл слов скользнул мимо сознания Кирилла, потом крикнула что-то еще, потом мерное тюканье смолкло.

Кирилл наконец сумел разогнуться. С губ свисала липко-тягучая нить слюны, смешанной с чем-то гнусным, он смахнул — тут же прилипла к пальцам, он тряхнул рукой, не помогло, взмахнул резко, яростно, — и эта гнусь улетела не куда-нибудь, а ровнехонько на его джинсы... Он мысленно взвыл, представив, каким идиотом выглядит.

Взгляд Кирилла — помимо его воли — скользнул к чурбаку. И тотчас же отдернулся. Нет уж, ни к чему рассматривать месиво, в которое превратилось крыса, хватит на сегодня тошнотворных зрелищ...

Марина застыла с колуном в руках — отобрала у юного дератизатора. И если кто-нибудь заглянет сейчас во двор Лихоедовых, наверняка решит: именно эта молодая симпатичная женщина — автор лежащего на чурбаке непотребства. Ибо заподозрить ангелоподобное создание в подобных развлечениях решительно невозможно.

— Зачем?! — спросил Кирилл у мальчика. И, уже спросив, понял, — ответ услышать не хочется. Неинтересно, и всё тут.

— Так ведь родительский день завтра, — произнес малыш так, будто это заявление полностью оправдывало его странное, мягко выражаясь, занятие.

Произнес самым ангельским голоском.

ТРИАДА ЧЕТВЕРТАЯ
ОСОБЕННОСТИ
НАЦИОНАЛЬНОЙ РЕЗЬБЫ ПО ДЕРЕВУ

1

Хозяина они не застали дома.

Антонина Лихоедова (представившаяся, впрочем, как Тоня) была дородной женщиной лет так... честно говоря, Кирилл затруднился определить ее возраст. В лучшем случае приблизительный диапазон: от тридцати до сорока с небольшим. Встречаются такие безвозрастные пухляночки — жирок растягивает кожу, сглаживает первые морщинки, куда как заметные у более худощавых сверстниц.

— Так ведь нет его... — несколько смутно ответила Антонина на вопрос о муже.

— Уехал?! — чуть не хором ахнули Кирилл и Марина.

Договориться с хранителем ключей им было не так-то просто: в телефонном разговоре Трофим Лихоедов настоял на их приезде именно в этот уик-энд, не раньше и не позже. Поскольку работает он не здесь, а на выезде (кем именно работает, Кирилл не разобрал, слышимость оказалось паршивенькая). В общем, позже его, Трофима, две недели не будет в Загривье. А ключи он никому не оставит, потому как своим карманом отвечает за дом и все в нем имеющееся, так вот.

Они переверстали кое-какие свои планы — приехали точно в назначенный срок. И вот вам...

— Так нет же... — Антонина засмеялась, развеселившись от непонятливости приезжих. — Куда ж уедет, коли договорено? За домом сам-то, на выгоне, — слышите, топором стучит? Щас Юрка сгоняю...

Она вытерла руки полотенцем — Кирилл и Марина застали хозяйку за раскатыванием теста; вышла в сени, гаркнула Юрку, чтоб единым духом бежал за отцом, покупатели приехали, дескать.

— Так что погодите чуток, — сказала Антонина, вернувшись и к гостям, и к своему тесту. — Придет...

Надо понимать, ангелоподобного юного натуралиста звали Юрой. Кирилл хотел было поинтересоваться у хозяйки, знает ли она об увлечениях сына, но раздумал. Может, у них в доме экологическая катастрофа случилась — массовое нашествие крыс. Сгрызли все продукты и, оголодав, на людей бросаются...

Спросил он о другом:

— Скажите, а у мужа вашего какой оператор мобильной связи?

Антонина уставилась изумленно, словно слышала такие слова впервые в жизни.

Кирилл попытался объяснить:

— По телефону мы ему звонили, на сотовый номер...

— А-а-а... — Антонина разулыбалась. — Так ведь это ж... Откуда ж у нас сотовым-то? Не работают тута у городских, кто приедет... Приема нету.

Теперь изумился уже Кирилл, но ненадолго. Как тут же выяснилось, беседовал с ним хозяин по радиотелефону «Алтай» — Антонина указала на помянутое устройство, стоявшее в углу на отдельном, наверняка специально для него сколоченном столике.

Да уж, мобильным этот телефон никак не назовешь... Два серых металлических ящика внушительных размеров, на одном из них сбоку подвешена пластмассовая трубка — когда-то белая, ныне пожелтевшая. Кирилл смутно помнил, что давным-давно, во времена его детства, подобные системы стояли в машинах такси, в те годы сплошь государственных. Лишь второго, большего, ящика в тех «Волгах» с шашечками и зеленым глазком не было, — в нем наверняка трансформатор, позволяющий работать от сети, а не от автомобильного аккумулятора.

М-да... чудо советской техники. Дизайн и эргономика тут плачут горькими слезами, однако же — функционирует! Хотя по виду никак не младше хозяйки... Кирилл сильно сомневался, что с помощью его навороченного мобильника спустя тридцать лет удастся куда-нибудь дозвониться.

Ну что же, назначение вторых антенн над некоторыми загривскими крышами выяснилось. Заодно выяснилось, что они, приезжая сюда, останутся без связи — где теперь купишь такой антиквариат?

— Так и не надо ж покупать... — обнадежила Антонина. — В конторе напрокат возьмете, в Сланцах-то. Уж не помню, как там она зовется, да найдете легко — дом серый, бетонный, аккурат под вышкой телевизорной. Залог оставите, да еще сорок целковых каждый месяц — и звони́те себе на здоровье.

Кирилл взглянул на часы и понял — обещанный «чуток» несколько затянулся. Или юный любитель природы имел о термине «единым духом» своеобразное представление, или решил по пути за отцом исполнить какое-нибудь неотложное дело. Проверить крысоловки, например.

— Так сами ж и сходи́те, — предложила хозяйка. — Недалеко ж, за дом пройдете, так и увидите... А Юрок у меня и впрямь такой... задумчивый. Увидит чего, рот разинет, все из головы вон. Сходите, а то мне от теста никак...

Делать нечего — они самостоятельно двинулись на поиски.

Обходя дом, Кирилл удивленно присвистнул:

— Вот это да... Любопытный мотивчик в орнаменте...

Марина взглянула на массивный деревянный ставень. Сегодня они видели в Загривье много резьбы по дереву: на каждой двери фигурные наличники, на всех окнах жилых домов — распахнутые резные ставни, на нежилых — плотно затворенные. Но в деталях образчик художественного народного промысла разглядеть удалось впервые.

Орнамент и вправду был неординарным — затейливо сплетенные правосторонние свастики.

2

«В лесу раздавался топор дровосека...» — вспомнил Кирилл школьную классику. Ну-ну, а на лугу корова раздавалась, а в кустах — соловей. Надо ж так написать, и никто не закричал ведь: графомания! Классики что за ересь ни сочинят, все хорошо...

На самом деле топор раздавался не в лесу — на задах лихоедовского участка. Но раздавался...

Трофим Лихоедов внешне был полной противоположностью своей супруге — невеликого росточка, худощавый, движения быстрые, несколько суетливые. И речь такая же, никакого сравнения с плавной напевностью фраз Антонины, — словно опасался, что перебьют, не дадут договорить. Но одно сходство имелось: лексические конструкции и у мужа, и у жены в большинстве своем начинались всенепременным «так». Не то особенность эта свойственна всему местному населению, не то лишь семейству Лихоедовых...

— Так это ж, щас и пойдем, что тянуть-то... — Трофим воткнул небольшой плотницкий топорик прямо в деревянное сооружение, над которым работал.

Рукоять топорика, как и у его родственника-колуна, тоже оказалась обмотана синей изолентой, очевидно в видах большей ухватистости. Причем не абы как — судя по всему, сначала Трофим обернул дерево неплотными витками старой веревки — получились выемки под пальцы. Странно... Отчего-то Кирилл никогда прежде не видел подобных усовершенствований.

Предназначение объекта лихоедовских трудов тоже осталось загадкой: небрежно обтесанное бревно, а к нему Трофим приколачивал под углом деревянный щит из толстых неструганых досок. Неподалеку лежало вторая аналогичная конструкция, законченная.

Спросить прямо: что, мол, это такое? — Кирилл постеснялся, и без того выглядят полными профанами в деревенских делах. Но почему-то у него мелькнула мысль о баскетболе: любящий папаша приколотит к щитам обручи от старого бочонка, обтянутые картофельной сеткой, вкопает столбы здесь, на лужайке, — а Юрочек-ангелочек будет тренироваться в метких и дальних бросках, используя вместо мячика раздувшийся крысиный труп...

«Вот ведь паршивец малолетний!» — разозлился Кирилл. На весь день впечатление оставил, про что ни подумаешь, мысли все равно на крыс сворачивают...

— Далеко идти? — спросила Марина. — Может, быстрее доехать?

— Так нет же, за три дома всего, дольше в машину залезать да вылазить, опосля, как посмотрим, так уж и отгоните, не боитесь, свои тута все, не тронут, — протараторил Трофим на одном дыхании. Перевел дух и продолжил:

— Так отсюда и пойдем, напрямки, задочками, ключи вот у меня при себе, поджидал вас как-никак, гостей дорогих, — он хлопнул по карману своей рабочей спецовки, где и впрямь что-то глухо звякнуло. И широко улыбнулся, очевидно желая продемонстрировать радушное гостеприимство. Вот этого ему как раз делать не стоило. Зубы у Лихоедова оказались хуже некуда — гнилые, потемневшие, трех или четырех не хватало, — и улыбка произвела впечатление, далекое от запланированного.

С чего это вдруг мы ему стали «дорогие»? — мелькнуло у Кирилла. Прикатили, от работы оторвали...

Не иначе как хозяин посулил соседу за труды процент от стоимости проданного дома.

3

Недвижимость, на осмотр которой шагала по истоптанной скотом луговине их троица, и в самом деле располагалась через три дома от подворья Лихоедовых.

Однако идти, вопреки уверениям Трофима, пришлось изрядно. Домов-то три, да участков пять. Правда, на двух из них остались лишь пепелища с закопченными русскими печами, сиротливо вытянувшими трубы к небу. Кирилл вспомнил, что, въезжая в Загривье, они уже видели старое, заросшее лопухами пожарище. Или даже два... Не многовато ли тут пожаров случается?

— Так горят, — пожал плечами Лихоедов в ответ на прямой вопрос, — почитай, что ни лето, так полыхает, в прошлом годе, правда, Бог миловал. Без хозяев-то стоят, без пригляда, молния вдарит — так пока еще соседи увидят, что загорелось... А грозы у нас... О-о-о! Во всей округе самые знатные!

Он даже остановился, поднял палец многозначительным жестом, — чтобы Кирилл и Марина в полной мере оценили, какие знаменитые на весь район случаются над Загривьем грозы.

Затем вновь пошагал, продолжая тараторить без умолку:

— Так ведь даже с самой Москвы наука приезжала, лет уж десять тому, вон, на гриве прибо-о-о-ров всяких понатыкали, а-но-ма-ли-ю, значит, изучали. Вот ведь дармоеды, а? Путёвым бы чем занялись за денежки-то народные...

Неизвестно, как именно провинилась перед Трофимом та давняя экспедиция. Может, тем, что у него никто из «науки» не остановился на постой, лишив дополнительного приработка, может еще чем... Но весь оставшийся путь он продолжал ругать дармоедов-ученых. И закончил обвинительную речь несколько странным пассажем:

— Так вот жаль, что тока в августе прикатили, а то была бы им а-но-ма-лия, захребетникам...

Но Марина и Кирилл не обратили внимания на странную фразу, — внимательно вглядывались в дом, являвшийся целью их похода, оставалось до него не более сотни шагов.

Тогда не обратили...

...Что ни говори, агент по продаже недвижимости из Трофима получился бы никудышный. И провел он Марину с Кириллом пусть и самой ближней дорогой, но дом они увидели с невыигрышного ракурса.

Понятно это стало, лишь когда они обошли вокруг и оценили вид с улицы.

Дело в том, что Загривье не располагалось на ровной, как стол, местности, — холмы чередовались с низинками. «Их» дом как раз и стоял на склоне одного из таких взгорков. Фундамент — сложенный, как и все здесь, из дикого камня, с задней стороны был невысок — по колено, не больше. Со стороны же улицы — значительно выше человеческого роста. В результате строение, показавшееся при подходе приземистым и неказистым, разительно преобразилось, стоило сменить точку наблюдения: прямо-таки устремленные к небесам хоромы...

Как ни странно, дом выглядел *жилым*, в отличие от других, пустовавших в Загривье. Ни следа обветшалости, заброшенности. И окна не закрыты ставнями. Они, ставни, отчего-то вообще здесь отсутствовали.

Обидно...

Кирилл уже предвкушал, что тоже станет владельцем этакого резного чуда. Ну да ладно, если все сложится — закажут у кого-нибудь из местных умельцев. Но желательно без свастик. Нет, понятно, что этот распространенный у древних славян символ появился задолго до бесноватого фюрера и его коричневой мрази, но все равно как-то неприятно жить в доме с такими украшениями...

А вот участок и в самом деле производил впечатление заброшенного, причем заброшенного много лет назад — наверное, за год-два такой густой, стеной стоящий бурьян не нарастет.

Любопытно... Хозяйство осталось без владельца давненько — а наследник решил продать лишь этим летом, не раньше и не позже. Почему? Потребовались деньги? Отчего тогда запросил столь смешную цену?

Впрочем, неважно. Можно считать, что им повезло. Попросту повезло.

Они поднялись на обширное высоченное крыльцо, Кирилл зачем-то сосчитал ступени, оказалось их шестнадцать...

Трофим ковырялся ключом в огромном навесном замке, что-то бурча себе под нос. Внизу, в углу двери, была врезана другая дверца, крохотная, с подпружиненной петлей — очевидно, чтобы кошка могла приходить-уходить самостоятельно, не выстужая дом. Как выяснилось позже, подобными устройствами были оборудованы и черный ход, и дверь, ведущая из сеней во внутренние помещения. Заколочу, подумал Кирилл.

Марина прошептала тихонько:

— Ты только посмотри...

Вид с крыльца действительно открывался шикарный — почти вся деревня как на ладони, и поля, и дальний лес...

Похоже, бывший хозяин с умыслом посадил плодовые деревья так, чтобы не закрывали перспективу. И поставил здесь, на крыльце, добротно слаженную лавочку — посидеть, отдохнуть, полюбоваться окрестностями.

Замок поддался наконец усилиям Трофима, он распахнул дверь, шагнул внутрь, продолжая бурчать что-то неразборчивое.

А Марина положила мужу руки на плечи, заглянула в глаза:

— Кира, я хочу здесь жить!

И впилась в губы долгим поцелуем.

КЛЮЧ ВТОРОЙ
ЧТО ВЫНАШИВАЕТСЯ В УТРОБЕ

ТРИАДА ПЯТАЯ
ХОРОШО ИМЕТЬ ДОМИК В ДЕРЕВНЕ

1

— Так конечно ж, Тонька-то тута аж три дня прибиралась, — сказал Трофим с гордостью. — А то как же — вы приедете, а тута пыль до колена да паутина по углам? Так и я ж руку приложил, вон, пробки вкрутил, — он щелкнул выключателем, настольная лампа загорелась. — Бак опять же накачал, бак тута знатный, на полкуба́, с нержавейки, горячей воды тока нет, говорили ж Викентию: ставь бачок в печку на полсотни литров, будешь как кум королю, сват министру, Никита-печник занедорого совсем ставил, он всё собирался, собирался, да прособирался, помер, а потом и сам Никита помер-то, прошлым годом...

Антонина потрудилась здесь на славу. Нигде ни пылинки, ни соринки, посуда в сушилке-«ленивке» сверкает, заново вымытая. Марина прошла в горницу, откинула край покрывала с большой двуспальной кровати — белье хрусткое, свежевыстиранное. Кирилл остался в соседнем помещении, совмещавшем функции кухни и столовой, крутанул кран, вода забарабанила в эмалированную раковину. Цивилизация, однако... Он-то ожидал увидеть какой-нибудь антикварный рукомойник, на носик которого приходится нажимать намыленными руками...

— Так хорошая вода, вкусная, — пояснил Лихоедов, — добрый колодец был у Викентия, правда, застоялся малехо, но я ж кубов пять выкачал, да и всё путем... Вон тама унитаз даже стоит, — он кивнул на неприметную дверь, — все как в городе, тока вот канализации нету, все в яму текёт, хошь не хошь вычерпывать раз в год надо. Ну да коли деньги водятся — плати тыщу, сенизаторы со Сланцев прикатят, сами всё и выкачают...

Видимо, наследник не стал забирать абсолютно ничего из вещей умершего Викентия. Оно и понятно: например, старый черно-белый телевизор «Темп» разве продашь? Лет через семьдесят, возможно, коллекционеры будут платить бешеные деньги за такие уцелевшие раритеты. Но не сейчас...

Холодильник — ЗИЛ с закругленными очертаниями и торчащей из корпуса массивной ручкой-рычагом — помнил еще более древние времена. Шестидесятые годы, когда мало кто из советских граждан жил в отдельных квартирах, — в ручку встроен замок, дабы соседи по коммунальной кухне не подворовывали продукты и не подливали в суп чернила.

Холодильников, кстати, здесь имелось целых три: помимо упомянутого ЗИЛа, в обширной кладовке стоял еще один, неизвестной модели: металлические буквы названия оторваны с передней панели. И третий, в сенях, — «Самарканд» несколько более современного вида.

— Так что все три на ходу, без обману, — Трофим воткнул штепсель «Самарканда» в розетку — холодильник заработал шумно, завибрировал, да что там — просто-напросто затрясся, словно в честь пробуждения от долгого-долгого сна собрался немедленно пуститься в пляс на своих крохотных винтовых ножках... — однако передумал и несколько поутих. Лихоедов широким жестом распахнул дверцу — лампочка исправно загорелась, осветив белое пластиковое нутро. Полки там отсутствовали, равно как и пластмассовая дверца на морозильной камере.

— Так этот вот весь одна морозилка сплошная и есть, — пояснил Лихоедов в ответ на вопрос Марины. — Если, значит, свинью забить, али другую животину, — разве ж сюды всё впихнешь? — Он щелкнул пальцем по кожуху камеры. — А так мороз на всю нутренность...

Кирилл удивился было — ему почему-то казалось, что крестьяне режут скот поздней осенью либо в начале зимы, как раз во избежание подобных проблем. Хотя какие нынче зимы, смех один в сравнении со старыми временами, — плюс пять и дождичек под Новый год никого уже не удивляют... Вот и подорвало глобальное потепление климата традиционный уклад деревенской жизни.

— Так-то всё путём, телевизор тока вот не фурычит, — вздохнул Трофим. — Я врубил — шипит, ничего не кажет... Сломался, али с антенной чего... Ну да беда небольшая, что вам та рухлядь, новый с городу привезете.

На этом он счел свои обязанности гида-экскурсовода законченными. Спросил:

— Так это... когда обратно-то вы?

Кирилл переглянулся с женой. Ответила глава семейства (Марина, разумеется):

— Завтра, в воскресенье. После обеда, до вечера оставаться не станем. Кирюше в понедельник на работу.

— А-а-а... — неопределенно протянул Трофим. И брякнул на обеденный стол связку ключей. — Так уж сами разберетесь, какой от бани, какой от сарая... На возвратном пути заедете, отдадите. Ну а ежли глянется хозяйство, с Николаем-то сланцевским сами дальше разговоры ведите, а я свою службу справил... Пойду, делов сёдня навалом. Родительский день как-никак завтра.

Кирилл слегка удивился. Он ждал, что Лихоедов еще долго будет расписывать достоинства дома и обстановки. Похоже, версия об агентских процентах шита белыми нитками. Но отчего тогда они с Антониной столь тщательно возились с предпродажной подготовкой? Деревенский менталитет, надо полагать. В городе, пожалуй, куда реже встречаются люди, так ответственно и с душой относящиеся к чужим просьбам.

Трофим ушел. Они остались вдвоем.

2

— Я чувствую себя Машей из сказки про трех медведей, — сказала Марина. — Кажется, сейчас дверь распахнется, ввалится хозяин: ну-ка, кто тут ел из моей миски?

И в самом деле, у Кирилла тоже возникло похожее чувство. Наверное, Антонина в своем стремлении навести порядок чуть перестаралась...

Он сказал преувеличенно бодро:

— Нет уж, нет уж! Не надо нам такой стивенкинговщины: похороненный хозяин выкапывается из могилы — проверить, как тут его любимое жилище...

Марина рассмеялась — как показалось Кириллу, слегка неуверенно. Потом взглянула на часики, сказала:

— Ну что, покурим? Уже можно.

Две недели назад она заявила: с третьего месяца — ни единой сигареты, может повредить малышу. И к тебе, милый, то же самое относится: нечего дымить, как паровоз, вводить меня в искушение и превращать в пассивную курильщицу. Беременность, Кира, дело совместное.

С тех пор Марина проводила свою линию с неумолимой последовательностью: чтобы не бросать слишком резко, они постепенно увеличивали промежутки между выкуренными сигаретами. На работе Кирилл, понятное дело, безбожно нарушал установленный женой график. Дома и в совместных поездках приходилось терпеть... Он был уверен, что супруга, даже оставшись в одиночестве, не жульничает — ее б силу воли да в мирных целях...

Курили, разумеется, на крыльце.

Кирилл даже не стал спрашивать мнение жены: покупаем дом или нет? И без того все ясно...

Марина ластилась: прижалась к плечу мужа, гладила пальцами кудри... С чего бы? Прояснилось все быстро.

— Кирюньчик, как твоя головушка? Сможешь пригнать машину от Лихоедовых? А то я что-то совсем никакая, вымоталась, передохнуть хочу, прилечь, ножки хоть на полчаса вытянуть...

Лет пять назад Кирилл всенепременно после таких слов сделал бы комплимент ее бедным уставшим ножкам, таким стройным и красивым. И снес бы ее на руках в горницу, к кушетке... И, вполне возможно, за машиной от той кушетки он отправился бы не сразу, несколько погодя и в весьма улучшившемся настроении.

Сейчас же...

Сейчас он просто осторожно прикоснулся к украшавшей голову шишке, задумался: все не так плохо, коли уж не вспоминал о травмированной голове до самого вопроса Марины. Наверное, все же не сотрясение, — лишь сильный ушиб. Ответил коротко:

— Пригоню.

— Умничка! — Она чмокнула мужа в щеку. — Кстати, про какой родительский день они твердят? Мне вроде казалось, что родительская суббота — это незадолго до Пасхи...

— Не знаю... Может, Троицу здесь так именуют? Она не завтра случайно? Тогда понятно — принято в этот день на кладбище ходить: могилки прибрать, предков помянуть...

Оба были абсолютными атеистами и скептиками, не отдавая дань даже модной ныне внешней религиозности — и в датах церковных праздников ориентировались слабо. Вопрос остался открытым.

...Шагая за машиной к подворью Лихоедовых (на сей раз по деревенской улице, ну ее, эту короткую дорогу среди коровьих лепешек), Кирилл вновь вспомнил недавнюю мысль про кушетку и стройные Маринины ножки, и про то, что еще пять лет назад все было иначе... Вздохнул: психологи давно доказали — после нескольких лет брака взаимное охлаждение неизбежно. Но отчего-то каждая пара в начале совместной жизни уверена: уж к ним-то такое утверждение никак не относится... Эх-х-х... Ладно, родится ребенок, и все у них наладится...

Хотелось бы верить.

3

Марина осталась одна.

Прошлась по горнице, рассматривая вещи — совершенно ей чужие вещи, старые, помнящие тысячи прикосновений чужих рук, слышавшие тысячи чужих разговоров.

И эта *чуждость* давила. Еще как давила...

Хотелось взять большой мешок или большую коробку, быстро покидать туда все ненужное старье и — на помойку. Разрушить здешнюю ауру. Избавиться от впечатления, что хозяин вышел и вот-вот вернется... С кладбища не возвращаются. Всё. Точка. Это будет ИХ дом.

Увы, вариант с большим мешком не проходит. Пока не проходит, по крайней мере до оформления сделки...

А вот это... Нет, ЭТО она не выбросит. Знакомая вещь, почти родная... Как привет из прошлого.

Марина остановилась рядом со старинной ламповой радиолой «Ригонда» — достаточно громоздким ящиком, возвышавшимся на непропорционально тонких ножках. Точно такой же предок современных музыкальных центров некогда стоял у ее тетки — мать часто бывала в гостях у сестры, и, пока женщины болтали о своем, пятилетней Маришке ставили пластинку, «Буратино» или «Незнайку», эти две сказки она знала наизусть и других слушать отчего-то не желала...

Она осторожно, почти нежно коснулась пальцем полированного дерева. Именно дерева, никаких ламинированных ДСП в годы создания этой вещи не употребляли... Решено, радиолу они оставят. Если не работает, попробуют починить.

Та, теткина, перешла в конце концов во владение Владика, кузена Марины, — парнишки на десять лет ее младше, ярого фаната «Битлз». И юный меломан утверждал, что вовсе это не старье, а классное ретро, что никакие транзисторы не сравнятся по характеристикам, по чистоте звука со старыми добрыми лампами. Правда, родными динамиками «Ригонды» он все же не пользовался, — прослушивая виниловые диски из своей коллекции, пропускал звук через современную акустическую систему.

Не откладывая в долгий ящик, Марина тут же устроила проверку работоспособности «классного ретро». Приемник функционировал вполне исправно на всех диапазонах. На диске проигрывателя никакой пластинки не было, и поблизости не видно... Она с сожалением опустила полированную крышку. Ладно, попросит потом у Владьки какой-нибудь не самый ценный диск...

Следующий предмет, привлекший внимание Марины, ей решительно не понравился. Часы. Висевшие в кухне-столовой настенные часы-ходики с маятником и двумя гирьками, соединенными длинной цепочкой. Гирьки выполнены в форме еловых шишек, краска с них облупилась, проглядывает сероватый свинец...

А еще часы были с кукушкой — по крайней мере, стоило ожидать, что плотно затворенные дверцы распахнутся и выскочит именно эта птичка. Ходики безбожно врали, показывая без двух минут восемь — не то утра, не то вечера. Марина уставилась на дверцы, ожидая появления пернатой хранительницы времени. Как и бывает в подобных случаях, секунды ползли с кошмарной медлительностью. Громкое тиканье раздражало, — хотя, когда рядом находился Кирилл, она не замечала навязчивый звук.

Тик-так, тик-так... Словно идет обратный отсчет чьей-то жизни... И осталось ее, жизни, совсем чуть...

РОДИТЕЛЬСКИЙ ДЕНЬ

Минутная стрелка подрагивала различимой лишь вблизи дрожью — туда-обратно, туда-обратно с крохотной амплитудой — но уверенно ползла к двенадцати... Марине пришла неожиданная мысль: а где был ангелочек-Юрчик, когда его родители приводили дом в порядок? Не здесь ли тоже? И чем, любопытно знать, занимался?

У нее возникло иррациональное предчувствие: сейчас дверца распахнется, и...

И появится отнюдь не кукушка, нечто иное...

Крыса.

Дохлая крыса.

Оскалится, уставится мертвыми глазами, любопытствуя: а что это ты тут делаешь?

Стрелка перевалила двенадцать, поползла дальше... Дверца не распахнулась. Вообще. Сломаны, с облегчением поняла Марина.

Но мысленная картинка — выскакивающая из часов окровавленная крыса — оказалась настолько яркой, что она подняла руку и решительно остановила маятник. Тиканье смолкло. Нечего тут... Здесь ЕЕ дом! Ну, почти ее... И при первой возможности эта рухлядь отправится на свалку.

Она прошлась по кухне еще. Больше ничего интересного на глаза не попадалось, Марина машинально подошла к большому обеденному столу, столь же машинально потянула за ручку выдвижного ящика...

Ящик служил хранилищем для всевозможных нужных и ненужных мелочей. Очки со сломанной дужкой, пакетики с семенами, давно просроченные таблетки в пачках и таблетки в стеклянных склянках, груда квитанций на оплату электричества, налога на недвижимость, чего-то еще...

Внимание ее привлекла небольшая — на половине ладони поместится — овальная шкатулочка.

Бронзовая, чеканная, старинной ручной работы. Изящная вещица... Когда у них здесь появится камин, шкатулочка чудно будет смотреться на каминной полке.

Она легонько потрясла находку. Внутри перекатывалось что-то маленькое, но твердое. Не один предмет, несколько.

Неужели старик Викентий держал здесь немудрящие драгоценности покойной жены — пару сережек, нательный крестик, простенькое колечко — а наследник не стал заморачиваться поисками?

Не слишком доверяя собственной догадке, Марина попыталась снять крышку со шкатулочки, та шла туго, потом как-то неожиданно легко соскочила, содержимое чуть не просыпалось на пол.

Разглядев, ЧТО она отыскала, Марина с трудом удержалась от крика.

ТРИАДА ШЕСТАЯ
СКОЛЬКО ВЕСИТ СВИНАЯ ГОЛОВА?

1

Любопытство, как известно, губит кошек. И не только их.

Но Кирилл все же полюбопытствовал: по пути к Лихоедовым подошел поближе к паре загривских домов, пригляделся к орнаменту резных ставень и наличников. Так и есть, везде повторяется один и тот же мотив — сплетенные свастики.

Ну и ну... Хорошо, что в такую глушь редко забираются корреспонденты либеральных изданий — перед сном заглядывающие со свечкой под кровать в поисках притаившихся русских фашистов.

А то бы уж сочинили всем сенсациям сенсацию: целая деревня Страшных Русских Фашистов!

«Русский марш» отдыхает, РНЕ нервно курит в сторонке...

Сам Кирилл относился к истерии вокруг старых символов равнодушно. Не так уж важно, что нарисовано на знаменах, гораздо важнее — какие дела под ними вершатся. Крылья самолетов, башни танков и советской, и американской армии украшали пятиконечные звезды Соломона, имеющие не менее древнюю историю, — но никто же не ставит знак равенства между США и Советским Союзом.

К тому же было у Кирилла одно давнее хобби, одно увлечение, — история Зимней войны с финнами. И он знал: кокарды фуражек у солдат Финляндии (безоговорочно оправдываемой нынешними либералами в том давнем конфликте с тоталитарным Союзом) — тоже были украшены свастикой! Причем с восемнадцатого по сорок четвертый годы, а Гитлер, как известно, в девятнадцатом служил в Красной гвардии Баварской республики. И ходил, хе-хе, со звездой Соломона на красной нарукавной повязке, какой позор для будущего фюрера арийской нации...

Пока он шагал, размышляя о делах минувших дней, эхо которых звучит и сегодня, мимо, в том же направлении, прокатила машина. Уже третья. И опять с городским, с питерским номером... И что бы это значило? Наплыв городских родственников в честь пресловутого родительского дня? Или объявились конкуренты в покупке недвижимости?

Последнее предположение не оправдалось — у лихоедовского забора по-прежнему стояла лишь их «пятерка».

Антонина, закончив возню с тестом, занималась на огороде прополкой. На вопрос Кирилла о так и мелькающих мимо городских машинах ответила:

— Так это... как всегда, за мясом приехавши...

— За мясом?! Сюда?! Из Питера?! — изумился Кирилл.

— Так чтоб и не приехать, по тридцать-то целковых... Пудами ж берут.

Цифра изумила Кирилла еще больше.

— Так на рынке ж от нашей, крестьянской цены чуть не вдесятеро накручено, — пояснила Тоня. — Торгаши пить-есть хотят да прочая братия... А у нас на ферме забой два раза2 — под родительский день да под ноябрьские. Щас-то что, а по осени так и катят, прям вереницей... Под завязку грузят, на продажу небось. А летом так, для себя, помаленьку, а то и прям тута, вблизях, шашлыки с водочкой затевают, места-то у нас привольные. Помню, прошлым годом...

Она осеклась, наморщила лоб. Видимо, задумалась: стоит ли рассказывать прошлогоднюю историю, очевидно не короткую? И решила: не стоит. Закончила совсем по-иному:

— Так и вы ж к ферме скатайтесь, тама и продают... Мясцо свежее, парное — чтоб не попользоваться, коли слу́чай выдался?

Она объяснила, как добраться до фермы, и вернулась к прерванной прополке.

А Кирилл завел машину и покатил к «их» дому.

Надо понимать, почти уже действительно их, без всяких кавычек.

2

Марина с трудом удержалась от крика.

Поставила шкатулочку на стол медленно, осторожно, словно была она наполнена самыми зловредными, самыми кусачими насекомыми. Энцефалитными клещами, например.

РОДИТЕЛЬСКИЙ ДЕНЬ

На деле содержимое бронзовой емкости оказалось куда более безобидным.

Зубы.

Обычные зубы.

Человеческие.

Не вставная пластмассовая челюсть — натуральные резцы, клыки, моляры с длинными почерневшими корнями... Коронковые части тоже выглядели не лучшим образом — изрядно стертые и потемневшие. Наверняка бывший владелец экспонатов этой странной коллекции был далеко не молодым человеком. Да к тому же заядлым курильщиком.

Викентий? Скорее всего, — зубы крупные, мужские.

Марина зримо представила сидящего здесь, у окна, старика — неопрятного, грузного, одинокого... Вот он лезет двумя пальцами в рот, достает очередной, давно уже шатавшийся зуб, кладет в шкатулочку, к ранее выпавшим собратьям... Рассматривает, перебирает кусочки *себя*, ставшие вдруг инородными, чужими... Вспоминает, как когда-то, давным-давно, пленял белозубой улыбкой девушек... Всё ушло навсегда, и жить, по большому счету, незачем, и тащиться за тридевять земель, на зубное протезирование, совершенно ни к чему...

Б-р-р-р...

Извращение. Фетишизм дикий какой-то.

Она взяла шкатулочку двумя пальцами, далеко отставив руку. Изящная вещица не виновата, что ей нашли такое отвратное применение, — но, прежде чем украсить каминную полку, будет тщательно прокипячена, простерилизована... Где тут у нас мусорное ведро?

Как выяснилось, одно крохотное упущение в своих титанических трудах Антонина все же допустила — два ведра с мусором, оставшимся после генеральной уборки, не были вынесены, стояли в дальнем углу сеней. Марина опрокинула шкатулочку над одним из них, скользнула взглядом по другому... Да что ж такое, скажите на милость! Прямо какой-то день прикладной анатомии выдался! Не зубы, так ребра...

Ребра, по счастью, оказались не настоящие — большой рентгеновский снимок грудной клетки. Присмотревшись в свете тусклой лампочки, Марина увидела некую странность, нагнулась... Вот оно что. Это не рентгеноснимок, вернее, лишь был таковым в первоначальной своей ипостаси. А потом стал патефонной пластинкой...

Марина их не застала, знала лишь по рассказам старшего поколения — когда-то, до широкого распространения бытовых магнитофонов, кое-где стояли павильоны и ларьки грамзаписи. Можно было записать понравившуюся мелодию, надиктовать звуковое письмо... А в качестве носителя чаще всего использовали старые рентгеновские снимки.

Точно, вспомнила она, Владик как-то хвастался парой раритетных записей битлов «на ребрах».

Удачно... Марина взяла диковинную пластинку. Можно теперь проверить радиолу. Личное послание, если что, она слушать не будет. Лишь убедится — звук есть — и тут же выключит.

Звука не было.

Ребра и хребет вращались, впустую наматывая оборот за оборотом. Игла пересекала их раз за разом, но радиола выдавала лишь легкое шипение.

Разочарованная Марина потянулась к выключателю, и тут раздался *звук*. Не голос и не музыка, — по крайней мере, инструмент, породивший этакие акустические колебания, музыкальным можно было назвать с огромной натяжкой.

Протяжный, пронзительный скрип, меняющийся по тону, под конец уходящий вовсе уж в ультразвуковую область... Как будто ржавым гвоздем провели по оконному стеклу, а заодно — и по хребту Марины.

Скрип завершился, и вновь тишина, лишь прежнее шипение иглы, бороздящей чьи-то ребра. Оборот, оборот, оборот... Ничего. Какая-то помеха при звукозаписи, решила Марина. Но где то, что собирались записать?

Скрип прозвучал снова. Тот же самый. Теперь на него наложился иной звук, вызвавший неприятные ассоциации со стоматологическим кабинетом: словно бешено вращающийся бор врезался в зуб — не постоянно, а периодически, следуя определенному ритму...

Вторая пауза закончилась значительно быстрее. И после нее к двум первым присоединился третий «инструмент» — не иначе как плеть, раз за разом рассекающая со свистом воздух...

Все-таки ЭТО было мелодией... Пауз не стало, вступали все новые инструменты, Марина уже не пыталась представить, на что же они могут походить... И первоначальная какофония начала складываться в некий мотив — дикий, нелюдской, но определенно обладающий внутренним ритмом. Даже гармонией, если здесь применимо такое слово...

Да уж... Сплошной сумбур вместо музыки. Не диво, что под такие увертюры одинокий старик начал коллекционировать свои выпавшие зубы. Может, это так называемые «народные инструменты»? Ну, всякие там рожки-гудки-сопелки-дуделки... Да нет, ерунда. Народные оркестры из крепостных были у русских вельмож вроде Потемкина, — не стали бы те слушать подобную ахинею... Больше похоже на проделки придурковавангардистов, пытающихся извлекать «музыку» для услаждения слуха особо продвинутых граждан — из громко скрипящей двери, из шумно спускающего воду унитаза и тому подобных устройств... Но откуда ЭТО здесь? И зачем?

Она думала, что пластинка «на ребрах» уже ничем не удивит. Ошибалась. К «инструментальному ансамблю» присоединился дуэт вокалистов. И оказался гнуснее всего, ранее услышанного.

Первый «певец» голосом как таковым не пользовался. Полное впечатление, что человек — с заткнутым кляпом ртом — громко мычит носом от дикой, непредставимой, сводящей с ума боли. Мычит, тем не менее попадая в такт мелодии, под которую его пытают...

Второй голос — очень тихое, слитное, неразборчивое бормотание, ни слова не понять... Казалось, бормочущий то обращался к мычащему, то смолкал.

Мычание становилось все громче и громче, заглушив под конец и бормотание, и инструменты. Динамики «Ригонды» буквально ревели, Марина потянулась было к ручке громкости...

И тут все смолкло.

Смолкло на таком диком крещендо, что не оставалось сомнений — человек издал его и умер. Умер от жуткой боли.

Игла проигрывателя подпрыгнула вверх, ребра продолжали беззвучное вращение.

Марина застыла, тупо глядя в никуда.

И стояла так века, тысячелетия, совершенно потеряв представление о пространстве и времени...

Заставил ее вздрогнуть, очнуться лишь звук автомобильного сигнала, долетевший с улицы.

Кирилл...

Быстрым, каким-то хищным движением она сдернула снимок-пластинку с проигрывателя.

И спрятала в первое попавшееся место — в бельевой шкаф, под стопку ветхих, но чисто выстиранных и наглаженных мужских рубашек.

На крыльце послышался веселый голос Кирилла:

— Ау, хозяюшка! Отпирай!

И стук в дверь.

Марина раздраженно шагнула в сени — самому уж и двери не открыть, не маленький вроде... — и остановилась, изумленная.

Массивный внутренний засов входной двери был задвинут.

Она не помнила, что хотя бы прикасалась к нему — с момента своего появления в этом доме.

Абсолютно не помнила...

3

Продавщицу звали Клавой — и сей факт она первым делом сообщила Кириллу самым радостным тоном. Так прямо и сказала:

— Здравствуйте! А меня Клава зовут! Мяса купить приехали, да? — слова сопровождались широчайшей улыбкой.

Можно подумать, что в этом импровизированном магазинчике, примыкавшем к длинному, приземистому зданию свинофермы АО «Загривье», продавалось что-то еще, кроме мяса и мясных субпродуктов...

Тем не менее, при всей внешней бессмысленности, тирада продавщицы оказалась-таки информативна — и между слов в ней можно было услышать многое.

Например, что Клаве — кустодиевской девице с соломенно-рыжей косой до пояса — надоело до смерти Загривье и здешние кавалеры, не способные связать двух слов, зато сразу норовящие залезть под юбку.

И то, что Кирилл — видный городской парень — чем-то ей понравился, хотя на самом-то деле она *не такая*, но вот понравился с первого взгляда, что тут поделаешь, — и при некоей толике галантности и предприимчивости вполне способен составить успешную конкуренцию деревенским Казановам, попахивающим навозом...

Нет, господа, мужчинам это не под силу, лишь женщины способны вложить в свои глупо звучащие речи бездны тайного смысла...

Примерно так подумал Кирилл и понял: энтузиазм девицы надо гасить, причем очень быстро. Хотя весьма симпатична и молода, лет двадцать, не больше. Но... Марина задержалась в машине с целью навести блиц-марафет, в любой момент может войти. А реакция его супруги на подобные ситуации... Не будем о грустном.

— Можно и мяса... — улыбнулся он в ответ сдержанно. И сделал совершенно ненужный жест, просто чтобы продемонстрировать обручальное кольцо на пальце. — Но вообще-то мы с женой сюда дом купить приехали.

Улыбка Клавы исчезла, словно кто-то повернул невидимый выключатель: щелк! — и погасла.

— А-а-а... — сказала она разочарованно.

И все-таки (вот чертова девка!) продолжала смотреть на Кирилла с нескрываемым интересом. Дескать, сегодня женат, завтра бросил, на другой женился...

— Ну и прикупите мясца заодно, коли уж приехали! Смотрите, красота какая...

Тут она, якобы желая продемонстрировать товар лицом, начала перекладывать аппетитнейшие куски свиной вырезки, придавая им выигрышный ракурс. И как-то получилось, что куски те лежали на дальнем от девушки конце прилавка — так что ей пришлось низко склониться над мясным изобилием.

Ну что же, товар она продемонстрировала успешно, в том числе и собственный бюст под белым халатом, не застегнутым на две верхние пуговицы... Бюст был выдающимся. Во всех смыслах.

И конечно же именно в этот момент вошла Марина.

Ситуацию она поняла и оценила мгновенно, даже не присматриваясь к мизансцене и ее персонажам. Наверное, такие уж флюиды витали в воздухе...

— Ох... — сказала Марина. — Сколько мяса-а-а...

Невинная и вроде бы уместная фраза прозвучала крайне двусмысленно. Прозвучала хриплым ревом боевой трубы, вызывающим на смертный бой.

Клава величаво разогнулась и ответила взглядом, полным снисходительного превосходства. Что там, дескать, бормочет эта городская замухрышка, носящая бюстгальтер первого размера?

Началось, напрягся Кирилл. Ожидать можно было всего.

Ну, не совсем всего, — способы борьбы благоверной с соперницами, как с истинными, так и с мнимыми, давно изучены и сводятся к двум базовым вариантам.

Первый — агрессивный. Причем агрессия не слепая, не истеричная, — все, что предпринимает в таких случаях Марина, делается с холодным расчетом и трезвой головой. И направлено на соперницу...

Второй — ласковый. Тут объектом приложения служит муж, а соперница попросту не замечается. Игнорируется. Будто и нет ее. Но, понятное дело, все расточаемые мужу ласки рикошетом попадают в гадюку-разлучницу, обернувшись ядовитыми стрелами: посмотри, как нам хорошо вдвоем, как мы счастливы, а ты — никто, пустое место, пыль под солнцем...

Примитивные существа эти женщины.

Сегодня Кириллу повезло.

Оба варианта равновероятны, но Марина отчего-то избрала второй. Может быть, до сих пор чувствовала себя чуть-чуть виноватой за происшествие на лесной дороге. Лишь чуть-чуть, на большее она не способна.

— Красотища... — а вот эти слова и в самом деле адресовалось уже богатому мясному ассортименту. — Кирюньчик, солнышко, да ты знаешь, что я тебе из *этого* сделаю?

Она прошлась вдоль прилавка — ни дать, ни взять английская королева, ревизующая монаршьи регалии.

— Я тебе тако-о-о-е сделаю... — Между слов звучало: сделает, еще как сделает, сначала очень-очень вкусное, а после вкусного — очень-очень приятное, такое, что в жизни не сможет сделать деревенская клуша, только и сумевшая отрастить на дармовой свинине неприлично большие сиськи.

Она повернулась от прилавка к Кириллу:

— Бесподобно... Спасибо, милый, что меня сюда вытащил...

И, нимало не смущаясь постороннего взгляда, обняла мужа, припала к губам в долгом-долгом поцелуе.

Впрочем, какие, к чертям, посторонние? Не было тут таких. Лишь стояло у прилавка некое рыжегрудастое торговое оборудование, чьи единственные функции — взвесить выбранный товар, принять деньги и отсчитать без обмана сдачу.

Целоваться Марина умела — при желании — и сполна умением воспользовалась, но Кирилл вдруг почувствовал себя сидящим в бочке с вареньем — и вкусно, и сладко, но чересчур уж много. Приторно...

Марина вновь обернулась к прилавку.

— Вот из этого я сделаю отбивные, сегодня же, — прямо-таки промурлыкала она, тесно прижимаясь к мужу. — А вот это... о-о-о, ты не представляешь, какое чудо можно сотворить из свиной головы...

Кирилл и в самом деле не представлял. Что еще можно соорудить из упомянутой детали свиного организма, кроме самого банального студня? Но интригующий тон супруги определенно намекал на нечто экстраординарное и запредельное.

Голова возвышалась над прочим содержимым прилавка, как египетская пирамида над жалкими хижинами своих создателей. Мертвые глаза ее смотрели мудро и проницательно, словно издалека, словно из неведомого свиного рая. Зубы оскалились в усмешке: как будто последнее зрелище в жизни хавроньи — нож в руке приближающегося мясника — весьма ее позабавило.

Кирилл вообще-то собирался после появления жены в магазинчике держать рот на замке. Во избежание. Но тут не выдержал:

— Куда нам такая огромная... Не осилим. Да еще испортится, пока до дома довезем...

Его репликой тут же воспользовалась Клава — как предлогом для вступления в разговор. Роль статистки без слов девушку угнетала.

— Берите-берите, — быстро сказала она, обращаясь исключительно к Кириллу. И добавила заговорщицким шепотом:

— Это ведь не просто свинка... ЭТО САМА МАДАМ БРОШКИНА!!

— Странное имя для свиньи... — пробормотал он и тут же пожалел о сказанном. Взгляд Марины на пару мгновений стал колючим и неприязненным. Когда-нибудь — не сразу, на холодную голову — она ему это припомнит.

Клава явно пыталась перехватить инициативу:

— А вот такая она и была... погулять любила. Одно слово — мадам Брошкина. Ее ж той осенью забить еще собирались — так ведь сбегла, сколько раз ее на огородах да на гриве видали, да все никак словить не могли... По холодам сама пришла.

Кирилл молчал, Марина же ответила, — по-прежнему ласково и по-прежнему в упор не замечая продавщицу, — лишь на его предыдущую реплику:

— Ну что ты, любимый... Не испортится, у нас же здесь целых три холодильника! Охладится как следует за ночь да за половину дня, доедет до города как миленькая...

Кирилл удивился — до сих пор Клава демонстративно игнорировала речи его законной супруги. Но к последним словам прислушалась внимательно — лицо вдруг стало серьезным, чтобы не сказать тревожным, лоб нахмурился...

— Так вы до завтра остаетесь... — протянула она негромко.

И, кажется, хотела добавить что-то еще... Но не успела. На сцене появилось новое действующее лицо — из двери, ведущей во внутренние помещения, вынырнул невысокий чернявый мужчина, тоже в белом халате. Нос пришельца оседлали несколько кривовато сидящие очки — и стекла их оказались чуть не с палец толщиной.

— Клавка, марш в разделочную, — негромко скомандовал мужчина. — Петровне прибрать пособишь.

Клава глубоко вздохнула, но перечить не стала, удалилась. Марина проводила ее победным взглядом: идите, дескать, идите, сударыня, вымыть помещение, загаженное кровавыми ошметками мяса, — вполне достойная ваших талантов задача.

Мужчина повернулся к ним. Глазки его сквозь толстенные линзы казались крохотными, и оттого в них чудилось недоброжелательное выражение... Кирилл понимал, что это всего лишь оптический эффект, преломление лучей, — и все равно не мог отделаться от ощущения: мужчине неприятно их присутствие. И он очень хочет, чтобы они убрались как можно быстрее.

— Покупать что-то будете? — ровным, бесцветным голосом спросил мужчина.

— Будем... — без энтузиазма ответила Марина. Еще бы, оборвали спектакль на самом интересном месте.

Как выяснилось, Тоня Лихоедова несколько преувеличила здешнюю дешевизну: по «тридцать целковых» за килограмм продавались шеи, ребра, ножки, еще кое-какие менее ценные части свиных организмов... И головы. Вырезка же стоила на целых двадцать рублей дороже...

«Интересно, сколько она может весить, эта черепушка, из которой обещано некое потрясающее блюдо?» — задумался вдруг Кирилл, пока мужчина взвешивал и упаковывал мясо, выбранное Мариной для отбивных. Определить на вид не получалось даже приблизительно... Затем вдруг пришла вовсе уж дурацкая мысль: он не знает даже, сколько весит *его собственная* голова. И, понятное дело, никогда не узнает... Хотя... Нет ничего невозможного под Луной, по крайней мере теоретически... Если во Франции вдруг вновь введут казнь на гильотине, а он к тому времени туда эмигрирует и чем-то крупно проштрафится, и при этом верна гипотеза о загробной жизни...

Тьфу, оборвал он идиотское рассуждение. Надо ж о такой ахинее задуматься: сколько весит твоя голова...

— Девять килограмм триста грамм, — сказал мужчина, словно бы подслушав мысли Кирилла. Тот вздрогнул, с трудом удержавшись от нервного смешка. Но, конечно же, названная цифра относилась к водруженной на весы башке знаменитой мадам Брошкиной...

Спустя несколько минут они шли к машине, Марина вальяжно выступала впереди, небрежно помахивая пакетом с двумя кусками свиной вырезки.

А сзади Кирилл влачил завернутую в упаковочную бумагу голову. Укладывая ее на заднее сиденье, подумал: учитывая разницу в размерах, человеческая должна весить килограмма три, три с половиной. Но что же за кулинарный шедевр задумала Марина?

Спрашивать не стал. Пусть будет сюрприз, неожиданность...

ТРИАДА СЕДЬМАЯ
ПРОГУЛКА ВЕЧЕРНЕЙ ПОРОЙ

1

На прогулке по главной улице Загривья настояла Марина.

По главной и единственной — отходящие в сторону небольшие, на два-три дома, ответвления названия улиц не заслуживали...

Кирилл подозревал, что поводом для решения супруги о вечернем променаде послужила незавершенная стычка с Клавой-продавщицей. Не исключено, что ему придется приезжать сюда в одиночку, — и благоверная спешит продемонстировать всем тоскующим о женихах деревенским красоткам: ничего вам тут не обломится.

Если Марина и впрямь руководствовалась такими намерениями, а не решила попросту подышать свежим воздухом, то она просчиталась. Красотки упорно не желали встречаться на их пути. Не иначе как сидели по домам и строили коварные планы.

Да и прочих гуляющих не видно... И спешащих по делам не видно. Лишь пару раз мелькнули вдали смутно видимые фигуры. Шествуя под руку с женой по абсолютно пустынной улице, Кирилл чувствовал себя глуповато.

Они подошли к запертому по вечернему времени продуктовому магазину — какая-либо вывеска на унылом здании из силикатного кирпича отсутствовала, равно как и расписание работы. Догадаться о его назначении позволяли лишь смутно видимые через окно полки, уставленные продуктами...

Дверь магазина, кстати, обрамляли резные наличники, несколько нелепо тут смотревшиеся. На окнах имелись ставни, отчего-то не закрытые, — и не казенные, безлико-железные — тоже деревянные, резные. Кирилл подошел поближе, пригляделся: ну конечно, знакомый орнамент.

Очевидно, здесь имел место административно-деловой центр деревни — неподалеку стояло второе здание, тоже серо-кирпичное: несколько отдельных входов, над одним понуро свисает выцветший российский триколор, над другим — не менее выцветшая эмблема Сбербанка, рядом с третьим — синий почтовый ящик, но этот недавно покрашен, сверкает свежей краской...

И разумеется, наличники и ставни — в полном комплекте. Подходить Кирилл поленился, и без того ясно, что увидит... Неясно другое: отчего похожих украшений нет на доме покойного Викентия, — пожалуй, на единственном во всем Загривье. Старик воевал в Отечественную и с тех пор люто возненавидел нацистскую символику? Так мог бы изобразить или заказать другой узор... Из сплетенных серпов-молотов, например.

Неподалеку от магазина лежали обтесанные бревна, наваленные небрежной кучей. По всему судя, лежали относительно долго — год, или два, или три: сгнить не сгнили, но потемнели от непогоды.

По рассуждению Кирилла, здесь всенепременно должны были кучковаться местные алкаши — везде и всюду на просторах необъятной страны эта публика предпочитает отираться неподалеку от источника живительной влаги.

Однако — не отирались.

Может, предпочитают пить дома напитки собственной перегонки, закусывая домашними же грибочками-огурчиками?

Но почему тогда здесь не тусуется местная молодь? Не сидят на бревнышках, не треплются о том о сем, не бренчат на гитаре или не гоняют раздолбанный магнитофон, не хихикают беспричинно и глуповато, не подбивают неумело клинья к девчонкам-ровесницам... А ведь есть, есть дети и молодежь в Загривье: та же Клава, и Юрок-вивисектор (хотя ему-то на вечерние гулянки рановато), и та, оставшаяся для них безымянной, первая встреченная девчонка... И несколько других парней и девушек, встреченных позже...

— Пойдем обратно? — предложил Кирилл, прекратив ломать голову над странностями здешнего вечернего досуга. — Аппетит уже нагуляли... У меня слюнки текут при мысли о твоих отбивных.

Марина ответить не успела — оба одновременно увидели шагающего к ним человека. Вышел ли он из какого-то входа «административного здания» (хотя ни одно окно там не светилось), или вывернул из-за его угла, — они не поняли, обернулись в ту сторону несколько позже. Но направление целеустремленных шагов сомнений не вызывало — к ним.

Мужчина, среднего роста, лет сорок, сорок пять. Короткая стрижка, чисто выбритое лицо с резкими чертами. Пиджак свободного покроя, несколько потертый, с кожаными нашлепками на локтях, — однако же Кирилл до сих пор не встречал загривских аборигенов в такой одежде... Идет торопливо, но походка не суетливая, как у того же Трофима, — уверенная.

Подойдя, незнакомец представился коротко:
— Рябцев.

Больше ничего не прозвучало: ни имени, ни отчества, ни кто такой и почему ими заинтересовался... Лишь короткий не то кивок, не то полупоклон — голова чуть дернулась к груди и вернулась в исходное положение.

— Кирилл...
— Марина...

Они назвали свои имена немного растерянно, пытаясь понять подходящий модус операнди в общении с непонятным пока Рябцевым. Тот уже тянул руку для пожатия — столь же уверенным движением.

Кирилл ответно протянул ладонь — ничего себе хватка у мужичка, не из слабаков будет.

А вот Марина...

Марина отступила на полшага, улыбнулась и подняла руку куда выше, чем положено для рукопожатия. И повернула слегка согнутую кисть ладонью вниз.

Понятно... Первый пробный шар. Проверка на вшивость.

Рябцев посмотрел ей прямо в глаза — недолго, какую-то секунду, но показалась она Кириллу бесконечной. А еще показалось, что Рябцев сейчас попросту проигнорирует вызов Марины, супруга так и останется стоять с протянутой рукой и будет выглядеть нелепо и жалко...

Не проигнорировал. Быстро, уверенно протянул руку, вернул ладонь Марины в надлежащее положение, пожал осторожно. Словно опасался раздавить хрупкие пальчики.

Кириллу почудилось в фигуре нового знакомого при этом движении какая-то легкая неправильность, какая-то несообразность... — он поначалу не осознал ее, про себя позлорадствовав: так-то, милая, у этого дяденьки не забалуешь...

Но секунду спустя понял, в чем дело.

Пиджак Рябцева чуть приподнялся, чуть натянулся — и на миг обрисовал контуры укрытого под ним предмета. Длинного и несколько угловатого.

Там могло быть все, что угодно. Можно вспомнить сто, тысячу всевозможных вещей, выглядящих примерно так сквозь плотную пиджачную ткань.

Но Кирилл не усомнился ни на секунду — за ремень Рябцева, чуть левее пряжки, заткнуто оружие.

И не какой-нибудь газовый пистолетик, который — оформившим лицензию законопослушным гражданам — не возбраняется носить хоть в кармане, хоть в кобуре, хоть заткнутым за пояс, хоть подвешенным на шею на шнурке...

Нет, этот не очень-то законопослушный гражданин вооружился чем-то куда более серьезным и габаритным: скорее всего, обрезом трехлинейной винтовки или охотничьего ружья.

Кирилл застыл, не понимая, что можно и нужно сделать.

Пустынная, вымершая улица теперь казалась ему неимоверно зловещей.

2

Несколько часов, предшествовавших их вечерней прогулке, Марина и Кирилл посвятили исследованию дома, надворных построек и приусадебного участка.

Нет, исследование — не то слово... По крайней мере, Кирилл чуть позже осознал: не желая того, подсознательно, занимался он другим — несколько предвзятым поиском изъянов, кои позволят сказать Марине: ага!.. вот видишь, нас элементарно пытались развести и кинуть — давай-ка заводить машину и мотать отсюда по-быстрому...

Как на грех, ничего подходящего не обнаруживалось.

Печь в доме не дымила, тянула исправно и достаточно быстро нагревалась. Печурка-каменка в бане тоже оказалась вполне работоспособна. Сруб в идеальном состоянии, учитывая сорокалетний, а то и полувековой возраст дома, — с главного фасада и с боков был он обшит доской-вагонкой; Кирилл обошел вокруг, поковырял бревна заднего фасада лезвием складного ножа — ни гнили, ни червоточины... На крыше — шифер, не новый, но все листы целые. Как минимум лет пять-семь кровля еще простоит и не потечет при первом дожде. Участок... А что участок? Огородничеством они при любом раскладе не собирались заниматься...

С ключами, как и предсказывал Трофим Лихоедов, они разобрались легко — какой от бани, какой от сарая, какой от черного хода... Лишь для пятого ключика — небольшого, плоского, из светлого металла — подходящих замков не обнаружилось. Вроде ерунда, и невинных причин тому могло быть множество, но Марина казалась не на шутку заинтригованной: ну-ка, ну-ка, где тут у Викентия —

Синей Бороды потайная комнатка с зарезанными женами? Никаких потайных помещений они не нашли, потом Кирилл сообразил, проверил — точно, ключ подошел к стоявшему на кухне холодильнику. Ну и от кого запирал его одинокий хозяин? — не могла взять в толк Марина. Не коммунальная все-таки квартира...

...Позже, на чердаке, обследуя стропила, Кирилл наконец понял: он ищет, к чему бы придраться. Почему? Да потому, что не видит никаких рациональных причин уехать отсюда и никогда не возвращаться. Не нравится место, и все тут... И чем же оно тебе, милый, не нравится? — спросил внутренний голос, в точности копируя интонацию Марины. Он не нашел ответа. Деревня как деревня, но... Может, зона тут геопатогенная, бывают такие места, где все на вид нормально, но хочется одного — уйти как можно быстрее. А может быть, любимый, все проще? — ехидно спросила маленькая Марина, давно, несколько лет назад, поселившаяся в его голове. Может быть, тебе здесь не нравится, потому что понравилось мне?

И тут же в разговор вступила Марина-большая, словно спеша на помощь своему крохотному альтер эго:

— Кирюньчи-и-и-к! — крикнула снизу, не поднимаясь по ступеням скрипучей лестницы. — Ты там не уснул?! Спускайся, послушай, что я придумала...

Кирилл начал спускаться, решая на ходу, что бы нехорошее сказать о стропилах, да так ничего и не решил, — Марина дотошная, в случае чего поднимется на чердак и сама все проверит...

Оказавшись внизу, он первым делом сходил к машине, забрал из аптечки упаковку но-шпы — голова после напряженных чердачных размышлений снова начала побаливать... И лишь потом стал слушать Маринины придумки.

Накопилось их немало.

Она с увлечением расписывала, где на их участке будет декоративный водоем (вернее, целый каскад декоративных водоемчиков) и где — бассейн, куда так хорошо нырнуть, выскочив из бани; где они установят мангал и где возведут беседку... Попутно выдала Кириллу задание: отыскать — неважно, в Загривье или в городе — печного мастера, способного разобрать печь и сложить камин. Нерационально, большой расход дров, да и не нагреть такой дом камином? — какая разница, зимой им тут не жить, а колорит а-ля русс сейчас выходит из моды...

Он слушал, с чем-то вяло спорил, с чем-то без энтузиазма соглашался... а затем перестал вслушиваться, пропускал поток слов мимо сознания, лишь угадывая по интонации, где стоит вставить утвердительное или нейтральное междометие.

Потому что вновь задумался. Над простым таким вопросом: отчего, собственно, в автомобильной аптечке лежала упаковка но-шпы? Марина, крайне болезненно переносившая первый день месячных, перед отъездом сунула машинально, по привычке? Или...

Дело в том, что она ни разу не помянула ожидаемое рождение ребенка в своих планах глобального переустройства дома и их последующей летней жизни в Загривье.

Ни разу.

3

— Дом Викентия Стружникова покупаете? — жестко спросил Рябцев. Утверждения в словах оказалось больше, чем вопроса.

— Да, — односложно ответила Марина, несколько сбитая с толку его манерой общения.

Кирилл застыл, не понимая, что можно и нужно сделать... Спросить: а куда это вы, гражданин, с обрезом под полой направляетесь? — язык не поворачивался.

Да и новый знакомец, кажется, никак не расположен к агрессивным действиям. Оружие он продемонстрировал случайно, не желая того. И похоже, даже не заметил, что натянувшаяся ткань пиджака так зацепила внимание Кирилла.

И что теперь?

Рябцев вроде бы не настроен выхватывать обрез и требовать бумажник, часы, кольца... Или насиловать Марину извращенным способом прямо здесь, на пустынной деревенской улице...

Может, не стоит сразу думать о людях плохое?

Вдруг здесь принято именно так гулять вечерами? Бродячие собаки, агрессивные алкаши, то, сё... Трудно жить в деревне без обреза.

Может, и так.

Но Кириллу хотелось оказаться где-нибудь подальше отсюда. Вместе с Мариной, разумеется...

Все эти мысли промелькнули в его голове за недолгие секунды... Рябцев в то же время рассматривал их, переводя внимательный, пытливый взгляд с одной на другого. Словно оценивал и решал: а стоит ли продавать таким дом Викентия Стружникова? И, видимо, решил что-то в положительном для них смысле. Кивнул:

— Дом — дело хорошее. На лето приезжать будете? Или насовсем, пай Викентия выкупите?

Кирилл решил, что пора и ему вступить в разговор.

— Нет, дело в том, что я работаю в городе...

— Где? И кем? — перебил Рябцев. Причем создавалось впечатление, что он *имеет право* задавать вопросы именно так, бесцеремонно и резко. И получать ответы.

«А не здешний ли он мент, участковый в штатском? — подумал Кирилл. — Это бы многое объяснило...»

Но пока объяснял он — где и кем работает.

Как ни странно, местом работы Рябцев заинтересовался. И задал конкретный вопрос, несколько удививший Кирилла: сколько сейчас могут стоить усилители и динамики с такими-то параметрами, — он назвал диапазон частот и выходную мощность.

Кирилл мысленно присвистнул. Пояснил: его фирма занимается оптовыми поставками исключительно бытовой техники. Его же собеседнику непонятно зачем потребовалась аппаратура, способная обеспечить неплохим звуком концерт на стотысячном стадионе...

Причем чувствовалось: интерес не пустопорожний, не для поддержания разговора с приезжими, — Рябцеву это действительно важно и нужно.

«Не мент, — решил Кирилл. — Но какая-то местная шишка: депутат или член правления АО, а то и сам председатель. И что же этот депутат-председатель тут затевает? Русский Вудсток — рок-фестиваль под открытым небом?»

— Жаль, — коротко сказал Рябцев.

И больше к теме цен на аппаратуру не возвращался. Помолчав, произнес чуть другим тоном:

— Хоть на лето, и то ладно... Все-таки живых людей рядом побольше.

— А что, здесь живут и мертвые? — пошутила Марина. И пошутила неудачно, Рябцев посмотрел на нее долгим взглядом, произнес жестко:

— Мертвые жить не могут. Мертвые в земле лежать должны. Их тут и лежит... — он показал рукой куда-то в сторону гривы и болота Сычий Мох, —

тыщ так двадцать. Вот и прикиньте, сколько мертвяков на одного живого приходится...

— Сталинские репрессии? — быстро спросила Марина. — Массовые захоронения?

Рябцев посмотрел на нее с сочувственным сожалением, как на ребенка, задавшего чрезвычайно глупый вопрос. Однако объяснил: именно сюда, под Загривье, загнали летом сорок первого ДНО-3. (Что загнали? — не поняла Марина; Кирилл, неплохо разбиравшийся в подобных аббревиатурах, пояснил: дивизию народного ополчения под третьим номером.) Здесь окруженная дивизия и погибла — почти вся, почти до последнего человека. Под обстрелами, под бомбежками... — но гораздо больше людей потонуло, пытаясь через непроходимые трясины Сычьего Мха выбраться из окружения. В немецкий плен угодили считанные единицы...

— Вот здесь, на гриве, последних добивали, — вновь показал рукой Рябцев. — Даже и не солдаты ведь были, рабочие, прямо от станка, — винтовку в руки, и под танки. Обмундироваться не успели — в чем в военкомат пришли, в том и воевали: в пиджачках да в пальтишках...

Горечь в его словах звучала нешуточная. Потерял на Лужском рубеже кого-то из родственников? Кстати, а что это у него поблескивает на лацкане пиджака? Может, и сам повоевал где-то? — Кирилл всмотрелся, сумерки сгущались все сильнее, чтобы разглядеть мелкие детали, приходилось напрягать зрение.

Нет, не медаль, не орден — «поплавок» вузовского значка. То-то речь столь разительно не похожа на «таканье» Трофима и Антонины... У самого Кирилла «поплавок» лежит... черт, даже и не вспомнить, где лежит институтский значок, — ввиду полной его ненадобности. Кого в Питере удивишь такой побрякушкой? Здесь, пожалуй, иное дело. Наверняка в Загривье люди с высшим образованием котируются не ниже орденоносцев, а то и выше... Может быть, кто-то даже люто завидует...

Но главное не это...

Главное совсем не это.

Кирилл неожиданно — в ходе рассказа о днях войны — понял, что уже не хочет уезжать отсюда и никогда не возвращаться. Если только Рябцев не ошибся, ничего не напутал... Тогда назревает сенсация. Пусть негромкая, не освещаемая СМИ, пусть в узком кругу людей, фанатично увлеченных военной историей... Но своей репутацией в том кругу Кирилл весьма гордился.

— Ну ладно, вечереет, пора и по домам, — сказал Рябцев. — А вы, коли уж до завтра остались, прямо с утра уезжайте. Не мешкайте.

— Почему? — удивилась Марина. — Мы после обеда собирались...

— Родительский день... — вздохнул Рябцев. — А это такой праздник... для своих. Вроде как семейный... И чужих тут... не надо. Погнать не погонят, но смотреть косо будут. Уезжайте, не затягивайте.

Что-то он недосказал... Да и говорил не так, как раньше, — без жесткой уверенности. Что же тут принято делать в родительский день, черт побери? Выпивать немереные количества самогонки и драться стенка на стенку? Или устраивать оргии в ночном лесу — с плясками голышом вокруг костра?

— Скажите... — начал было Кирилл, но замялся, не зная, как обратиться: «товарищ Рябцев» — глупо, «господин Рябцев» — еще глупее.

— Петр Иваныч, — подсказал Рябцев, поняв суть затруднений собеседника.

— Скажите, Петр Иванович, вы ведь там работаете? — Кирилл указал рукой на здание административного вида. Спрашивать прямо про должность показалось неудобно...

— Там я живу, — сказал Рябцев в прежней своей манере. — Через два дома. Работаю в АО, электриком. Ладно, увидимся.

Он вновь пожал им руки и пошагал обратно, столь же целеустремленно.

Вот вам и депутат-председатель... Вот вам и вузовский «поплавок»... Может, кстати, и не вузовский? В техникумах вроде такие же давали...

— Брутальный мужчинка... — вздохнула Марина, когда они шли обратно в густеющих сумерках. — Вроде с виду так себе, но аура какая-то... — Она помолчала, подбирая необходимое слово, наконец нашла: — ...победительная...

Надо сказать, мужчины (да и женщины тоже) редко удостаивались ее комплиментов. Рябцев попал в число немногих исключений.

Кирилл подумал, что и ему новый знакомый понравился. Невзирая на странную манеру носить обрез под полою.

Кстати, отчего вообще он решил, что там именно обрез?! Мелькнула такая догадка, и Кирилл тут же уверил себя, что она единственно верная.

Может, шел себе человек от соседки, где починил барахлящий редуктор на газовом баллоне, сунул разводной ключ за пояс, чтобы не занимать руки...

Кирилл вспомнил похожий случай, произошедший с ним. Сломался замок на двери, отделявшей от протяженной лестничной площадки отсек с тремя квартирами, в том числе и с той, где жили они с Мариной. Пришлось заменять, причем именно Кириллу, — среди соседок ни одного мужика. Почивший замок оказался старый, таких уже не выпускали, и даже подходящий по размеру купить не удалось, надо было расширять гнездо чуть не вдвое...

На беду, с инструментом в доме было негусто: молоток нашелся лишь огромный, чуть ли не кувалда; стамесочка, наоборот, тоненькая, для декоративных работ... Промучился долго, да и приступил к делу после одиннадцати вечера, поздно вернувшись с работы. К тому же по столярной своей неопытности зацепил руку стамеской — ранка вроде крохотная, но кровила обильно, пришлось прилеплять пластырь...

Короче говоря, когда праведные труды близились к завершению — осталось лишь вставить замок в расширенное гнездо да затянуть несколько шурупов, — Кирилл взглянул на часы: ого! второй час ночи! — и решил спуститься вниз, в «24 часа», за баночкой пива. В квартиру лишний раз не пошел, чтобы не разбудить невзначай Марину, благо какая-то мелочь при себе нашлась. Сунул стамеску в карман, и кувалдометр прихватил, — хоть ночь, а мало ли, лишаться последних инструментов не хотелось.

Продавщица в магазине смотрела выпученными глазами и сдачу отсчитывала подрагивающими пальцами. Да и ночной охранник уставился как-то очень странно. Лишь дома, открывая банку, Кирилл все понял: разглядел, что кисть руки вся в свежей крови — пластырь в самом конце работы сбился, а он не заметил. Ну и что могли подумать мирные труженики торговли? Вваливается мужик в домашних тренировочных штанах, рука в крови, в другой — кувалда, и направляется к прилавку решительным шагом... То-то продавщица аж присела.

А у Рябцева, если вдуматься, даже крови на руках не было.

ТРИАДА ВОСЬМАЯ
НОЧЬ НАКАНУНЕ РОДИТЕЛЬСКОГО ДНЯ

1

Поначалу они нашли сковородку шикарную, но абсолютно непригодную для электроплиты, — огромную, глубокую, с мощной рукоятью чуть ли не в полтора метра длиной. Марина удивлённо охнула и отправилась на поиски чего-нибудь менее внушительного. Кирилл обревизовал донце утвари, появилось у него нехорошее подозрение: предмет сей использовался не столько для готовки, сколько для расправы с муженьком, впавшим в грех неумеренного пития или кобеляжа. Но никаких подозрительных вмятин на донце не обнаружилось...

Супруга же отыскала в кладовке обмельчавшего потомка чудо-сковороды: серо-чугунное неказистое детище совковского ширпотреба. Не «Тефаль», но по беде сойдёт...

Вскоре по дому поплыл божественный аромат жарящегося мяса, заставлявший Кирилла глотать слюнки — ужин сегодня оказался непривычно поздним. Он и глотал, одновременно мелко-мелко нарезая зелёные перья молодого чеснока — как выяснилось, лишь это растение способно без ухода, без прополки и поливки, конкурировать с заполонившими огород сорняками.

— Кирюньчик! — позвала Марина. — Сходи к машине, там в багажнике, слева, синий пакет, в нём — бутылочка «Сангрекристы». Принеси, пожалуйста.

На Кирилла её слова подействовали как камень, упавший на дно илистого водоёма, — улёгшаяся было муть подозрений вновь поднялась наверх... Он спросил ровным голосом:

— А тебе... разве можно?..

— Можно, можно... — улыбнулась Марина. — До третьего месяца многое можно. Лекарства нельзя сейчас кое-какие, антибиотики, например... Иди, не мешкай, мясо быстро прожарится.

Кирилл медленно вышел на крыльцо, машинально достал сигарету — вспомнил о зароке, переломил, выкинул...

Врет?

Или нет?

Еще год назад позиция жены в вопросе обзаведения наследниками была непреклонна: рожать надо, как на Западе, — планово, лет так в тридцать пять, не более одного ребенка. А до того хорошенько пожить для себя.

Любое мнение может измениться, но... Но как-то очень уж идеально все совпало по времени — именно якобы беременность Марины стала последней точкой, подвигнувшей Кирилла на приобретение загородной недвижимости. Соглашаясь для вида, он своим тихим саботажем вполне мог затянуть дело на несколько лет...

...Время близилось к полуночи. Сгущавшаяся темнота так и не превратилась в полноценный мрак — смутная, расплывчатая, серая полумгла, именуемая романтиками белой ночью.

Кирилл всматривался в нее, словно надеялся увидеть зримые ответы на мучившие его сомнения. Затем спохватился: вино! Быстро сбежал по ступеням крыльца, пошагал к «пятерке». Нечего ломать голову, все равно проблему умозрительно не решить. Да и практический эксперимент поставить не так-то просто. При нынешней их частоте сексуальной жизни Марина легко сумеет утаить очередные месячные. Разве что попросить ее эдак ненавязчиво: «Пописай-ка, милая, в скляночку, я тут по случаю прикупил тест-полоски на беременность...»

С такими мыслями Кирилл действовал совершенно автоматически: достал из кармана ключи, нажал кнопку на брелке («пятерка» мяукнула сигнализацией, мигнула подфарниками), отпер багажник, поднял крышку... И отшатнулся от ударившего в нос густого зловония.

Черт возьми!

Они совсем позабыли про дохлую лисицу!

Быстро же, однако, засмердела... Не удивительно — день выдался ясный, машина хорошенько нагрелась на солнце... Надо зарыть, и немедленно, а то отмывай потом багажник от какой-нибудь гадости... Он поспешил к сарайчику, где во время сегодняшней инвентаризации хозяйства видел сложенный в углу сельхозинвентарь.

В сарае, исполнявшем по совместительству функции мастерской, электричество наличествовало, но лишь теоретически, — Кирилл впустую несколько раз щелкнул выключателем. Крутанул колесико зажигалки, прибавил пламя до максимума — найти ничего не успел, зажигалка быстро раскалилась, жгла руки. Повезло — случайно заметил жестянку, почти до краев заполненную расплавленным и застывшим стеарином, свечной огарок торчал над ним едва заметно...

Да будет свет!

Фитилек затеплился еле-еле, давал света куда меньше, чем зажигалка, и тут же новорожденный огонек чуть не захлебнулся в лужице растопившегося стеарина; Кирилл накренил жестянку, слил излишки... Ну вот, относительно приличное освещение.

Быстро порылся в куче стоявшего в углу инструмента: тяпки, грабли, подернутый ржавчиной

РОДИТЕЛЬСКИЙ ДЕНЬ

лом, — лопаты нет... Повел свечой туда-сюда — а это что там за длинная рукоять торчит из-за верстака? Опять не лопата, — вилы... странные какие-то вилы...

Длинные, чуть изогнутые зубцы покрыты насечками-зазубринами — сделанными, очевидно, зубилом. К чему бы такая модернизация?

А, понятно... — догадался Кирилл секундой позже. Протекающая неподалеку речонка под названием Рыбёшка, — крохотная, почти ручей, — надо полагать, своему названию соответствует: ничего, кроме мелочи, не водится. Но наверняка весной заходит на нерест крупная рыба из Луги — вот Викентий и соорудил импровизированную острогу, колоть щук на мелководье.

Лопату он все-таки отыскал — просто не заметил поначалу ее короткий черенок среди прочих тяпок-грабель. Но чуть раньше Кирилл отыскал нечто иное.

На верстаке лежал РЕЗНОЙ СТАВЕНЬ.

Почти готовый — орнамент чуть-чуть не закончен.

Орнамент из затейливо сплетенных свастик...

Или покойный Викентий являл собой классическую иллюстрацию к поговорке про сапожника без сапог, или...

Какое к черту «или»!.. Он вдруг понял, что выйдя в ночь — на минутку, за бутылкой вина, — взял и самым преспокойным образом исчез. Для Марины, разумеется...

«Она меня пришибет, — подумал Кирилл, чуть не бегом направляясь к машине. — Той самой сковородкой».

Мысль была в достаточной мере шутливая.

Но в каждой шутке, как известно, лишь доля шутки.

2

Марина стояла, глубоко задумавшись, — однако не о том, где же шляется ее непутевый муж.

И сжимала в руке не грозное оружие возмездия, не сковородку с полутораметровой ручкой. Всего лишь старый рентгеновский снимок.

Снимок с дикой звукозаписью, сделанной неизвестно кем, неизвестно когда... И вовсе уж непредставимо, с какой целью.

Запись вызывала странное желание — прослушать ее еще раз. Для чего? — непонятно... Однако хотелось. Причем одной, без Кирилла... Не время — но зачем-то, едва муж вышел за порог, она достала снимок, припрятанный в шкафу...

Пластинка «на ребрах» ассоциировалась у Марины с давней подругой Калишей. Вернее, теперь уже бывшей подругой...

...Имя Калиша — не производное, как можно бы подумать, от Кали — малосимпатичной богини древнеиндийского пантеона. Уменьшительно-ласкательное от Калины — по уверениям родителей Калиши, вполне заурядного для Киевской Руси славянского имени. (Проверить те уверения, как объяснил как-то Кирилл, не так легко: в русских летописях IX—XI веков женские имена почти не упоминаются: Ольга, Предслава, еще пара-тройка... И творили историю, и летописали творимое сплошь мужчины.)

Калиша и в школьные времена выглядела девочкой со странностями. С годами странности росли и множились. Марксистский закон отрицания отрицания сработал в данном случае без осечек: словно в пику родителям-славянофилам, Калиша всерьез увлеклась Востоком. Марина про себя даже выражалась жестче: не увлеклась, а сдвинулась на восточной тематике... Причем сдвинулась абсолютно бессистемно, без привязки к определенной культуре и эпохе: среди интересов Калиши мирно уживались тибетская эзотерика и китайская чайная церемония, шаманские камлания малых народов Сибири и современные дзен-буддистские изыскания.

Марина была бесконечно далека от подобных, как она выражалась, заморочек, — и тем не менее любила ходить в гости к Калише, сначала одна, потом с мужем. Там все было необычно — а значит, интересно...

Где работала Калиша — неизвестно. Вроде бы что-то для кого-то где-то переводила... Восточное, понятно. В квартире ее царил жуткий бедлам: уборка и Калиша — понятия несовместимые. А среди бедлама царила Калиша... Пожалуй, она была красива — своеобразной, на любителя, красотой: высокая, темноволосая, очень узкая в кости; Марина даже немного завидовала ее рукам: тонкие кисти, изящнейшие длинные пальцы, идеальные ногти — хотя внимания им Калиша почти не уделяла.

Приходили к ней странные, чуть в другом измерении жившие люди, вели странные речи — о чем угодно, лишь разговоров о «баблосе» (столь привычных для корпоративных пикничков с участием коллег Кирилла и их жен) никогда не звучало в квартире Калиши.

Если курили, то ни в коем случае не сигареты, — кальян или тончайшие, из бумаги скрученные ароматные папироски (не банальная «травка», сладковатый аромат анаши Марине доводилось обонять, пусть сама никогда не причащалась, — но и к табаку содержимое тех папиросок имело отдаленное отношение).

Если пили — то странное, с диковинным букетом вино, бутылок Марина никогда не видела, Калиша всегда наливала из графина причудливой формы...

А если включали магнитофон — то слушали уж никак не рок, не попсу и не классику. Возможно, то была так называемая психоделическая музыка — Марина не знала, она давно взяла за правило не задавать подруге лишних вопросов, дабы не утонуть в заумных и пространных лекциях-объяснениях...

Не то от непонятных разговоров Калиши и ее приятелей, не то от странной музыки у Марины словно бы плавились некие предохранители в мозгу — сидела на диване, отрешившись от всего, уплывая куда-то вдаль под заунывный тягучий мотив... Почти не видела и не слышала ничего вокруг — без остатка растворялась в чем-то, чему сама затруднялась дать название...

На следующий день Марина изумлялась себе: надо же так бесцельно, ни на что угрохать вечер... Но снова, когда через месяц, когда через два, собиралась в гости к Калише.

Дикий мотив, записанный «на ребрах», чем-то напомнил ту, звучащую у Калиши музыку. Нет, на слух ничего общего, — схоже действие... Тоже тянет КУДА-ТО, мягко уводит из привычной реальности... Правда, уводит в ДРУГОЕ место, где правит бал отнюдь не блаженное растворение в чем-то неназываемом, — но ужас и боль, настолько дикие, непредставимые, что сливаются со своей полярной противоположностью — с наслаждением...

Мазохизм? Возможно...

Марина подозревала, что стала случайной обладательницей психоделической записи — но к той же самой цели эта музыка идет иным путем... Если два путника выйдут из одной точки — один строго на запад, другой строго на восток, и не отклонятся с избранного пути, — где-то на обратной стороне Земли они непременно встретятся, не так ли?

Увы, Калиша по этому вопросу уже не проконсультирует... По любому другому — тоже. Все отношения с ней разорваны полтора года назад — раз и навсегда.

Причина проста и заурядна: Марина вдруг с изумлением обнаружила, что эта чернявая тощая сучка нагло подбивает клинья к Кириллу!

Калиша?!

К ЕЕ мужу?!!

Не могла поверить, думала — мнительность. Это Калиша-то, к двадцати семи ни семьей, ни детьми не озабоченная, западавшая до того сплошь на чокнутых, способных в основном к ментальному сексу... Ну на что ей Кирилл, скажите на милость? Разве что для банальной случки, после которой и поговорить-то не о чем, — он хорошо разбирается в маркетинге и менеджменте, может часами нести всякую чушь о военной истории, но в эзотерических штучках-дрючках ни уха ни рыла...

В следующий визит музыка не оказала на Марину своего привычного действия — изобразив расслабленность и отрешенность, она внимательно наблюдала за Калишей... Ну так и есть... Тут и слова не нужны, этаких женских *посылов* не почувствует разве что мраморная статуя... И благоверный, похоже, поддается — пока что подсознательно, пока что не задумываясь об измене...

Ликвидировать проблему надлежало быстро и жестко. И самым подходящим для Калиши способом. Марина исповедовала жизненный принцип:

в борьбе с кем-либо всегда используй то, чего противник не ждет, с чем не сталкивался, с чем не умеет бороться... Проще говоря: чемпиона по боксу — обставить в шахматы, гроссмейстера — нокаутировать.

Она позвала Калишу на кухню, якобы посекретничать. И без каких-либо объяснений сразу же врезала в солнечное сплетение. Хорошо врезала, качественно, год тренировок в секции женской самообороны не прошел даром. Длинное тело Калиши надломилось, сложилось пополам, из губ вырвалось невнятное шипенье. «Некому Калину заломати...» — произнесла Марина совершенно ровным тоном. Запустила пальцы в черные густые волосы, задрала голову сучки, — и тут же маленький твердый кулак ударил в лицо, разбив нос и губы разом. «Некому кудряву заломати-поебати... Хоть раз увижу рядом с ним — убью, сука», — прозвучало всё без излишних эмоций, холодно и сухо, чтобы поняла, чтобы прониклась: так и будет. Кровь капала на циновку с замысловатым узором...

...От раздумий и воспоминаний Марину оторвало громкое шкворчание и запах мяса, начавшего подгорать. Сунув снимок в прежний тайник, она метнулась к плите.

Спасти отбивные удалось в последний момент.

3

Ужин устроили при свечах. Дешевый способ добавить романтики, однако же сработал...

Кириллу казалось, что все вернулось на семь лет назад: парочка влюбленных до безумия студентов (ну, по меньшей мере, он — до безумия); уютное кафе-подвальчик на Васильевском; непринужденный разговор вроде ни о чем, но каждое слово с глубоким эротическим подтекстом... И точно так же отражается трепещущий огонек свечи в хрустале бокалов.

Нет, насчет бокалов он погорячился, никакого хрусталя здесь и сейчас в помине не оказалось — стограммовые водочные стопки с мелкими гранями. Но свечи и в этой стеклотаре отражались не менее романтично, свет дробился, рассыпался сотнями лучиков, как будто незамысловатая деревенская посуда целиком была вытесана из алмаза...

Короче говоря, целоваться они начали прямо за столом — горячо, страстно. И не только целоваться... И Кирилл, когда на руках нес жену (уже лишившуюся кое-каких деталей туалета) в горницу, к огромной двуспальной кровати, опасался: джинсы сейчас не выдержат, молния разлетится от неудержимого напора изнутри...

Чуть позже — они уже лежали на кровати, обнаженные — Кирилл вдруг почувствовал на самой своей в тот момент важной части тела вместо нежных пальчиков — острые коготки. Длинные, ухоженные коготки Марины. Ее страстный шепот мгновенно, без какого-либо перехода, сменился холодным рассудочным голосом:

— Ну и как ты сегодня пялился на сиськи этой королевы свинофермы?

Словно ведро ледяной воды... Словно ветровым стеклом по лбу... Словно ржавым колуном по хребту...

— Может, она лучше меня? Может, милый, ты пойдешь на кушетку и там подрочишь, вспоминая прекрасную свинарку?

Коготки сжались, едва заметно, — но вокруг наиболее чувствительного места, вокруг самого кончика объекта своего приложения. Тот, напуганный и шокированный таким поворотом событий, попытался сжаться, уменьшиться, втянуться, — как голова напуганной черепахи втягивается внутрь панциря. Коготки усилили напор — совсем чуть, но Кирилл зашипел от боли.

И все закончилось.

Рассудочный голос сменился горячим шепотом: «Не бойся, малыш, я пошутила...», коготки бесследно исчезли, в дело вновь вступили пальчики и, немного спустя, — влажные, нежные губы и шаловливый язычок; изобиженная часть тела обижалась недолго, приняла безмолвные извинения, и быстро восстановила физическую форму и боевой дух, и казалась вновь готовой к самому решительному наступлению, вернее — к самому глубокому вторжению...

Но внутри Кирилла что-то сломалось. Что-то пошло глубокими трещинами и рассыпалось на куски...

Физические последствия не задержались. Оказавшись на Марине, постанывающей, отвечающей энергичными встречными движениями, — он выбивался из сил, но никак не мог кончить.

Придется симулировать, решил он спустя несколько минут (или часов? чувство времени утерялось...) Благо жена свое получила, а то ведь недолго дождаться второй серии скандала: значит, я тебя уже не возбуждаю?!!

Не успел. Марина все поняла (попробуйте-ка что-нибудь от нее утаить, хоть в жизни, хоть в постели), но отреагировала на удивление лояльно, прошептала: «Устал, бедненький...» Аккуратно коснулась огромной шишки на лбу: «Это она виновата, проклятая лиса... Ничего, сейчас моему Кирюше будет хорошо...»

Уложила стремительно теряющего эрекцию Кирилла на спину, опять пустила в ход пальцы, губы... И когда муж вновь оказался относительно готов к любовным подвигам — оседлала его, широко расставив бедра.

Кирилл почувствовал, что пальцы супруги направляют его *не туда,* — в иное отверстие, очень узкое, очень тесное, обычно запретное в их ночных играх. Удивился — после нескольких первых опытов Марина отказалась от анального секса, чересчур для нее болезненного.

Вот и сейчас — не убирая руку, двигалась медленно-медленно, осторожно-осторожно, словно хозяйка, томящая гостя на пороге — и не знающая, пригласить внутрь или нет.

Потом вдруг одним движением буквально насадила себя на вздыбленную плоть Кирилла. Застонала — скорее от боли, чем от удовольствия. И затем, во время убыстряющихся ритмичных движений, стоны не прекращались.

Груди — острые, с крохотными сосками — трепетали в такт толчкам над лицом Кирилла, как плоды, которые никак не удается стряхнуть с ветки дерева. Он протянул к ним руки, ладони наполнились упруго-мягким, пальцы осторожно взялись за соски... «Не так! — яростно пошептала Марина между стонами. — Сильнее! Не бойся!» Она порой любила ласки грубые, болезненные, — похожие на ласки насильника, больше возбуждающие его самого, чем жертву... Кирилл не стал отказывать: стиснул сильно, выкрутил соски пальцами — стоны стали громче, и, кроме боли, теперь слышалось в них наслаждение.

Было хорошо, очень хорошо, он подумал, что все закончится именно так, причем весьма скоро, — но Марина неожиданно соскочила с него, и застонал уже Кирилл — от жестокого разочарования.

Она нависла над ним, стоя на четвереньках, свесившиеся волосы щекотали лицо. «Теперь ты, милый, теперь ты, только сильно... сильно и быстро...»

Марина опустилась на спину, нарочито медленным движением потянула подушку, столь же неторопливо подложила ее отнюдь не под голову — Кирилл чуть не взвыл от перенапряжения, от дикого желания. Наконец притянула его к себе, закинула на плечи широко разведенные ноги... Он вошел резко, глубоко, — в то же, но уже далеко не в узенькое отверстие, запертая калитка превратилась в широко распахнутые ворота, покорно и с нетерпением ожидающие вторжения...

Она вскрикнула — не застонала, вскрикнула в полный голос. Он начал, как она просила, и как хотел сам, — сильно и быстро. И продолжил убыстрять движения, хоть это и казалось невозможным. Стоны и вскрикивания сменились словами: хрипловатыми, прерывающимися, возбуждающими (куда уж больше? — но возбуждающими!), сводящими с ума...

В выражениях в такие мгновения Марина абсолютно не стеснялась.

«Трахни меня... трахни... выеби... выеби всю... глубже... глубже-э-э... я хочу твой хуй, весь... глубже-э-э-э-а-а-а...... кончи, милый... кончи в меня... кончи-и-и-и...»

Она извивалась под ним, она кричала в полный голос, она вонзила коготки ему в спину, и теперь это оказалось не больно — прекрасно...

Он попытался чуть-чуть притормозить, чуть-чуть промедлить, чуть-чуть еще побалансировать на краю пропасти, полной наслаждения... Попытался — и не смог.

О-о-о-о-у-а-а.... Уф-ф-ф-ф...

....

Давненько у них не бывало такого ураганного секса.

Давненько, но...

Финал отчего-то получился смазанным... Оргазм, буквально навязанный супругой, стал каким-то бледным, каким-то ненастоящим... *Техническим*, пришло вдруг в голову подходящее слово... Больше облегчения, что все закончилось, чем удовольствия... К тому же немедленно возникли легкие болезненные ощущения в мошонке и внизу живота — не то чтобы настоящая боль, но приятного мало.

...Наверное, она меня все-таки любит, подумал Кирилл, когда Марина — обнявшая его, плотно прижавшаяся, — задышала мерно и ровно. Очень по-своему, загадочной и странной такой любовью с извращенными садомазохистскими нотками, и приправленной самой махровой собственнической ревностью... Но любит.

Непостижимые существа эти женщины.

Он лежал и лениво, полусонно размышлял о странностях их брака. (Или не странностях? Или у других тоже хватает своих, невидимых посторонним заморочек, — сравнить-то не с чем, первый опыт семейной жизни остается единственным...)

Лежал, думал — и как-то пропустил момент, когда можно было уснуть по-настоящему. Сонное отупение прошло, кровь, отлившая от головы к более важным в тот момент органам, вновь вернулась к привычной своей циркуляции в организме, — и спать совершенно расхотелось. А не мешало бы — ни к чему завтра сидеть за рулем сонной мухой.

Марина пробормотала во сне что-то неразборчивое, сняла руку с его плеча, перевернулась на другой бок, свернувшись калачиком, — и выглядела сейчас маленькой, трогательной и беззащитной.

Кириллу захотелось ее поцеловать — с благодарностью. Сдержался — разбудит, чего доброго. А разбуженная до срока Марина, ох... Не стоит о грустном. По крайней мере, трогательной и беззащитной тут же перестает казаться.

Ладно, пора спать...

Кирилл постарался полностью отключить мозг, не думать вообще ни о чем, — куда лучший способ заснуть, чем мысленный подсчет прыгающих через загородку овец...

Не получилось.

Отвлекали звуки, издаваемые старым домом.

Исключительно ночные звуки — днем их не услышишь. Хотя, казалось бы: замолчи, затаи дыхание, — и слушай... Но нет, *этим* звукам нужна еще и темнота.

Скрип... Тихий скрип половицы — точь-в-точь как под чьей-то осторожной ногой... Снова скрип чуть в стороне — неведомый кто-то постоял, вслушиваясь, — и сделал второй шаг. Потом еще один и еще...

Физика процесса ясна и понятна — старое дерево нагрелось за день, а сейчас остывает, поскрипывая. Но отчего же так гнетут эти ночные звуки?..

Затем к поскрипыванию добавилось тихое-тихое шуршание... Мышь? Наверное... Надо будет купить пару мышеловок и какой-нибудь отравы, мало приятного в таком соседстве...

Шуршание смолкло и больше не возобновлялось. Зато на грани слышимости возник новый звук, природу и происхождение которого Кирилл поначалу определить затруднился.

Что-то связанное с влагой, одна из составляющих звука — не то еле слышное журчание, не то побулькивание... Мышка описалась? — попытался он мысленно пошутить. Получилось не смешно.

Что же там, черт возьми, такое?

Наконец он понял. И облегченно вздохнул. Труба! Конечно же, фановая труба, ведущая от стока раковины к сливной яме. Марина после готовки наверняка не плотно завернула кран, водится за ней такой грешок в городской квартире. Тонюсенькая струйка падает в сток практически бесшумно. Но на внутренних стенках фановых труб вечно хватает всякой налипшей гадости, — и, преодолевая эти препятствия, вода издает еле слышные звуки.

Надо бы встать и затянуть кран... Сольется бак — придется с утра первым делом осваивать процесс его накачивания.

Вставать не хотелось, Кирилл буквально заставил себя... Постоял, всматриваясь в серой полумгле, где расположены предметы меблировки, — надо пройти на кухню бесшумно, ни на что не натолкнувшись... Просчитал оптимальную траекторию, двинулся...

Внезапно там, в кухне-столовой, затикали настенные часы. Еле слышимое днем «тик-так» показалось громовым набатом.

Он застыл на самом пороге.

Что за...

Ведь Маринка их днем остановила, сказала, что раздражают...

А эта система сама собой никоим образом заработать не может, кто-то должен толкнуть маятник...

Не может — но заработала.

Мышка пробегала, хвостиком вильнула... Шустрая такая мышка, запросто шныряющая по вертикальным стенкам... Вообще-то и такое случается, как-то раз на их той, давней даче мыши попортили продукты в сумке, подвешенной на вбитый в стену гвоздь... Но все равно сомнительно. Нет в часах ничего для грызунов интересного.

Он почувствовал сильный озноб. Хотя с вечер казалось — в доме достаточно тепло...

Ну и что? Так и стоять теперь, ломая голову: от чего же вдруг пошли старые часы? Он разозлилс сам на себя, решительно шагнул вперед. Нет, лиш хотел шагнуть именно так — но получилось н очень... Трудно решительно шагать абсолютно го лому человеку — когда мужские причиндалы пр каждом шаге болтаются и шлепают по ляжкам...

...Ходики он увидел сразу. Всматриваться н пришлось — часы светились тусклым желто-зеле новатым светом. Не целиком, разумеется, — лиш стрелки и цифры, нанесенные на циферблат.

Ух-х-х... Так и кондратий хватить может, о неожиданности... Идея неплохая: фосфорная крас ка издалека и в полной темноте позволяет понять который час. Но лучше о таком предупреждать за года...

Спустя несколько секунд он понял, что с меха низмом ходиков не всё ладно... Вернее, всё нелад но. Стрелки вращались! Им, собственно, надлежи именно тем и заниматься, — но не с такой же ско ростью... Минутная стрелка крутилась примерн втрое быстрее, чем могла бы крутиться секунд ная, окажись она на этих часах. Часовая ускори лась пропорционально — проходила одну двена дцатую циферблата за полный оборот минутной.

Казалось бы, тиканье при таких делах тож должно было раздаваться гораздо чаще. Однак нет — неторопливый, размеренный звук не соче тался с бегом обезумевших стрелок.

Но самое главное он осознал еще позже — стрел ки вращались в обратную сторону!!

И что-то еще *не так* было на кухне, какая то странная мелочь, совсем сейчас не важная — в сравнении со свихнувшимися ходиками.

РОДИТЕЛЬСКИЙ ДЕНЬ

Кириллу пришла дикая мысль — и со временем, и с часами все в порядке. Не в порядке он сам... Что-то с ним случилось, что-то неправильное, — и он проваливается в глубь времен. Назад, в прошлое — затягивающее, как бездонные трясины Сычьего Мха...

На-зад, на-зад, на-зад, — ехидно отстукивали часы. — Ты-наш, ты-наш, ты-наш... Ты не вернешься! Ты утонул в волнах времени, — тик-так-у-та-нул, тик-так-у-та-нул, тик-так-у-та-нул! — и не выплывешь, к ногам привязаны свинцовые гири в форме еловых шишек...

Ни хрена! — хотел крикнуть Кирилл, а может, и в самом деле крикнул, но не услышал себя. Ни хрена, ничего у вас не получится, сейчас я выйду в сени, возьму лихоедовский колун и разнесу вас к бениной матери!!! Он был убежден: Трофим принес сюда свой знаменитый колун, конечно же, принес и оставил в сенях, Кирилл даже зримо представлял, где именно тот стоит — прислоненный к стене рукоятью, обмотанной синей изолентой...

Взбесившиеся часы, похоже, испугались его решимости — обе стрелки сошлись на двенадцати и замерли. Тиканье смолкло — и прозвучал не то скрип, не то скрежет... Распахнулись дверцы? Так и есть, сейчас выскочит кукушка... Птичка, птичка, сколько мне жить на свете?! Лучше не говори, гнида, лучше молчи, проклятая тварь...

Кукушка не выскочила. И ничего не сказала... Но что-то вывалилось из распахнутых дверец, вывалилось не с бодрым «ку-ку!» — с мерзким утробным звуком, напоминающим те, что издавал Кирилл, пытаясь удержаться от рвоты над трупом лисицы... Вывалилось и безвольно свесилось, пересекая циферблат, — и обе стрелки, и цифра «6», и цифра «12» теперь были закрыты.

Кириллу показалось, что ЭТО — вывалившееся-повисшее — несколько раз дернулось, пытаясь не то втянуться обратно, не то окончательно освободиться... А потом часы рухнули со стены.

Рухнули с грохотом, способным разбудить мертвого, — да что там, разбудить всех мертвецов мира, сколько ни скопилось их в земле с начала веков... Рухнули и разбились, шестереночки раскатились по полу, обе стрелки отлетели от циферблата и тускло светились чуть в стороне...

Туда тебе и дорога, проклятый призрак проклятого дома, мы здесь, и мы живы, а призракам не место рядом с живыми...

Он стоял — голый, в нелепой позе — и ждал, что сейчас прозвучит недовольный, хриплый со сна Маринкин голос: «Ты спятил, милый? Энурез мучает? Или эротические сновидения?» И что он ей скажет? «Да, любимая, ты права, я спятил, еще как спятил, а за компанию спятили часы на стене, и хотели уволочь меня в прошлое, да не рассчитали силенки, надорвались...»

Голос не прозвучал.

Тишина. Мертвая тишина. Гробовая.

Хотя нет... Тот звук, что Кирилл услышал еще в кровати, никуда не исчез. Наоборот, здесь, на кухне, стал даже громче. Вот только доносился он не от раковины — ровно из противоположного угла. Прямоугольник обеденного стола, одним торцом примыкавшего к окну, слабо виднелся. Но рядом, в углу, в промежутке между столом, окном и печкой, затаилась непроглядная тьма. Именно оттуда доносилось не то побулькивание, не то журчание...

В этот момент Кирилл понял, какую странность он отметил краем сознания — за несколько мгновений до того, как часы начали свою свистопляску.

Запах! Нет, не запах... «Запах» — достаточно нейтральное слово...

Зловоние — так будет вернее.

Не слишком сильное, не бьющее наповал, не заставляющее зажимать нос и искать пути к отступлению. Однако вполне отчетливая вонь — какую случается порой вдохнуть над растревоженным болотом.

И ему показалось — запах доносится из того же угла, что и звук... Воображение нарисовало нелепую картинку: кальян, как тот, что был у Калиши, только внутрь вместо ароматизированной жидкости налита мерзкая болотная жижа. И всё это побулькивает. И всё это пахнет...

А курит тот кальян...

Идиот! Слепец! Мог бы сразу разглядеть... И сообразить.

В темном углу, помнил Кирилл, стоял стул — самодельный, деревянный — с высокой резной спинкой. Напротив, с другой стороны стола, — точно такой же! И ЕГО СПИНКУ КИРИЛЛ ВИДЕЛ! А у того, что в углу, — нет! При той же степени освещенности...

На стуле кто-то сидел.

Нет, там могло лежать что-то темное на сиденье, могло что-то темное висеть, прикрывая спинку...

Но Кирилл не обольщался. ОН ЗНАЛ.

Все просто и ясно, стоит чуть напрячь извилины...

На стуле сидит Викентий. Мертвый хозяин дома. Пришел и сидит на своем любимом месте. Где еще сидеть ЖИВОМУ старику, как не рядом с окном и печкой... Мертвый не изменил привычек.

Мертвецы не возвращаются? Ха-ха, еще как возвращаются, когда время начинает бежать вспять...

Викентий... Это его зловоние наполняет кухню. Это слышно́ его дыхание — воздух протискивается сквозь гнилостную слизь в разложившиеся легкие и выходит обратно...

Темное бесформенное пятно изменило очертания, стало выше, больше — всё без малейшего звука, лишь прежнее натужное клокотание: вдох-выдох, вдох-выдох...

«Встал, идет сюда, — понял Кирилл с каким-то тупым равнодушием. — Надо бежать. Надо заорать, разбудить Марину...»

И не сделал ничего. Не заорал — рот открывался и закрывался беззвучно, словно в немом кино. Не побежал — ноги как будто приклеились к холодным доскам пола.

Бесформенное черное *нечто* надвигалось. Вдохи-выдохи забулькали прямо в лицо. Зловоние стало невыносимым.

Кирилл рванулся, в последний раз пытаясь разорвать невидимые путы, и...

В глаза ему ударил свет: яркий, ослепляющий, обжигающий.

КЛЮЧ ТРЕТИЙ
НЕ ВЕДАЕТ ДУША,
ЧТО СТЯЖАЕТ ЗАВТРА...

ТРИАДА ДЕВЯТАЯ
ДИВИЗИЯ-ПРИЗРАК

1

Он зажмурился, ослепленный. Солнечный луч прорвался в щель между занавесками — ветхими, застиранными — и разбудил Кирилла.

Сердце колотилось бешено, твердо решив: или оно разобьется о грудную клетку, или проломит-таки путь на волю. Казалось, ноздри до сих пор терзает зловоние черного призрака, в ушах раздается его шумное клокочущее дыхание. Кирилл несколько раз глубоко вдохнул-выдохнул, пытаясь избавиться от последствий ночного кошмара.

Помогло... Относительно. Звуки-запахи постепенно улетучились, но сердце продолжало свои попытки с упорством, достойным знаменитого узника замка Иф...

Да-а-а... Бывают неприятные сны. Бывают ОЧЕНЬ неприятные сны. Случаются настоящие кошмары... Но такой... В любой самой гнетущей бредятине, что грезилась порой Кириллу, всегда присутствовала некая палочка-выручалочка, некая дверь в нормальную, здоровую реальность — осознание, пусть подспудное, пусть неявное: сон, кошмар, бред... Не взаправду. Не всерьез. Не бывает. Проснусь — и все кончится.

Иногда помянутая дверь маячила на переднем плане, иногда оказывалась надежно замаскирована... Но была. Всегда.

А вот сегодня... Никакой грани, никакого разделительного барьера между действительностью и кошмаром. И, соответственно, никакой двери в том барьере. Только что ты лежал, прислушивался к реальным звукам в реальном мире, и тут же, без перехода: добро пожаловать в кошмар!

«Если бы не солнечный луч, я бы попросту не выкарабкался, — понял Кирилл. — Сдох бы во сне от страха... И Маринка проснулась бы рядом с трупом...»

Он повернул голову, бросил взгляд на мерно посапывающую жену. И понял, что лежит на *мокром*. Пощупал: так и есть, наволочку хоть выжимай. Голова тоже сырая, волосы слиплись от пота...

Судя по тому, под каким углом падали солнечные лучи, — рассвело совсем недавно. Однако придется вставать. Валяться без сна — глупо, а пытаться снова заснуть... нет уж, ни за какие коврижки!

Кирилл выскользнул из постели, отобрал из валяющихся на полу одежек свои, направился с ними в руках в сторону кухни... И вновь — дежа вю какое-то! — застыл на пороге. Переступать порог не хотелось. Не хотелось, и точка. Призрак, до сих пор сидящий у окна на стуле с высокой резной спинкой? Фи, не смешите, какие еще призраки при ярком солнечном свете? Не положено-с.

РОДИТЕЛЬСКИЙ ДЕНЬ

Часы. Часы-ходики — вот что останавливало Кирилла.

Типичный штамп для романов-ужастиков: в ночном кошмаре с тобой происходят разные гнусные вещи; просыпаешься — уф-ф-ф, всего лишь сон! И тогда, чтобы жизнь медом не казалась: опаньки! некая деталь из кошмара — перед тобой наяву. Хотя оказаться той детали здесь, в реальности, ну никак невозможно...

Короче говоря, стоя на пороге кухни-столовой, Кирилл заподозрил: часы-ходики отнюдь не висят на стене, целые и невредимые. Они валяются на полу в виде разрозненных деталей: шестеренки раскатились повсюду, и стрелки лежат отдельно от погнутого циферблата... Добро пожаловать в кошмар, Кирилл Владимирович!

Через порог он шагнул, крепко зажмурившись.

Щелка между веками увеличивалась медленно, половицы оказывались в поле зрения одна за одной... Ничего. Пусто. Ни раскатившихся шестеренок, ни прочих деталей... Лишь потом Кирилл поднял взгляд на стену.

Ходики висели на своем законном месте. Маятник повис неподвижно, стрелки не вращались...

Кирилл не успокоился: кухонным ножом попытался открыть дверцы, из которых в кошмаре с мерзким звуком вывалилось *нечто*; дверцы не поддавались, наконец что-то хрустнуло — отворились... Внутри ничего непонятного и неприятного: кукушка — условная, стилизованная, больше похожая на чижика-пыжика. Механизм, выталкивающий птичку, сломался: сидела она боком, уставясь на Кирилла одним глазом, пыльная и понурая. Безобидная.

Ну и ладно. Можно поставить точку: сон, ничего общего с реальностью не имеющий. НИ-ЧЕ-ГО.

Теперь стоит одеться. А то картинка сюрреалистичная: часовщик с кухонным ножом и в костюме Адама. Одеться, и... — Кирилл невзначай опустил взгляд и закончил мысленную фразу чуть по-другому — и как следует помыться, ликвидировав следы ночных развлечений.

Холодной водой... б-р-р-р... Ничего, сэр, пора заново привыкать к прелестям сельской жизни.

2

Попить кофе (завтракать не хотелось) Кирилл вышел на крыльцо. Присел на лавочку, поставил рядом чашку — розовую в крупных белых горошинах, со слегка оббитыми краями.

Закурил, проигнорировав установленное Мариной правило: только вместе и только в определенные часы. Спать по утрам она любит долго, как минимум часа три-четыре в запасе есть, не учует... А утренний кофе и первая сигарета — сочетание идеальное, плевать на врачей с их факторами риска.

Раннее июньское утро в Загривье являло собой великолепное зрелище. Особенно отсюда, с высоченного крыльца. Солнце разгоняло с полей последние клочья тумана, росистая трава изумрудно сверкала... Деревня, вчера казавшаяся вымершей далеко не поздним вечером, уже проснулась и жила активной жизнью.

Профыркал куда-то знакомый ЗИЛ.

Неподалеку, в соседнем дворе, жизнерадостно горланил петух. Там же пропитой мужской тенорок вторил ему жизнерадостным матом.

Бойкая старушка гнала по улице стайку из десятка коз, среди которых отчего-то затесались две овцы с грязно-бурой свалявшейся шерстью; козы шли неохотно и все норовили остановиться, пощипать листья с придорожных кустов, — старушка подгоняла их, причем использовала в качестве хворостинки не что-нибудь, а тонконогую табуретку, которую волокла с собой. Прямо-таки пастораль, буколика: Хлоя, Хлоя, где твой Дафнис?..

Кирилл не любовался идиллическими картинками. Вглядывался в гриву — где, по словам Рябцева, добивали ополченцев из третьей дивизии... Из ДНО-3...

Из дивизии, которой здесь быть НЕ МОГЛО.

Рябцев мог перепутать номер, пусть и не производил впечатление человека, способного ошибаться и путать. Но мог.

В конце концов, какие у здешнего электрика источники информации? Рассказы отцов и дедов? Ага, так вот и сообщали все проходящие мимо красноармейцы и ополченцы местным жителям: номер части, фамилии командира, начштаба и комиссара, район дислокации и поставленные задачи. Вытягивались по стойке «смирно» и рапортовали. Бодрым голосом.

Однако главная-то деталь не могла укрыться от острого глаза местных: штатская одежда. Значит, добровольцы-ополченцы: пусть не дивизия, пусть истребительно-партизанский полк, пусть истребительный батальон, пусть батальон артиллерийско-пулеметный... Но в любом случае — ополченцы. Красноармейцы сорок первого года без шинелей и гимнастерок — нонсенс.

Беда в том, что дивизия и батальон несколько различаются численностью личного состава, раз так в пятнадцать... Трудно принять батальон за дивизию, даже малосведущему в военных делах человеку. Да и не останется после разгрома всего лишь батальона такой долгой народной памяти... И двадцать тысяч трупов по лесам-болотам не останется, даже для дивизии — многовато. Пусть цифра и преувеличена, все равно перебор...

Так что же за люди в штатском угодили в «Загривский котел»?

Не третья фрунзенская дивизия народного ополчения, ее боевой путь хорошо известен.

Но и никаких других дивизий, входивших в ЛАНО — Ленинградскую армию народного ополчения, — здесь не было!

Равным образом никак не могли попасть под Загривье ополченцы Москвы — их дивизии носили свою, отдельную нумерацию и использовались исключительно на московском направлении. И следы казаков-добровольцев, сведенных в Ростове в кавалерийскую ополченскую дивизию, искать тут не стоит...

На левом берегу Луги, в предполье Лужского оборонительного рубежа ДНО вообще не действовали (по крайней мере, официально) — лишь регулярные части Красной армии.

Парадокс — не могли быть, но были. И погибли: неизвестно кто, вынырнувшая как из-под земли дивизия-призрак... Вынырнувшая и легшая обратно в землю.

Кирилл подозревал, что эта призрачная дивизия все-таки носила именно третий номер. Потому что знал: в хорошо известной истории Третьей фрунзенской дивизии народного ополчения есть немало сомнительных моментов.

А называя вещи своими именами — необъяснимых.

3

Вообще-то главным увлечением Кирилла стала Зимняя война 1939—1940 годов.

Есть в нашей стране узкий круг историков-любителей, не отягощенных дипломами исторических вузов, но знаниями по избранной теме способных заткнуть за пояс любого профессионала. И Кирилл был в том кругу достаточно известен.

Немало довелось ему поколесить по местам былых боев на линии Маннергейма, приходилось бывать и в северной Карелии... Лазал по остаткам оборонительных сооружений, занимался самочинными раскопками. Перелопатил огромную кучу документов тех лет и даже самостоятельно изучил финский язык! Не живой, разумеется, — болтать на житейские темы с жителями Суоми не смог бы. Однако свидетельства людей, участвовавших в давних боях *с той* стороны, читал в подлинниках свободно, все реже заглядывая в словарь...

Публиковал статьи, и в бумажных изданиях, и в Интернете... Но главным результатом трудов стала изданная два года назад небольшая, скромно оформленная книжка под названием «Суванто-ярви» — почти неизвестная история ста дней кровопролитнейших и бесплодных для советской стороны боев на берегах озера, ныне именующегося Суходольским. Книга вызвала яростные споры (все в том же узком кругу) — а это ли не свидетельство успеха?

Конечно, финансовому благополучию напечатанный за свой счет опус не способствовал — большая часть мизерного тиража раздарена, пара нераспакованных пачек все еще пылится на антресолях...

Как ни удивительно, Марина, более чем скептично относящаяся к увлечению мужа, — затею с книгой лишь приветствовала. Неужели статус супруги писателя показался столь привлекательным?..

Интересовался Кирилл и затянувшимся эпилогом к Зимней войне — боевыми действиями между советскими и финскими войсками в 1941—1944 годах. В документах, касающихся тех событий, он и обнаружил первую *странность,* касающуюся Третьей дивизии народного ополчения...

Два полка из помянутой дивизии появились в конце лета под Олонцом — держали оборону против финнов, наступавших к Свири. Почему лишь два? — удивился Кирилл. Где третий? Третий на финском участке фронта не обнаружился, следы его отыскались в сотнях километров южнее, на Гатчинском направлении.

Чудеса...

Расчленить дивизию подобным образом — фактически ликвидировать ее. Как прикажете штабу дивизии управлять разбросанными на таком удалении частями? Как работать службе тыла и транспорта? Единый организм боевого соединения попросту прекращает существование...

Заинтригованный Кирилл занялся историей Третьей дивизии — и удивился еще больше.

Во-первых, недоумение вызвало время формирования.

Все ДНО с первыми номерами создавались в дикой спешке, экспромтом, в обстановке неразберихи и грозящего полного разгрома.

Но спешка спешке рознь.

Решение о создании трех первых дивизий ленинградского ополчения принято в один день, и, соответственно, одновременно началась работа по формированию. Однако завершена она была далеко не одновременно: именно Третья, фрунзенская, дивизия, задержалась с отправкой на фронт, и задержалась существенно...

Конкретные цифры Кирилла поразили. Первая ДНО одиннадцатого июля уже занимает позиции у станции Батецкая. Третья — в Ленинграде, и занята боевой подготовкой, и лишь неделю спустя оказывается на фронте под Кингисеппом.

Скажете, неделя — пустяк, совершенно незначительный срок? Может быть... Но только не в июле сорок первого... Создание Первой ДНО и отправка ее на фронт, целиком и полностью, от решения горкома партии до окопов под Батецкой, — две недели. ДВЕ!!! Из них боевая подготовка — пять дней. ПЯТЬ!!!

Недельное опоздание при таких условиях — срок невообразимо долгий... Громадный.

В чем причина?

В нерасторопности и медлительности партаппаратчиков Фрунзенского района?

Из такой причины автоматически вытекали бы и определенные последствия для проштрафившихся партийных боссов: трибунал, приговор, расстрел. Время было суровое... Однако — ни расстрелов, ни снятий с должностей.

Может быть, не хватало людей, личного состава?

Непохоже... Хоть дивизия и именовалась формально фрунзенской, база ее создания оказалась куда шире одноименного городского района: Выборгский и Ждановский тоже активно поставляли туда людей. И населения, и предприятий на охваченной территории с избытком — можно сформировать и две, и три дивизии. Сформировали одну. Опоздав по срокам в полтора раза. ПОЧЕМУ?

И еще одна странность: в военно-исторических трудах, посвященных ленинградскому ополчению, расписано подробно, какая конкретно часть на каком предприятии создавалась. Например: Первый стрелковый полк 2-й ДНО — сплошь рабочие завода «Электросила». Нет вопросов, всё ясно и понятно...

И лишь про Третью дивизию скороговоркой: на предприятиях Фрунзенского района. И всё. Никакой конкретики...

Кирилл двинулся привычным путем: засел за мемуары ополченцев-фрунзенцев — ну-ка, кто из вас откуда призывался?

Выборгский район, Ждановский, Выборгский, снова Выборгский, Красногвардейск (ныне Гатчина)... Стоп! Гатчина-то тут при чем?

Выяснилось — вполне-таки при чем. Не один, не два — семь с половиной сотен гатчинских рабочих-добровольцев (почти батальон!) отправлены в Питер, в дивизию народного ополчения... — угадаете с трех раз, в какую? Правильно, в Третью фрунзенскую.

Дальше — хуже. В других областных городках выявилась та же картина — в третью, в третью, в третью...

Чудеса в решете.

Какая-то черная дыра во Фрунзенском районе... Гиперпространственный туннель в иные измерения, пожирающий людей. Гонят добровольцев со всей области и чуть ли не из половины города — при этом с трудом, со скрипом, с огромным опозданием наскребают одну дивизию... В которой, вопреки названию, жителей одноименного района — раз, два, и обчелся. И которую, вообще-то, куда правильней назвать выборгско-ждановской...

Но все документы твердят и твердят: фрунзенская, фрунзенская, фрунзенская...

Зачем?

Не для того ли, чтобы вдовы и сироты района не задавали лишних вопросов: а где, собственно, сложили головы наши отцы и мужья? Где, где... В Третьей фрунзенской дивизии народного ополчения! Вопрос закрыт.

Версия у Кирилла сложилась простая. ДНО-3 сформировали не с опозданием — по меньшей мере не позже 1-й и 2-й. Возможно, учитывая благоприятную ситуацию с людскими ресурсами, — даже чуть раньше.

Сформировали, и... И где-то угробили самым бездарным и позорным образом.

Бездарным и позорным — никак не иначе. О героически павших трубили бы все газеты, и никто бы не озаботился созданием дивизии-двойника.

Причем, очевидно, двойник неспроста просуществовал столь недолго — расчленили, раскидали людей по разным фронтам, а в сентябре и вовсе ликвидировали. Не переименовали в стрелковую, как прочие ДНО, — попросту расформировали. Нет дивизии — нет проблемы. И не задавайте глупых вопросов.

Прецеденты известны: погубленная в волховских болотах Вторая ударная армия реинкарнировалась с тем же названием и номером, много лет историки живописали ее славный боевой путь, а про погибшую — молчок, словно и не было такой... В хрущевскую оттепель правда всплыла, все-таки армия, куда больше людей, куда больше уцелевших свидетелей...

Оставался открытым вопрос: где и как нашли свой конец добровольцы-фрунзенцы из настоящей, первоначальной третьей дивизии?

Ответ прост: здесь. Под Загривьем.

Поневоле заподозришь, что не слепой случай направляет наши жизненные пути... Неужели и в самом деле случайно попалось Марине объявление о продаже этого дома?..

Однако Загривье на ЛЕВОМ берегу Луги — значит, наступали?! Ополченцы — наступали???!!!

Вот это уже не просто глупость — преступление. Хладнокровное убийство пятнадцати тысяч человек. НИКТО и НИКОГДА не посылает людей с пятидневной военной подготовкой *наступать*. Оборона, и только оборона, — желательно на хорошо подготовленных к ней рубежах. А они — наступали. Не обмундированные, не у всех даже есть винтовки, пулеметов вдвое-втрое меньше, чем положено по штату кадровой дивизии... Командный состав — с нулевым военным опытом, запасники, — а профессиональные военные лишь от командиров полков и выше... У человека, бросающегося грудью на амбразуру, шансов уцелеть больше — как раз в тот момент может заклинить затвор у пулемета.

Убийство...

И сидел убийца очень высоко, иначе не смог бы так ловко замести следы...

Верный сталинец товарищ Жданов?

Маршал Советского Союза товарищ Ворошилов?

Кто???

Мертвым, в общем-то, все равно... Тем, кто лежит здесь — на гриве и в трясинах болота Сычий Мох...

И он, Кирилл, сможет сделать для них лишь одно: рассказать всю правду. Раскопать до конца гнусную историю — и рассказать. Написать новую книгу...

А пока... А пока он сходит на гриву и поклонится павшим. Прямо сейчас... Взглянул на часы — успеет, времени до пробуждения Марины с огромным запасом, она после *таких* ночей спит особенно долго и крепко.

Однако немедленно выйти не удалось, Кирилл вдруг вспомнил про не законченное вчера дело: похороны лисицы. Вечером, опасаясь праведного гнева супруги, он всего лишь вытащил мертвого зверька из багажника и положил вместе с лопатой неподалеку, возле буйно разросшихся кустов сирени.

Ритуал не затянулся: неглубокая яма и коротенькая прощальная речь, причем мысленная: ну вот, кумушка, не воровать тебе больше куриц, не гоняться за зайцами, даже не украсить своим мехом плечи городской модницы... Соблюдать надо было правила дорожного движения. Аминь.

Вернув лопату в сарай, Кирилл вновь зацепился взглядом за незаконченный резной ставень на верстаке, увидел при дневном свете еще две заготовки в углу... И решил, не откладывая, прояснить один маленький вопрос.

Окна выходящего на улицу фасада высоко, искать лестницу не хотелось, — и Кирилл обревизовал два маленьких окошка, выходящих на скотный выгон.

Ага, вот след от вывинченного шурупа, вот еще один, а вот этот вывинчиваться не захотел, и занимавшийся демонтажем человек пустил в ход грубую силу — головка отломилась, излом блестит металлическим блеском, не успел покрыться коррозией...

Все ясно. Дом Викентия ничем не отличался от прочих домов Загривья: те же ставни и наверняка с тем же орнаментом... Однако кто-то их снял и унес, причем недавно.

Интересно, зачем?

ТРИАДА ДЕСЯТАЯ
ПРОГУЛКА УТРЕННЕЙ ПОРОЙ

1

Шестьдесят пять лет — немалый срок.

В сравнении с человеческой жизнью, разумеется. Для деревьев, зачастую исчисляющих свой земной путь веками, — уже меньше. Для Земли, ведущей счет на эры и эпохи, — невесомое и мимолетное мгновение...

Так думал Кирилл, поднимаясь на гриву по склону, испещренному старыми воронками — буквально одна на одной...

Мало, очень мало осталось ветеранов, переживших бои на Лужском рубеже. Из здешних берез и осин лишь немногие, самые старые, сохранили память о страшном лете сорок первого года. А вот земля помнит всё... Шрамы, истерзавшие ее тело, — следы бомб и снарядов — заплыли, затянулись травой и кустарником, но не исчезли... И никуда не делась дремлющая в глубине ржавая смерть — до сих пор уносящая порой жизни охотников или грибников, запаливших костер в неудачном месте. У земли долгая память. И долго мстит она потомкам когда-то изуродовавших ее людей...

Впрочем, здесь и сейчас попадались ему и относительно свежие раны на теле матушки-земли — небольшие шурфы с кучами выброшенного наружу грунта. Наверняка дело рук местной молодежи. Подростки в местах былых жестоких боев, как им ни запрещай, все равно идут и копают землю в поисках чего-либо стреляющего или взрывающегося. Мальчишеская тяга к оружию неистребима...

Троих «черных следопытов» они с Мариной повстречали вчера, по дороге на свиноферму. Парнишки лет пятнадцати-шестнадцати шагали, видимо, как раз с гривы. У двоих инвентарь, заурядный для доморощенных любителей раскопок, — лопаты и примитивные щупы: заостренные железные штыри с деревянными рукоятками. А вот у третьего...

У третьего на плече лежал металлоискатель «Юниор» — агрегат, хорошо знакомый Кириллу, он и сам пользовался таким на берегах Суходольского озера и реки Бурной... Не самая навороченнная и дорогая модель, не напичканный суперсовременной электроникой «Гарретт-2500» — позволяющий отличить лежащую глубоко в земле монету от кольца той же массы. Однако вполне надежная рабочая машинка, легко засекающая какой-нибудь ржавый наган на метровой глубине. А снаряд хорошего калибра — на вдвое большей.

Кирилла удивило наличие такой техники у деревенского любителя... Неужели находки позволяют окупить вложения?

Ясно одно: раз уж перешли на металлоискатели, то всё, что можно было собрать с поверхности, — собрано. И глупая смерть от подвернувшейся под ногу мины не грозит...

Он прошел по гриве уже метров четыреста. Воронки по-прежнему занимали большую часть поверхности, — ровных, незатронутых полянок мало. Да и размеры у них невелики.

Однако...

Это какие же чудеса героизма показали здесь в обороне прижатые к болоту ополченцы, что на них высыпали в полном смысле слова град смертоносного железа? Наверное, рядом с ними сражались и кадровые части РККА... И все равно сомнительно. Нет смысла тратить такие силы на добивание окруженных. Достаточно надежно блокировать попытки прорыва — и без подвоза боеприпасов и пищи, без эвакуации раненых долго противник не повоюет...

Загадка. И Кирилл чувствовал: он ее разгадает... Да, новая книжка получится куда более сенсационная, чем «Суванто-ярви», — та привлекла внимание лишь узких специалистов. Чем черт не шутит, вдруг удастся заинтересовать какое-нибудь большое издательство? Заманчивые перспективы...

В поросли молодого кустарника обнаружилась натоптанная тропинка. Кто-то здесь ходил, и не раз... Куда и зачем — выяснилось быстро: пройдя по тропе десятка два шагов, Кирилл очутился на краю широкой воронки с пологими склонами. И удивленно присвистнул...

Вот это да!

В воронке лежали боеприпасы, выложенные рядами на склонах. Старые, поржавевшие снаряды и минометные мины. Многие десятки, если не сотни...

Присмотревшись, Кирилл понял: перед ним пустышки. Фантики от конфет. Скорлупа от орехов. Взрыватели вывинчены, корпуса вскрыты, взрывчатка извлечена. Отходы производства «черных следопытов». Ну и масштабы у них, однако...

О ценах черного рынка на тринитротолуол Кирилл не имел понятия, никогда не поддавался искушению заработать на сделанных находках. Однако на металлоискатель хватит, без сомнения...

Пустышки — но выглядит груда металла более чем внушительно. Обязательно надо вернуться сюда с профессиональным фотоаппаратом — такой кадр украсит будущую книгу.

Он спустился по склону, внимательно рассматривая экспонаты ржавой коллекции. Зачем-то они были рассортированы — лежали рядами, сгруппированные по видам и образцам.

Знакомые все штучки...

Большей частью минометные мины — граждане, занимающиеся самочинными раскопками, именуют их «летучками», чтобы не путать с противотанковыми и противопехотными. Вот этими стрелял тяжелый немецкий миномет. И этими тоже он — так называемая «прыгучая мина», для более эффективного поражения живой силы... А вот другие — к легкому, пятидесятимиллиметровому, немного, всего три... Все правильно, к сорок первому году как раз два калибра: 81 и 50 миллиметров — и состояли на вооружении вермахта...

Любопытно, что советский миномет, разработанный несколько позже немецкого 81-миллиметрового, имел калибр на один миллиметр больше. И спокойно стрелял трофейными немецкими минами. А наши в ствол немецкого не пролезали... Не забыть бы помянуть этот факт в новой книжке.

Следующие экспонаты нашей летней коллекции — немецкие пушечные снаряды. Тоже все логично: 75-миллиметровая пехотная пушка и 105-миллиметровая пехотная же гаубица. Значит, немцы не стали подтягивать сюда 150-миллиметровки, справились и без них... Дескать, много чести для ополченцев.

На поясках снарядов хороши видны следы от прохождения сквозь нарезы стволов. Однако, сколько же их, неразорвавшихся... Хотя неудивительно, Сычий Мох под боком. Топкие болота, как известно, настоящее проклятие для артиллеристов. У одних типов снарядов, угодивших в топь под определенным углом, взрывные трубки вообще не срабатывают. Другие взрываются, но погрузившись слишком глубоко, с минимальным ущербом для противника... Что поделать: генералы, формулируя свои требования для конструкторов оружия, никак не рассчитывают, что наступать или обороняться придется в трясине. Учебники военного искусства настоятельно рекомендуют болота обходить стороной. Хотя взрыватели мин легких немецких минометов отличались повышенной чувствительностью, недаром не сработавших пятидесятимиллиметровок тут всего три штуки...

Еще два вида снарядов Кирилл не сумел опознать. Возможно, от трофейных пушек вермахта, чешских или французских...

Патрон, валявшийся здесь же, попался на глаза случайно. И принесли его сюда тоже явно случайно, наверняка вместе с прилипшей к снаряду или к «летучке» землей, — больше ни единого боеприпаса от стрелкового оружия не видно. Кирилл поднял, осмотрел: от русской трехлинейки, капсюль вмят, но пуля на месте — значит, осечка, боец матернулся, передернул затвор, выбрасывая этот и досылая новый патрон... Или не передернул, сраженный осколком брата-близнеца валяющихся здесь снарядов.

Находка отправилась в карман, маленький сувенир на память...

Что у нас дальше? Один-единственный снаряд от «флака», незнамо каким ветром сюда занесенный... А это... Вот это уже интересно...

Он задумчиво созерцал два ряда снарядов. Советских снарядов. От 152-миллиметровой гаубицы. Попробовал сосчитать, дошел до двадцати трех и сбился, ряды были выложены достаточно небрежно, наезжали друг на друга...

Значит, по гриве отработала не только немецкая, но и наша артиллерия? Случается... В Зимнюю войну, как хорошо знал Кирилл, неоднократно бывало: советские дальнобойные пушки продолжали громить финские позиции, уже занятые своей пехотой. Обычная неразбериха, плохо налаженные связь и взаимодействие...

В любом случае, трофейные русские 152-миллиметровки никогда на вооружение вермахта не поступали.

Или имела место ситуация в духе патриотических фильмов старых лет? Последние погибающие ополченцы вызвали огонь на себя? Кирилл недоверчиво хмыкнул. (Патриотические фильмы он недолюбливал. Как, наверное, и любой, хорошо знакомый по мемуарам и старым документам с истинным положением дел...)

Но даже если всё обстояло именно так, если найдутся тому свидетельства, в книге все равно необходимо будет рассмотреть и еще одну версию — сенсационную, с пряным запахом СТРАШНОЙ ТАЙНЫ.

Наша артиллерия била по своим СПЕЦИАЛЬНО! Чем не вариант? Кому-то, в дикой спешке сформировавшему в Ленинграде дивизию-дублера, как кость в горле, мешали упрямые ополченцы в Загривье, никак не желающие умирать, не оставляющие попыток пробиться к своим. И свои стали хуже чужих: из-за линии фронта, с одной из артпозиций Лужского рубежа, полетели сорокакилограммовые «чемоданы», добивая упрямцев...

Кстати, если здесь отработали гаубицы МЛ-20 (а так, скорее всего, и случилось) — это характеризует уровень принятия решений: вовсе не командир соседней кадровой дивизии приказал поддержать огнем ополченцев, а его подчиненные немного промазали... И не командир корпуса проявил самодеятельность... МЛ-20 — артиллерия, подчиненная командующему армией. А то и сам РГК...*
Решение об артналете вполне мог принять человек, пославший на верную смерть пятнадцать тысяч необученных добровольцев.

Эх, красивая версия вырисовывается... Конечно, патриоты-резуновцы снова взвоют, как гиены в течке: мы, мол, в сорок первом были ух и сильны! сильнее всех в мире, да не повезло чуть-чуть, а то бы мы уж... а он, Кирилл, дескать, злопыхатель и очернитель советской мощи и сталинского гения.

Ладно, не привыкать, отобьемся...

---

* РГК — резерв Главного командования.

2

Вторую воронку, меньшую по размерам, но тоже служащую складом находок «черных следопытов», он обнаружил тем же самым способом — пойдя по натоптанной тропинке.

Но лежали тут не боеприпасы...

Кирилл долго стоял на краю воронки без единой мысли в голове. Мозг отказывался осмысливать увиденное, отказывался — и все тут.

Лежали здесь останки. Останки, с которыми кто-то обошелся самым варварским, самым бессмысленно-жестоким образом.

Не скелеты... И даже не разрозненные кости...

Обломки, мелкие осколки костей — огромная груда на дне.

Свиноферма... Конечно же, это отходы со свинофермы, — ухватился Кирилл за спасительную мысль. Надо уйти отсюда, понял он. Уйти, и забыть, и не задумываться, кому и зачем потребовалось так дробить свиные косточки... И о том, когда эти косточки успели так потемнеть, некоторые даже подернуться зеленым налетом, — тоже не задумываться... Отходы свинофермы, и точка.

Он не смог.

Не смог уйти, не смог заставить себя поверить в спасительную «свиную» версию...

Здесь лежали люди. То, что осталось от людей. Вон тот обломочек нижней челюсти, кость с двумя потемневшими зубами, что лежит совсем рядом, чуть не под ногами, — разве может он принадлежать свинье?!

Видел он не далее как вчера свинские зубы — в оскаленной пасти мадам Брошкиной...

Люди...

За что же вас так?! Кто же вас так ненавидел, что загнал на смерть — и продолжил убивать после смерти?!

Хотя нет, едва ли палачи Третьей ДНО виноваты еще и в ЭТОМ, изломы костей свежие...

Способ, которым измывались над павшими, сомнений не вызывал, — вывернутый давним взрывом из земли гранитный валун-наковальня (из-за него-то наверняка и выбрали именно эту воронку), рядом валяется здоровенная кувалда...

Родительский день завтра, сказало им ангельское дитя, дробя на куски крысиные косточки.

Родительский день, говорите? Семейный, стало быть, праздник? Посторонние, значит, нежелательны? И в самом деле, к чему нужны свидетели такого обхождения с предками? Тюк-тюк по черепу, тюк-тюк по ребрам, каждый почитает родителей по-своему, у нас так уж принято... И нацистские свастики (какая, к чертям, славянская древность!), где только можно, — сегодня, по пути сюда, Кирилл разглядел даже собачью будку с резной опускающейся дверцей, украшенной ими... Будку! Собачью!!!

Тюк-тюк — вот вам за Сталинград! Тюк-тюк — вот вам за Курскую дугу! Тюк-тюк — а это за сорок пятый! Тюк-тюк — за штурм рейхстага!

Он понял — если не уйдет немедленно, то свихнется. Самым натуральным образом свихнется. Вокруг не ночной сумрак — яркое солнечное утро, но он, Кирилл, сделал шаг не туда. И оказался по ту сторону реальности. Тюк-тюк — добро пожаловать в кошмар! Тюк-тюк — у нас тут весело!

Кирилл попятился, не отрывая взгляд от воронки, — крохотный шажок назад, еще один... Может, достать из кармана швейцарский ножичек да и вонзить лезвие в ладонь? Вонзить и проснуться рядом с Мариной на широкой двуспальной кровати... Он даже потянулся было к карману джинсов, но не закончил движение... взгляд приковало кое-что на другом краю воронки.

Ну почему вокруг не ночная тьма? Не густой утренний туман хотя бы? Тогда можно списать увиденное на обман зрения... Но при ярком свете сомнений нет: там сквозь кусты виднеется плаха — здоровенная деревянная колода с воткнутым в нее топором. Скелеты при помощи такого инструментария дробить несподручно... Им удобно *расчленять* живых. Или недавно умерших.

Почему ветви там, возле плахи, шевелятся — гораздо сильнее, чем могли бы от легкого ветерка? Что за странный запах уже давно щекочет ноздри? И что за ритмичный, побулькивающе-журчащий звук раздается за спиной? Все ближе и ближе...

С возвращением, Кирилл Владимирович... Добро пожаловать в кошмар, у нас тут весело...

Он побежал напролом через кусты, позабыв про тропинку.

Ветви хлестали по лицу.

3

— Кирилл! — негромкий женский голос. И рука, теребящая его за плечо. Он открывал глаза с облегчением: все же кошмар, все же уснул снова, хоть и не хотел...

Перед глазами была трава. Зеленая. По стеблю — близко-близко, у самых глаз — ползла божья коровка. Что за...

— Кирилл! — да и голос-то не Маринкин...

Он рывком перевернулся.

Клава... Продавщица Клава... А вокруг... Да, сомнений нет, вокруг все та же грива: поросли кустов, кое-где одинокие елки на краях старых воронок...

И как это понимать?

У Кирилла появилось подозрение: на самом деле ничего этого нет. Вообще ничего. И никогда не было.

Ни Загривья, ни объявления о продаже дома, ни раздавленной на дороге лисы... Он задремал в самолете Москва—Петербург и сейчас проснется от женского голоса, просящего пристегнуть ремни и сообщающего температуру в аэропорту приземления...

Он внимательно посмотрел на Клаву. Жаль, что тебя нет. Ты очень красивый морок и фантом, куда красивее воняющих болотной гнилью мертвецов...

Девушка улыбнулась — как-то робко, неуверенно, никакого сравнения с давешним разбитным поведением в магазине при свиноферме. Хотя какой магазин? Не было ничего, не было, не было... Или все же было?

Он протянул руку, осторожно прикоснулся к коже, тронутой первым летним загаром, — прикоснулся чуть ниже короткого рукава платья.

— Ты настоящая?

Она ответила так, словно и подобные вопросы, и сопровождающие их жесты стали давно привычными:

— Настоящая, конечно... А ты?

В этот миг Кирилл, наверное, проснулся окончательно.

ТРИАДА ОДИННАДЦАТАЯ
НИКОГДА НЕ ЛОЖИТЕСЬ СПАТЬ
РЯДОМ С МЕРТВЫМИ

1

Прояснилось всё без мутной мистики и дремучего солипсизма: да, лисицу он действительно закопал, и действительно пошагал на гриву. А Клава, по ее словам, увидела его из окна, уже вдалеке, уходящего, — попыталась догнать, но потеряла из вида. И нашла уже здесь, на полянке, — спящего.

Зачем догоняла? — Кирилл не стал уточнять. Неважно. Важно другое: нет и не было проклятых воронок, наполненных снарядами и обломками костей! Приснилось, привиделось, — трех с половиной часов сна маловато для организма, и он, организм, взял-таки свое. На травке, под кустиком.

А что пригрезилась кошмары — так вольно ж засыпать в *таком* месте!

Тем более что печальный опыт имелся, на Карельском перешейке устроился как-то на ночлег в разрушенном бункере — сон привиделся немногим лучше нынешнего: куда-то он бежал в атаку, по болотной топи, едва прикрытой первым снежком, рядом рвались снаряды, вздымая к небу фонтаны жидкой грязи, потом снег под ногами подался, он ухнул в трясину, сразу с головой, холодная жижа полезла в рот и нос, залепила глаза, но он все равно видел: вокруг трупы, трупы, трупы — искореженные, растерзанные, в красноармейских буденовках и длиннополых шинелях... Остаток той ночи Кирилл провел, бодрствуя у крохотного костерка (землю под которым пришлось хорошенько проверить металлоискателем). И с тех пор зарекся ночевать там, где погибли слишком многие...

Голос Клавы отвлек от воспоминаний:

— Скажи... Я вчера услыхала случайно... Вы ведь сегодня уедете, днем?

Похоже, они перешли на «ты», причем Кирилл начал первым. Ни к чему бы, услышит случайно Марина, мало не покажется. Ну да ладно, снова «выкать» как-то глупо. Бог не выдаст, мадам Брошкина не съест...

— Сегодня, — подтвердил он. — Днем.

— Если не уедете... — сказала Клава, медленно и неуверенно. Замолчала, словно раздумывая: что произойдет, если они почему-то не уедут?

Начала снова:

— Если все-таки не уедете... Тогда приходи вечером... — она опять замялась.

Отломила с куста ветку, быстрым движением протянула сквозь сжатые пальцы, очистив от листьев, — два все же уцелели, сиротливые и помятые.

— Смотри... — прутик лег на траву, Клава провела вдоль него пальцем. — Вот так вы к нам ехали, по дороге — вчера, на ферму, значит... Загривье вот туточки...

Девушка ткнула куда-то в направлении тонкого конца ветви.

— А тут вот... — она положила чуть в стороне прошлогоднюю еловую шишку, — ...тут слева домик, небольшой такой, без окон, вроде баньки... Видел, когда проезжали?

Кирилл, честно говоря, не помнил. Может, и видел, да из головы вылетело.

— Видел? — настойчиво повторила Клава.

Он кивнул. Будем считать, видел. Если что — найдет, не маленький.

— Вот и приходи... Один! Гроза ввечеру будет, так ты до нее, непременно до нее успей...

Про грозу она сказала с какой-то странной уверенностью. Кирилл прогноз на сегодня не слышал, если и вправду синоптики обещали вечером гром и молнию, — разве ж можно им стопроцентно доверять? Хотя Трофим говорил, что грозами Загривье славится...

Затем Кирилл понял, что прицепился мыслями к грозе по одной-единственной причине: его только что самым недвусмысленным образом пригласили на свидание, и надо на это как-то отреагировать... А он не знает — как.

Если Марина...

— Придешь?

Но почему так сложно: вечер, непонятный какой-то домик... Вроде они здесь одни, и вроде им никто не мешает... Кирилл смотрел на ее застиранное ситцевое платьице в нелепых цветочках, коротковатое и тесное, полное впечатление: увидев его в окно, Клава второпях накинула первое, что попалось под руку, — а попалась одежка, которую она носила лет в четырнадцать или в пятнадцать... Интересно, есть под ним что-нибудь или нет? Наверное, нет...

А ведь я хочу ее, понял Кирилл. Просто-напросто хочу...

— Придешь?

Странно... Полное впечатление — то, что предстоит вечером (если вообще предстоит...), для Клавы гораздо важнее того, что происходит здесь и сейчас. Впилась в лицо напряженным взглядом, покусывает губы, не отдавая себе в том отчета... Ждет ответа.

Губы влажные, яркие, ни следа помады... И вкус у них, наверное... Если Марина...

Клава все поняла, подалась к нему, и Кирилл едва успел быстро-быстро произнести:

— Приду!

Они целовались страстно, самозабвенно, и она без глупого жеманства не мешала его рукам делать всё, что хочется, а хотелось многого, очень многого, и коротенький ситцевый подол ничему бы не помешал, но Клава на миг отстранилась, решительно и быстро стянула платье через голову, и тут же откинулась на спину, на траву, увлекая Кирилла за собой...

Под платьем и в самом деле ничего не оказалось...

Из нижнего белья, разумеется.

2

— Ты приходи... вечером... Не забудь... Обязательно приходи... — голос Клавы звучал несколько прерывисто, дыхание до конца не восстановилось.

Понравилось? Ему, если честно, тоже... Еще как понравилось... Без Марининых изысков, но... как бы лучше сказать... *по-настоящему*, вот.

Девушка, застеснявшись взгляда Кирилла, устремленного на ее бюст (хотя теперь-то уж чего...), — села вполоборота, чуть отвернувшись, поджала колени, обхватила их руками, прижимая к груди...

Он смотрел на ее спину: там едва заметными красноватыми полосками отпечатались стебли травы, и прилип зеленый листок, наверное, тот, что она сорвала с ветки, сооружая свою импровизированную карту, — и эти отпечатки, и этот листок показались Кириллу такими трогательными, что захотелось обнять, прижаться, шептать на ухо что-то ласковое, что-то абсолютно бессмысленное и в то же время наполненное глубоким смыслом...

Если Марина...

Клава не совсем верно истолковала значение его взгляда, спросила тихо-тихо:

— Хочешь, я распущу волосы? — И, не дожидаясь ответа, подняла руки, выдернула шпильки, — до сих пор ее роскошная коса была уложена на затылке венцом, чуть сбившимся, чуть растрепавшимся...

Трогательный зеленый листок исчез под упавшей соломенно-рыжей волной, но Кирилл все равно подсел поближе, и обнял, и прижался, и шептал: ласковое, бессмысленное... — но наполненное глубоким смыслом, понятным лишь двоим во всей бескрайной Вселенной.

Потом они вновь целовались — так, словно ничего еще между ними не было, словно всё еще предстояло...

Потом...

Потом наваждение кончилось — то ли оттого, что Кирилл украдкой посмотрел на часы, то ли оттого, что в кустах неподалеку легонько зашуршала какая-то лесная зверушка, не то ежик, не то кто-то еще столь же мелкий...

Клава тем не менее бросила на кусты испуганный взгляд, поднялась на ноги. Платьице — скомканное, отброшенное — лежало неподалеку, и девушка торопливо натянула его... Кирилл вздохнул, провожая взглядом то, что исчезло под застиранным ситцем.

Затем, делать нечего, привел и себя в порядок, — подтянул джинсы да застегнул молнию.

Она опустилась рядом на колени, осторожно коснулась его щеки (Кирилл непонятно отчего смутился: ну да, щетина, ну да, двухдневная, — решил, что в Загривье можно пренебречь опостылевшим ежеутренним ритуалом). Клаву его небритость не отпугнула, и она произнесла задумчиво:

— Ты красивый...

Он смутился еще больше (Марина никогда не расточала похвал внешности мужа), хотел сделать какой-нибудь ответный комплимент, но искренний и не банальный в голову не приходил, и Кирилл так ничего и не сказал, она заговорила сама — быстро, жарко, сбивчиво: забери меня отсюда, забери, она ж тебя не любит, я ведь все видела, может и любила когда, но не теперь, забери, все исполню

РОДИТЕЛЬСКИЙ ДЕНЬ

что ни попросишь, рабой твоей буду, словом не попрекну никогда, что ни сделаешь, только забери, только увези, увези подальше, нельзя тут жить, и нигде так не живут, душно здесь, дышать нечем, я уж привыкла было, а тут ты... глянул, влюбил, — как петля с горла, снова не смогу, не вынесу, забери, увези, христом-богом прошу, твоей буду, пока не погонишь, на мужика чужого не взгляну, детей рожу, сколько захочешь; скажешь, дома сидеть буду, скажешь — работать пойду, только увези...

Кирилл слушал и отчего-то верил, верил каждому слову, и, когда Клава замолчала, представил на мгновение, что все так и есть: он возвращается с работы поздно вечером, и ему не надо опасливо думать, поверит ли жена чистой правде о навалившихся под конец рабочего дня делах, потому что он знает, что дома женщина, которая верит, любит и ждет, любит его одного, и любит *по-настоящему*, без всяких оговорок, без всяких психологических вывертов, без садомазоштучек... И в кроватках посапывают дети. Их дети.

А самое главное — он будет в доме хозяином. Хозяином. В доме. Он. В своем.

Все, что Кирилл успел представить за недолгие секунды после сбивчивой речи Клавы, ему понравилось...

— Забери меня... — сказала Клава тихо, с какой-то грустной безнадежностью, словно страстно желала поверить, что он согласится, — но ни на секунду не верила. Глаза ее поблескивали, наполнялись слезами.

Надо ответить, надо произнести одно слово... Коротенькое, маленькое, всего две буквы: «д» и «а»... И все в его жизни пойдет по-другому.

— Я дура, да?
— Все очень сложно... — промямлил Кирилл.

— Я дура... — повторила Клава жалобно. Не спросила. Констатировала факт.

И заплакала.

3

Время поджимало... Марина вполне могла уже проснуться и озадачиться вопросом: а где, собственно, ее муж? И чем занимается?

Но Кирилл все равно пошел с гривы кружным путем, через всю деревню. Надо немного остыть, проветриться... Казалось, что стоит лишь Маринке всмотреться в его сияющее лицо, подозрительно втянуть носом воздух (хотя никакой сильно пахнущей парфюмерией Клава не пользовалась) — и она поймет всё.

Я ничего о ней не знаю, размышлял Кирилл, шагая длинной загривской улицей (не о жене размышлял, естественно). Ничего, кроме одного: хочется быть рядом — и сейчас, и вообще... Возвращаться же в дом с высоченным крыльцом — не хочется. Неужели это та самая знаменитая «любовь с первого взгляда»?

А может быть, все гораздо проще? — спросил он себя в приступе внезапного скептицизма. Может, дело в том, что у тебя не осталось уже сил находиться рядом с Мариной? И Клава здесь ни при чем, на ее месте с тем же успехом могла оказаться любая другая, проявившая минимальную инициативу? (Сам он, пожалуй, после шести лет брака способность к каким-либо инициативам утерял начисто.)

Что, если всё обстоит именно так?

Он не знал...

Если Марина... Если Марина не беременна... — Кирилл так и не закончил эту свою мысль.

Остановился, чуть не доходя до магазина, — того самого, рядом с которым завершилась их вечерняя прогулка.

На куче бревен сидела личность — понурая и небритая. По виду — типичный алкаш, дожидающийся заветного часа. Вас удивило вчера отсутствие ханыг, Кирилл Владимирович? — получите и распишитесь.

Он вдруг вспомнил, что собирался навести справки у местных: нет ли еще каких наследников у дома, принадлежавшего покойному Викентию? — да так и не навел.

С тех пор многое изменилось, и многое обрело новый смысл. Он таки расспросит — этого алкаша, сейчас. Если ханыга ничего вразумительного не изречет, тем лучше. Кирилл истолкует пьяное бормотание в желательном для себя смысле. Если же окажется достаточно адекватен и опровергнет наличие левых наследников, тогда...

Тогда...

Тогда он соврет Маринке, черт побери! Он столько лет боялся (да! да! боялся!) лгать ей, что она поверит, обязательно поверит, не сумеет отличить правду от лжи...

Впрочем, что загадывать наперед. Возможно, ничего сочинять и не придется, может, с домом и впрямь не всё чисто, и они уедут из Загривья, отказавшись от покупки, Марина навсегда, а он... Он должен все-таки написать книгу про дивизию-призрак, и будет иногда выезжать сюда, на гриву, как когда-то на Карельский, — с палаткой и металлоискателем...

А в палатку будет приходить Клава. И всё ты затеваешь лишь для этого, — вклинился во внутренний монолог насмешливый голос здравого смысла.

Ну... да... Да! Ну и что?!

Он осторожно присел на бревна рядом с небритой личностью.

— В десять отопрут, сучары... — медленно и уныло сказала личность, словно бы и не Кириллу, словно бы адресуя свою тоску в мировое пространство, всей желающей посочувствовать галактике. — В десять... Стал быть, цельных восемь часов во рту ни капли... Сдохну.

Ни капли?? Хм...

Ну, значит, судя по амбре, доносящемуся от этого индивида, некогда он работал сцепщиком на узловой станции, и обнаружил бесхозную цистерну спирта, утерянную вследствие извечного российского разгильдяйства, и возликовал, и залез на нее с ведром, и провалился в люк, но не утонул, а упрямо плавал и пил, пил и плавал, пока цистерна не показала дно, а вода, из которой, как известно, на семьдесят процентов состоит любой человек, — не заменилась в данном отдельно взятом человеке целиком и полностью на этиловый спирт. Так он с тех пор и живет. Тем он с тех пор и пахнет.

У ног личности прикорнула маленькая кудлатая собачонка — и, казалось, тоже мучилась жесточайшим похмельем.

На вопрос о прочих родственниках Викентия — кроме живущего в Сланцах Николая — личность отреагировала так:

— Гы-ы... Глупый ты... Глу-пый. Молодой потому как... Тут чужих нас-лед-ни-ков не бывает. И не будет. Понял, нет? Вот и говорю — глупый... Свои тут все. Сво-и. Понял? И Никола сланцевский свой, хоть и живет на отшибе. Понял?

Кирилл смотрел на него с изумлением. Дух как из винной бочки — но ни язык, ни мысли не заплетаются... И во взгляде ни следа пьяненькой мутности.

— И чужих тут не будет, поня́л? Не бу-дет. И тебя, гы-ы, не будет... Разве тока своим станешь... Ты вот... — тут алкаш (алкаш ли?) прервался, наклонился к собачонке, отцепил запутавшийся в шерсти репей; жучка отреагировала индифферентно.
Продолжил:
— Ты вот Клавке Старицыной мозги́ замутил, так? Ну и бери ее, и живи, чего по кустам грешить? Своим будешь, поня́л?.. А кикиморы твоей не бойся расфуфыреной, мы своих в обиду не даем...
Как?!
Откуда?!
Нет, можно, наверное, было увидеть, как Клава поспешает за ним на гриву, но...
— Гы-ы... — Личность откровенно потешалась над его изумлением. А потом вдруг метнула колючий шарик — прямо в собеседника. Уверенным трезвым движением. Кирилл невольно опустил взгляд — и увидел на джинсах, между молнией и прицепившемся репьем, липкое пятно... Черт...
— Гы-ы-ы-ы... — лжеалкаш ржал уже в полный голос, глядя, как Кирилл лихорадочно счищает носовым платком предательскую улику. Не репей, понятное дело.
Ничего он не пил, окончательно уверился Кирилл. То-то алкогольный запах такой свежий, не перегоревший. Прополоскал рот да пролил на одежду... И не открытия магазина ждал здесь, на бревнах, — его, Кирилла. Чтобы сказать то, что сказал.
Но, как выяснилось, сказал не все, что хотел. Отготовал своё и продолжил задушевно:
— Ты вот за деньгой гонишься... Гонишься, не перечь, да и не грех молодому-то... Думаешь, в городе деньга? Гы-ы-ы... Здесь она, деньга-то... — Эти слова личность сопроводила двойным жестом — сначала хлопнула по своему засаленному ватнику

с обрезанными рукавами, затем показала куда-то в сторону гривы. — Поня́л, нет? Глу-пый...

Личность сунула руку за пазуху и небрежным жестом вынула здоровенный скомканый ворох купюр, самых разных: и червонцы, и полтинники, и сотни... Кирилл углядел и несколько пятихаток, и пару тысячных...

— Теперь поня́л? На болоте деньга-то лежит, тока взять сумей... Ты вот с машиной — покатай-ка по другим деревням, глянь, как там нонче... С десяток старух в лучшем разе копейки с пенсии до пенсии считает, стариков своих схоронимши, — а молодые тю-тю... А у нас, глянь-ка! Как люди живем, поня́л, нет?

Да что же скрывается там, в непроходимых трясинах Сычьего Мха? Кимберлитовая трубка? Ну-ну, и личности в засаленных ватниках с обрезанными рукавами втихую добывают из нее алмазы... Бред.

Денежный ком исчез там, откуда появился. Одна сотенная выпала, прокружилась в воздухе по замысловатой траектории, упала возле собачьей лапы. Владелица лапы этот факт проигнорировала. Равно как и личность...

Да что же столь ценное может оказаться на здешнем болоте? Кроме торфа, клюквы и мха? Болотный туф? Кирилл краем уха слышал, что этот мягкий и ноздреватый декоративный камень вновь вошел в последнее время в большую моду, но понятия не имел, насколько редки его месторождения и какие барыши может принести их нелегальная разработка...

А затем понял, что не стоит ломать голову. Он вновь, не заметив, шагнул за тонкую, невидимую грань, отделяющую кошмар от реальности... Взбесившиеся часы — смешная ерунда; воронка, полная раздробленных костей, — пустяк и мелочь... На сей раз встретился сам дьявол. Дьявол-искуситель в ватнике с обрезанными рукавами. И с набитым деньгами карманом. Ткните пальчиком в прайс-лист, Кирилл Владимирович, сколько стоит ваша бессмертная душенька?

— П-послушайте... — начал он, вставая с бревен, начал, не зная толком, что хочет сказать, пытаясь как-то найти, нащупать путь обратно, в нормальный реальный мир.

— Ут-томил... — сказала личность абсолютно пьяным голосом. И демонстративно икнула. — Домой... ик... иди... Ду-у-у-май...

— Но...

Личность смачно харкнула и затянула дурашливым пропитым голосом:

>   А я мила-а-а-а-а-ю
>   Узна-а-а-а-й-й-й-у-у-у
>   Да па пахо-о-одки-и-и-и-и...

Кирилл медленно пятился, задом отступая от бревен. Глупо поворачиваться спиной к дьяволу...

Потом все-таки развернулся и быстро пошел, чуть ли не побежал, по пустынной деревенской улице... Следом летели слова дурацкой песни. Почему никого не видно? Ведь еще три часа назад народу хватало...

Почему, почему... Угодив в кошмар, не задавай глупых вопросов. Лучше подумай, где на этот раз проснешься...

Он не проснулся. Так и дошагал до дома с высоченным крыльцом. Шестнадцать ступеней громко скрипели под ногами — каждая своим особенным звуком. Странно, ни вчера, ни сегодня Кирилл этого не заметил...

Отчаянно хотелось выпить водки.

Много.

Выпить и провалиться в черную бездонную яму сна без сновидений.

ТРИАДА ДВЕНАДЦАТАЯ
НАГЛЯДНАЯ ИЛЛЮСТРАЦИЯ
К ДЕМОГРАФИЧЕСКОЙ ПРОБЛЕМЕ

1

Марине приспичило перед обедом искупаться. Свое желание она мотивировала незатейливо: надо же разведать, есть ли в округе подходящие водоемы, — скоро наступит удушливая июльская жара, и знание это не раз пригодится.

Кирилл вздохнул, поплелся к машине за картой-километровкой. Ему лично уже ничего не хотелось. Вообще. Даже лечь и поспать, несмотря на дремотное отупение, не хотелось. Дома поспит, двух последних экспериментов более чем достаточно... Не так давно у него мелькнула обнадеживающая догадка: может, мрачная здешняя аура целиком и полностью им выдумана? Марина-то спала в Загривье младенческим сном и никаких кошмаров не видела. Что за странная избирательность? Все может оказаться гораздо проще: причиной мерзких сновидений стала травма головы. Удар о ветровое стекло. Мозг — штука тонкая, к внешним воздействиям чувствительная... Вот рассосется шишка на голове, и все закончится, и будет он ездить сюда спокойно, облазает всю гриву, не шарахаясь от каждой тени и шороха, и напишет книгу, увлекательную, сенсационную, и...

Сам-то веришь? — спросил он у себя. И побоялся себе ответить.

— Кирюси-и-и-и-к! Ты не забыл, за чем пошел?!

Тьфу ты... Он понял, что стоит возле «пятерки» с ключами в руках, и в самом деле позабыв, куда и зачем направлялся.

— Ну как? — спросила Марина, когда Кирилл вернулся в дом с картой в руках. — Красивая у тебя жена?

И приняла особо эффектную позу. Вот оно что... Ларчик просто открывался. Новый купальник... А то: разведать водоемы, июльская жара...

— Бесподобная! — сказал он. И подумал про Клаву.

А ведь это первая его измена за шесть лет супружества. Если, конечно, не считать того, что произошло между ним и Калишей...

...Потом он не мог вспомнить, зачем пошел тогда в ванную комнату, да и неважно... Калиша зашла следом, он удивленно обернулся. Она положила Кириллу руки на плечи, уставилась своими темными, птичьими глазами — как бы *сквозь* него, куда-то далеко-далеко, произнесла со значением: «Ты — черный кшатрий!», и тут же опустилась на колени. Расстегивала его ремень и молнию на брюках спокойно, деловито, без малейшего стеснения, без попытки что-то еще объяснить, — словно именно так и надлежало поступать с кшатриями. Особенно с черными. Чуть позже он, опустив глаза, смотрел на ее мерно двигающуюся взад-вперед голову и чувствовал себя не то чтобы полным дураком, — но идолом, истуканом, используемым для совершения неведомого ритуала. Что, впрочем, не помешало ритуалу закончиться вполне предсказуемо, — и лишь тогда Кирилл вспомнил, что они даже не заперли дверь на задвижку...

— Так мы едем купаться? — спросила Марина. Спросила неприятным, капризным голосом... или так лишь показалось Кириллу.

— Некуда ехать, — сказал он после изучения карты. — Пешком быстрее.

И в самом деле, до берега Луги по прямой не более десятка километров, но дороги туда нет — придется дальним объездом огибать Сычий Мох, выруливать на Гдовское шоссе, катить по нему пятнадцать верст в сторону Кингисеппа, вновь поворачивать на восток... Не вариант.

Есть неподалеку два озерца, но добираться к ним надо через трясины... Опять мимо.

И лишь на синей ниточке, изображающей речушку со смешным названием Рыбёшка, Кирилл углядел значок, коим топографы обозначают плотины и дамбы. Невдалеке, не больше пары километров, дороги нет, но какая-никакая тропа отыщется... Полчаса ходьбы, отчего бы и не прогуляться.

И они пошли не то к плотине, не то к дамбе.

Но по пути угодили на местное кладбище, никак на карте не обозначенное...

2

Кладбище располагалось в достаточно обширной низине. И открылось взгляду вдруг, все разом, едва дорожка — ведущая, как полагал Кирилл, к плотине, — перевалила через невысокий холм. Отчего-то деревья здесь не росли (почва, что ли, такая? или специально вырубают?), равно как и высокие густые кустарники, — и погост просматривался целиком, от края до края.

Делать нечего, придется его пересечь — справа и слева какие-то буераки, густо поросшие диким малинником. А их одежда, выбранная для похода на пляж, — коротенький сарафан Марины, шорты и футболка Кирилла — никак к прогулкам сквозь колючие кусты не располагает. Отсюда, с холма, видно: дорожка проходит насквозь и продолжается за кладбищем — и, хочется надеяться, все-таки выводит к речке.

Кирилл не помнил, доводилось ли ему бывать в таких вот деревенских местах вечного упокоения. Может быть, в детстве, на похоронах дальних родственников... Не помнил. Но мельком, из окна проезжающей мимо машины, или электрички, или автобуса, — видел не раз... Достаточно, чтобы сообразить: что-то с этим погостом не так...

Во-первых, очень уж велик...

Он прикинул на глаз протяженность кладбища, сравнил с размерами обнесенных низенькими оградками участков... Грубо говоря, в глубину участков поместится сотня, в ширину — сотни полторы, перемножить... Однако... Как ни округляй в меньшую сторону, как ни делай скидки на проходы между могилами, на пустующие участки, — тысяч десять тут похоронено.

Ого... Пожалуй, Рябцев, говоря о двадцати тысячах мертвецов, — приуменьшил цифру. Если, конечно, неподалеку и в самом деле полегла целая дивизия.

А в Загривье, навскидку, — нет и сотни домов. Ладно, пусть сотня — со всеми заколоченными, со всеми сгоревшими — жили когда-то люди, значит, и умирали... Допустим, в самые лучшие времена — в среднем пять человек на дом. Итого пятьсот. Замечательно. Поколения сменяются с периодичностью в двадцать пять лет... За век никак больше двух тысяч потенциальных покойников не набирается... А дольше ста лет, как ни прискорбно, такие могилки не сохраняются, приходят в запустение, исчезают... Явная нестыковка в цифрах.

Впрочем, Кирилл готов был допустить, что глазомер у него отвратительный и с размерами погоста он безбожно ошибся. Или что здесь хоронили своих мертвецов жители соседних, канувших в войну деревень, — маловероятно, но вдруг. Или что загривцы (или загривчане?) проявляют небывалую заботу о могилках умерших много поколений назад предков...

Пусть так.

Но вторую странность кладбища это никак не объясняет — невероятное однообразие могил. Ни единого могильного камня или памятника, пусть самого захудалого. Ни единой сваренной из листового железа пирамидки со звездой на вершине. Кресты, кресты, кресты, кресты... Все, как один, деревянные. Не совсем идентичные, несколько разнятся габаритами, толщиной дерева. Но явно выполнены по одному типовому проекту: большая поперечная перекладина, выше и ниже — две меньших, причем нижняя наклонная. Вроде бы так и должно быть. Но зачем на концах той, большой, — приколочены еще две поперечных палки? Есть ли такой вид креста в православных канонах? Кирилл не знал...

Они подошли ближе, к самой внешней ограде погоста, и Кирилл на время перестал размышлять о кладбищенских странностях.

На кладбище были люди.

Много людей.

Мужчины, женщины, даже подростки хлопотали на могилах, — все в строгих темных одеждах. Черт, да здесь почти все нынешнее население Загривья! Вот он какой, родительский день...

Ему стало неимоверно стыдно — за цветастый сарафан Марины, за свою яркую футболку...

— Может, не стоит? — негромко сказал Кирилл. — Тут — так вот...

Получилось не слишком внятно, но она поняла.

— Ничего, мы быстренько пройдем, не будем отсвечивать.

Что-то объяснять и к чему-то апеллировать бесполезно...

Кирилл прикусил губу. Прав, прав был Рябцев — прогнать не прогонят, но посмотрят косо. Еще как косо...

А вот, кстати, и он... Легок на помине. Стоит неподалеку от входа и о чем-то говорит с другим знакомым персонажем — с Трофимом Лихоедовым. Кириллу показалось, что односельчане о чем-то спорят, — причем, судя по экспрессивным жестам Трофима, на повышенных тонах.

Но едва они с Мариной оказались среди могил, спор прекратился. Кирилл издалека кивнул обоим — Трофим осклабился, помахал рукой. Рябцев никак на приветствие не ответил. Более того, подойдя ближе, Кирилл разглядел: смотрит Петр Иванович на них неприязненно... И с некоей досадой — будто именно несвоевременное появление приезжей парочки помешало одержать победу в каком-то важном споре...

На Марину тоже произвело впечатление соотношение числа мертвецов к числу живущих в Загривье. Сказала тихонько:

— Мамочки, сколько ж их тут лежит... Страшный праздник какой-то...

Кирилл решил не усугублять ее настрой, озвучивая свои арифметические выкладки. Сказал тоже тихо, но преувеличенно бодрым тоном:

— А что бы ты хотела? Мертвых всегда больше, чем живых. Потому что живые постоянно мрут, а мертвые никогда не воскресают. И вот тебе иллюстрация к этому демографическому факту.

Они шли через кладбище, и Кириллу казалось, что все присутствующие — искоса, не демонстративно — смотрят на них. Осуждающе. Неприятное чувство — примерно как невзначай очутиться голышом в самом центре Красной площади...

Но что уж теперь... Остается одно — побыстрее уйти и не мешать людям заниматься делом.

А занимались загривцы одним и тем же... Не прибирались на могилках — все и без того на диво ухоженные. Нет, раскладывали что-то на маленьких столиках, имевшихся возле каждого креста. И не пропускали ни одного... Ни одного.

Кирилл пригляделся к ближайшим: везде один и тот же натюрморт — пластиковый одноразовый стаканчик и маленький бутербродик, не то с колбасой, не то с ветчиной, отсюда не разглядеть.

Причем налита в стаканы не водка, как обычно принято в таких случаях к вящей радости пасущихся при кладбищах ханыг. Густая темная жидкость... Неужели сок? Точно, томатный сок... Хм-м-м... К этому напитку после происшествия на лесной дороге Кирилл испытывал явное предубеждение.

— Кира, ты посмотри... — свистящим шепотом сказала вдруг Марина, когда они преодолели половину пути через кладбище.

Он посмотрел и ничего не понял. Ну, тетка раскладывает на могиле все тот же стандартный набор, наливает сок из большой оплетенной бутыли, когда-то очень давно завозили в таких вино из Болгарии... Не повод, чтобы щипать мужа за руку, синяк же останется...

— Да смотри же!! — повторила она зло, досадливо. Шагнула назад, с силой пригнула его голову — примерно туда, откуда только что смотрела сама.

Лишь тогда он увидел...

Внутри могильной ограды стояла высокая сумка, — очевидно, с бутербродно-томатными припасами. И, так уж получилось, закрывала нижнюю часть креста. А верхняя... да, никаких сомнений: в этом ракурсе — самая настоящая свастика!

Кирилл сделал шаг в сторону — впечатление тут же разрушилось, крест как крест, немного необычной формы... Он вспомнил книжку со странными картинками, подаренную ему в детстве, — вроде бы на листе лишь хаотичное скопище цветных пятнышек, но стоит вглядеться, настроить глаз нужным образом — проступает рисунок...

И его глаз, спасибо Марине, *настроился*... Кирилл медленно-медленно поворачивался вокруг себя, только сейчас осознав третью странность кладбища: бесконечные кресты никак не ориентированы по сторонам света, развернуты каждый по-своему, абсолютно бессистемно...

Бессистемно, да не совсем — в каком направлении ни посмотри, перед глазами хотя бы одна свастика. А то и две-три... Сместишь взгляд на несколько градусов — те свастики исчезают, но словно бы из ниоткуда возникают новые...

Марина головой по сторонам не вертела. Шагнула к ближайшей могилке, внимательно изучила бутерброд и стаканчик... Вернулась и произнесла убитым голосом:

— Кира... Это не ветчина... Мясо... СЫРОЕ мясо... А сок — не сок... Пойдем отсюда скорее!

Кирилл не спросил: «не сок — а что?», сам догадался...

Он говорил, не понимая, кого больше хочет успокоить, жену или самого себя:

— Ну, раз только что забой свиней был, не пропадать же добру... Могил-то сколько, никакой водки и колбасы не напасешься...

Марина, кажется, не слышала его слов и все больше ускоряла шаг.

К выходу с кладбища они почти бежали.

3

Похоже, шли они уже не к речке... Куда глядят глаза, куда несут ноги, куда ведет тропинка. Лишь бы подальше от кладбища.

— Они психи, Кира, — горячо говорила Марина. — Самые сумасшедшие психи. Они свихнулись среди двадцати тысяч трупов, понимаешь? СВИХ-НУ-ЛИСЬ. Они поминают родителей кровью и сырым мясом среди фашистских крестов, а потом устраивают танцы под дикую музыку... Они складывают свои зубы в коробочки... Они делают отбивные из крыс... А может, не только из крыс... Ты уверен, что мы ели вчера свинину!? УВЕРЕН?!

Она почти кричала...

Какие зубы? Какая музыка? — Кирилл ничего не понял, попросил объяснить. Попросил намеренно спокойным, ровным тоном. Марина рассказала про свои находки в старом доме — с теми же истеричными нотками.

Марина и истерика... Чудеса. Как ни странно, сам Кирилл отнесся к происшествию на погосте с неким злорадным удовлетворением: ага! Вот и тебя проняло, дорогая! После встречи с дьяволом глупо бояться налитой в одноразовые стаканчики свиной крови. Свиной, Марина Викторовна, свиной, — мадам Брошкина, чья голова лежит сейчас в холодильнике «Самарканд», принадлежала к семейству парнокопытных, невзирая на несколько неординарную для означенного семейства кличку. И не надо намекать, что мы ели отбивные не из свинины...

Но складывается все удачно: супруга в таком состоянии, что с радостью, без малейшего сомнения воспримет любую ложь Кирилла. Ухватится за предлог, позволяющий отказаться от покупки...

Лгать не потребовалось.

— Мы не будем здесь жить, Кира, — сказала Марина тоном, исключающим какую-либо дискуссию. — Я, по крайней мере, точно не буду.

Она замолчала, и молчала почти до самого берега речки Рыбёшки.

...Обозначенная на карте плотина на деле оказалась деревянно-земляной запрудой давным-давно разрушенной водяной мельницы. Запруда тоже пребывала не в лучшем виде — Рыбёшка беспрепятственно протекала сквозь огромную прореху, никакой более-менее приличной акватории выше по течению не наблюдалось: бывшее дно бывшего мельничного пруда заросло кустарником и осокой...

И все же они нашли, где искупаться. Отправились обратно другой дорогой, по берегу в обход кладбища, — и совершенно случайно натолкнулись на мини-пляжик: небольшая самодельная плотинка, выложенная из камня-плитняка, подпирала воду в круглом омутке не более десятка метров в диаметре. Песчаное дно, песчаный откос берега, следы костерка, чуть в стороне — аккуратно сложенная кучка пустых пивных бутылок, с дерева на другом берегу свешивается «тарзанка»... Обжитое, в общем, местечко.

Марина к тому времени несколько оправилась от впечатлений, полученных на погосте: постепенно начала отвечать на реплики пытавшегося разговорить ее Кирилла, сначала мрачно, односложно, потом все более оживленно, даже пошутила пару раз... На лицо вернулся румянец.

Но, видимо, купаться ей расхотелось — снимала сарафан без малейшего энтузиазма. Однако сняла — принятые один раз решения она пересматривала лишь при исключительных обстоятельствах. Как в вопросе покупки дома, например.

Место красивое... А Марина в новом купальнике выглядит как топ-модель на рекламной картинке... Плавки-стринги ярчайшей расцветки (Кирилл не знал, можно ли называть плавки стрингами, но какая разница) — плавки лишь приковывают внимание к тому, что им теоретически надлежит скрывать. С бюстгальтером та же история — прикрывает несколько большую площадь тела, но настолько тонок и эластичен, что...

...Что ни малейшего возбуждения Кирилл не почувствовал, глядя на рельефно проступающие сквозь невесомую ткань соски. Вместо этого вдруг зримо представил Клаву: как она скидывает свое нелепое ситцевое платьице, а под ним опять ничего, — и бежит к воде, и бросается в нее, вздымая бриллиантовые фонтаны брызг, и смеется *настоящим* смехом, — а следом он, Кирилл, хохоча во все горло, — и ему хорошо.

Марина спустилась по невысокому и пологому песчаному откосику, вытянула ногу, осторожно коснулась воды...

Если она не беременна, то... — подумал он, глядя на осиную талию супруги. И наконец-таки закончил мысль, давно вертевшуюся в голове, закончил с испугавшей самого решимостью: *то я с ней разведусь*.

Ну что же, слово сказано... Пусть и мысленно.

Мгновения решимости длились недолго. Оборвал их внутренний голос, столь похожий на Маринин.

А если беременна? — ехидно спросила Марина-в-голове, и Кирилл не нашелся с ответом...

— Кирю-у-у-унчик! *(Ага, раз Кирюнчик вместо Киры или Кирюши — благоверная снова в прежней боевой форме, определить ее настрой по обращению к мужу легче легкого...)* Ты чего? Вдруг на меня нападет зеленый злой крокодил? Давай скорее в воду!

Кириллу было все равно. Крокодил так крокодил. Зеленый так зеленый. Но проще окунуться, чем объяснять, почему да отчего не хочется. Снимая джинсы, он нащупал в кармане какой-то небольшой предмет, удивленно достал...

На ладони лежал...

На ладони лежал зеленый...

(Ох, да полно вам, откуда ж крокодилы в наших широтах, тем более в карманах... Да и не такой уж зеленый — позеленевший, окислившийся.)

...патрон от русской трехлинейки, много-много лет назад давшей осечку, — капсюль пробит, но пуля на месте.

Патрон из пригрезившегося кошмара.

КЛЮЧ ЧЕТВЕРТЫЙ
НЕ ВЕДАЕТ ДУША, ГДЕ РАССТАНЕТСЯ С ТЕЛОМ

ТРИАДА ТРИНАДЦАТАЯ
ИЗУЧАЙТЕ МАТЧАСТЬ, ГОСПОДА КАДЕТЫ, В ЖИЗНИ ПРИГОДИТСЯ

1

Трофим Лихоедов уже успел вернуться с кладбища.

— Так это... ключи, значит, обратно вернуть? — спросил он и ощерил свои гнилые зубы в ехидной улыбке.

Вернее сказать, ехидной она показалась Кириллу, которому сейчас было не до смеха.

— Пока еще нет... У нас проблема, машина не заводится. Есть тут у вас кто-нибудь, кто разбирается в двигателях?

Да, все именно так и произошло. Вернувшись с речки, они быстренько пообедали остатками вчерашнего роскошного ужина. Снесли в машину заранее собранные вещи, благо было их чуть, достали из «Самарканда» и уложили в багажник голову мадам Брошкиной, заперли все замки... А «пятерка» не завелась.

За рулем сидел Кирилл, и Марина смотрела на его действия подозрительно, словно собиралась изобличить в тайном саботаже и злостном вредительстве. Потом не выдержала, сама уселась на водительское место. Эффект от рокировки оказался нулевым: стартер исправно крутился, но двигатель, как говорят в таких случаях, даже не схватывался. Не чихнул, не фыркнул...

Марина прекратила свои попытки, сообразив, что сейчас окончательно разрядит аккумулятор и на этом все закончится. Сидела, зло поглядывая на мужа: вот, дескать, загубила лучшие годы жизни, связавшись с уродом, ничего не понимающим в двигателях внутреннего сгорания, — за что теперь и расплачивается...

Ну да, не понимал... Невозможно знать всё на свете. Да и прошли совковские времена, когда уважающий себя мужчина воленс-ноленс должен был уметь всё: сменить прокладку в кране и починить утюг, остеклить окно и прочистить засорившийся карбюратор. Ныне, по счастью, появилось достаточно возможностей зарабатывать хорошие деньги и приглашать для решения каждой конкретной проблемы специалистов-профессионалов.

К сожалению, Загривье не город, где автосервисы на каждом шагу — плюнь с закрытыми глазами и не промахнешься.

Но кто же ожидал такого поворота событий? Новенькая машина, по мнению Кирилла, никак не должна была вдруг, без всяких предшествующих симптомов, взять да и сломаться. Однако вот взяла и сломалась...

— Может быть, ты все-таки что-нибудь сделаешь? — осведомилась Марина неприятным голосом.

И Кирилл поплелся что-нибудь делать. К дому Лихоедовых.

Вникнув в суть проблемы, Трофим пояснил: ремонтников-самоучек в Загривье полным-полно. Да хоть его взять, к примеру: мотороллер надысь поломался, так что? — стукнул три разá кувалдой, и готово. А в городе сколько б за такой ремонт слупили? То-то и оно. Пошли, глянем, что у вас там. Кирилл осторожно осведомился: а профессиональных мастеров нет? Перспектива починки новой машины с помощью лихоедовской кувалды как-то не вдохновляла. Трофим не стал артачиться и настаивать на своей кандидатуре: есть и такие, чего б не быть... Вернее, один такой, — Толян Форносов, чуть не двадцать лет отпахавший автослесарем при гараже совхоза, а затем и АО. Починит все, что хоть теоретически способно ездить. Что не способно — починит тоже, но возьмет подороже. Друганы опять же они с Толяном — не откажется и в выходной помочь. Устроит?

Пошли за Толяном. Шагать пришлось через половину Загривья — и впустую. Толян, как выяснилось, праздновал родительский день, — у свояка, на другом конце деревни. Пошли туда...

Опасения Кирилла, что хорошенько напраздновавшийся загривский Левша окажется не в состоянии отличить ключ от отвертки, не оправдались. Нет, конечно, принял на грудь Толян уже немало, но оставался вполне дееспособен. Сказывалась полученная в гараже пролетарская закалка, не иначе.

Беда в другом: от выпитого Толян Форносов преисполнился беспричинной веселости и любви ко всем на свете. И при появлении на горизонте Кирилла и Трофима попытался ту любовь немедленно реализовать. Как именно? А вот попробуйте-ка догадаться... Ну да, совершенно верно, — путем вливания в дорогих гостей напитков домашнего производства и повышенной градусности...

Лихоедов, не чинясь, опрокинул стаканчик. Кирилл поначалу отнекивался: Маринка наверняка уже осатанела от долгого ожидания, учует — мало не покажется. Затем сообразил: не уважишь Толяна, и он тебя не уважит, со всеми вытекающими последствиями. Глотнул обжигающую жидкость, зажевал маринованным грибочком...

Наконец, уже втроем, потянулись к дому Викентия. Время, после всех хождений и разговоров, близилось к пяти...

Кирилл понял: какое там «после обеда», уедут они из Загривья лишь вечером.

В самом лучшем случае...

2

— Трамблер ёк! — разогнувшись, сообщил Толян Форносов.

Судя по тону и улыбке, более радостного события в его долгой карьере автомеханика не случалось.

— Что значит ёк? — переспросил Кирилл.

Он и сам догадывался — в машине что-то «ёк», вопрос в другом: сколько времени займет и сколько будет стоить починка.

— То и значит — ёк! Менять надо! — еще более жизнерадостно поведал Толян. — Нешто еще не ломался? У пятерочки трамблер... хы, одно название. Херня, а не трамблер, вот чего я тебе скажу.

— Нет, первый раз такое... — растерянно произнесла Марина.

— Первый раз — еще не пидарас! — Толян обвел взглядом присутствующих: все ли по достоинству оценили шутку юмора? И расхохотался. Махнул рукой Лихоедову:

— Эх, наливай, Троша! За трамблер, едрёнмать, щоб не ломался, значит! — Прихваченная от свояка бутылочка живительной влаги явно не давала покоя доморощенному Кулибину — еще по дороге сюда дважды пытался настоять на незамедлительном продолжении банкета...

— Подождите, подождите... — сказал Кирилл. — У вас есть этот самый трамблер? Можете его установить? И во сколько обойдется замена?

Он мог бы заподозрить, что Толян бессовестно раздувает масштабы проблемы с целью хорошенько пощипать городских лохов, что на самом деле способность «пятерки» к самостоятельному передвижению можно восстановить путем недолгих манипуляций ключом или отверткой...

Однако не заподозрил. Ни на секунду не усомнился...

Дело в том, что когда они с Мариной пригнали машину на обязательное ТО после первых двух тысяч пробега, в автосервисе им сказали то же самое: ВАЗ-2105 для своей цены модель, в общем-то, неплохая; но ее распределение зажигания — позор для всего вазовского семейства. И умные люди, во избежание непредвиденностей, сразу же меняют родной трамблер на аналогичное устройство от «девятки». Впрочем, до холодов может пробе́гать. А потом все равно приедете сюда, именно с этой проблемой... Хорошо, если не на буксире.

Не пробе́гала...

РОДИТЕЛЬСКИЙ ДЕНЬ

— Где ж я тебе его возьму, трамблер-то? — Толян уставился на Кирилла с искренним недоумением, как будто тот пожелал по меньшей мере Луну с неба. — С трактора, штоль, свинчу? Езжай завтра поутряни в Сланцы. Привезешь — поставлю, делов-то... Казенной бутылек выкатишь — и поставлю в лучшем виде.

Ситуация... Завтра с утра Кирилл должен быть в офисе, понедельник — день тяжелый, продлить уик-энд еще на сутки никак нельзя. Нет, по большой беде можно, конечно, позвонить начальству со здешнего «Алтая», все объяснить... Но лучше бы обойтись без этого.

— Говорила я тебе... — процедила Марина. — Сразу менять надо было!

А вот это уже наглая инсинуация. Ведь что она говорила? — в автосервисах, дескать, те еще стервятники, ради лишней сотни и не такое расскажут... С какой стати заменять не сломавшуюся, новенькую деталь на новеньком автомобиле?

Кирилл не стал восстанавливать историческую справедливость, чего уж теперь...

Гораздо важнее попытаться как-то решить проблему.

3

Проблема им попалась злокозненная — упорно не желала решаться.

Первый вариант, пришедший в голову Кириллу: свинтить бэушный трамблер у кого-нибудь из здешних «жигулистов» (за хорошие деньги или за клятвенное обещание привезти новый) — отпал по техническим причинам. Нет, дескать, здесь ни у кого тольяттинских лошадок... Как нет? А вот так, была старая «семерка» у Вовки Цыгунова, но продал прошлым летом. Это сейчас лафа, а покатайся-ка по нашим проселкам весной да осенью... Другой транспорт нужен.

Вариант номер два: использовать пресловутый другой транспорт для доставки их с Мариной в Кингисепп, на автобусную станцию. Не бесплатно, понятное дело. (Кирилл надеялся: авось не раскулачат на запчасти «пятерку», оставленную на пару дней без присмотра...)

Тоже не сложилось — но в дело уже вступил сугубо человеческий фактор. Родительский ж день, понимать надо! Сколько сейчас за пьяное вождение берут, не напомнишь? Самим за руль, а хозяин рядом? А обратно как? Да и вообще, ты хоть раз за баранку «зилка» или «уазика» держался? Вот то-то... Ладно, так и быть — до Гдовского шоссе. А там уж попутки случаются... Иногда.

Кирилл призадумался... Гдовское шоссе — магистраль далеко не оживленная. Между Сланцами и Кингисеппом — полсотни километров, но всего две деревни: Медвежок да Черновское... А на остальном протяжении — лес, лес, лес... И они будут стоять среди этого леса в сгущающейся темноте, поджидая попутку. Там и субботним-то утром машины не изобиловали... Да и далеко не всякий водитель остановится — в глухих безлюдных местах инстинкт самосохранения порой сильнее жажды наживы...

В общем, третий вариант, предложенный Толяном, тоже не прокатил...

Лихоедов вообще не понимал, в чем трудность:

— Так ночуйте ж, делов-то... Никола про два дня говорил, да што уж, коли дело такое...

Марина готова была согласиться на еще одну ночь в Загривье. А ее муж — нет. Ну как снова. Он уже настроился спать в Питере, спокойно, без кошмаров. И, отозвав супругу в сторону, Кирилл весьма сильно преувеличил служебные неприятности, грозящие в случае прогула... В конце концов, какая-нибудь машина да остановится.

Вернулся к Толяну и Лихоедову: уговорили, до шоссе так до шоссе.

Однако, как выяснилось, у тех родилась тем временем новая идея, комбинированная: есть, мол, у Толяна друг-приятель в Сланцах, тоже автомеханик, кустарь-одиночка с мотором. У него-то в гараже трамблер точно найдется. Возможно, согласится подвезти потребную запчасть двадцать километров по Гдовскому, до поворота на Загривье, — а туда, как известно, и вечером родительского дня смотаться не грех. Устраивает?

Кирилл выразил сомнение: а будет ли к тому времени Толян способен к трудовой деятельности?

Форносов возмутился: да он, да ему... Да отрубите ему руки, да выколите ему глаза, — он вам вслепую пальцами ног новый трамблер поставит, сколько там ни выпито! Трофим скупо подтвердил: поставит. Мастерство не пропьешь.

Потом они долго дозванивались в Сланцы по лихоедовскому «Алтаю». Дозвонились, договорились, — друг-приятель оказался не прочь зашибить пару лишних сотен, прокатившись до поворота. Плюс цена трамблера, разумеется. Условились о времени рандеву: десять вечера, до того у кустаря с мотором обнаружились какие-то неотложные дела...

Со вторым пунктом плана пришлось провозиться дольше: очередь из желающих оторваться от праздничного стола ради поездки к шоссе не выстроилась... Со скрипом уломали Генаху, оставшегося для Кирилла бесфамильным, — того самого рыжего парня, что пропылил на ЗИЛе мимо их «пятерки», сбившей лисицу.

Генаха от возможности заработать ни малейшей радости не выказал и потребовал деньги вперед. Кирилл понял: придется ехать с ним. А то вернется, скажет, что никого не дождался, — и поди проверь, ездил или нет.

Получалось, что из Загривья они выберутся незадолго до полуночи...

Или чуть позже — если Толян слегка переоценивает свое умение ставить пальцами ног трамблеры.

ТРИАДА ЧЕТЫРНАДЦАТАЯ
БЕСКОРЫСТНЫЕ ДЕРЕВЕНСКИЕ ШУТКИ

1

Гроза, о которой столь уверенно говорила утром Клава, и в самом деле надвигалась на Загривье: с запада наползал плотный строй темных, угрюмо-свинцовых туч.

Стемнело необычайно рано — вчера в это время, около девяти вечера, было еще светло. Ветер стих — деревья стояли безмолвными призраками, ни один листок не шелохнется. Воздух казался пропитанным электричеством. Все живое затихло, притаилось: в ветвях не перекликались птицы, на лугах смолкло бесконечное стрекотанье кузнечиков. Дышалось тяжело...

Близящееся ненастье угнетающе подействовало и на рыжего Генаху. А может, он и по жизни был нелюдимым и молчаливым парнем.

Так или иначе, с Кириллом водитель (и, как оказалось, — владелец) старого ЗИЛа общаться не пожелал: попытки завязать разговор проигнорировал, а на пару прямых вопросов ответил маловразумительными междометиями.

Ну и черт с ним... Проделать сорок пять километров туда и сорок пять обратно с угрюмо молчащим спутником — удовольствие маленькое, но как-нибудь уж Кирилл потерпит. Лишь бы добраться до шоссе и получить вожделенный трамблер...

Спиртным от Гены и на самом деле попахивало — не так уж и сильно, опрокинул парень сегодня одну-две рюмки, не больше. Но вел себя как-то нервно: вертел головой во все стороны, бросал тревожные взгляды в зеркало заднего вида, один раз даже притормозил, несколько секунд напряженно всматривался куда-то вперед, в густеющие сумерки, — потом облегченно вздохнул и тронул ЗИЛ с места. Кирилл пожал плечами: он тоже посмотрел туда, но ничего подозрительного не увидел. Возможно, Генаха уже лишался прав по пьянке — и теперь ему, как той пуганой вороне, повсюду чудятся засевшие в кустах инспектора...

Когда Геннадий вставил в магнитолу кассету, Кирилл было обрадовался: все-таки какое-то развлечение. Поспешил: кабина наполнилась мерзкими звуками. Визжащими, скрипящими, свистящими...

Кирилл не сразу, но сообразил: так это же Маринкина «психоделика»! Он поморщился, несколько демонстративно. Генаха намек проигнорировал. Более того, вновь бросил тревожный взгляд в зеркало заднего вида, — и прибавил громкость. Тут уж его пассажир не выдержал и высказал свое мнение о звучащем саунд-треке. Геннадий в ответ разродился фразой, рекордной по длине и содержательности:

— Не нравится — пешком ходи.

Они все психи, сказала сегодня Марина, самые сумасшедшие психи, они поминают родителей кровью и устраивают танцы под дикую музыку... Может, и так, но просматривается в здешнем сумасшествии система и логика... Не очень понятная со стороны логика, но... Кирилл вдруг подумал, что *знает*, зачем Рябцеву усилители и динамики: чтобы, ха-ха, слушать музыку, зачем же еще? Слушать так уж слушать, везде и всем, — в каждом доме Загривья, и в окрестных полях, и на уставленном свастиками кладбище... И на болоте Сычий Мох, если кто-то отправился туда с корзинкой собирать «деньгу»... Не таскать же с собой плеер, если вдруг захочется потанцевать на болоте? Концерт по заявкам своих, скажет в микрофон Рябцев, прежде чем дернуть большой рубильник, а чужих нам тут не надо, чужие идут пешком восвояси... Музыка у нас психоделическая — делает психов, ха-ха, качество гарантировано! Сойди с ума — и станешь своим, понял, нет? И тоже пойдешь на болото с большой такой корзинкой... С двухведерной. За деньгой.

ЗИЛ остановился. Генаха матернулся. Магнитола стонала, визжала и скрипела. У Кирилла появилось нехорошее предчувствие...

Двигатель работал странно — то взвывал, перекрывая «музыку», то сбрасывал обороты, чуть не глох. Гена, ничего не сказав, распахнул бардачок, что-то схватил из него (Кирилл не успел разглядеть, что именно), выскочил из кабины. Через секунду лязгнула поднимаемая крышка капота.

Да что ж за день сегодня такой, фатальный для автотехники? А вот такой... Родительский...

Ничего, утешал себя Кирилл, все-таки не заглохли мертво, как «пятерка»... Коли уж Геннадий успешно раскатывает на древнем драндулете, должен знать его как свои пять пальцев, сейчас что-нибудь подтянет-подкрутит... Запас времени есть, успеют.

Остановились они у самой границы полей и леса — дорога делала здесь поворот и исчезала среди деревьев. От Загривья километров восемь или десять, до выезда на шоссе — больше тридцати. Успеют...

Но секунды капали, неумолимо съедая запас времени. Геннадий не возвращался, и все его усилия каких-либо изменений в работу двигателя не вносили. Ладно хоть идиотская запись закончилась, и Кирилл, естественно, не стал переворачивать кассету.

Измучившись бесплодным ожиданием, он открыл дверцу, вылез из кабины... Гена в прямом смысле слова ушел в работу с головой, причем трудился методом Толяна Форносова — вслепую, на ощупь, без какого-либо источника освещения. Хорошо что не пальцами ног... Отвлекать его не хотелось, — однако спустя пару секунд вынырнул сам, успокаивающе кивнул Кириллу:

— Щас поедем... Ты... эта... в общем...

Говорил он громко, перекрывая звук работающего двигателя. Но между словами делал длинные паузы, — словно вследствие природной молчаливости, усугубленной одинокими рейсами, успел изрядно подзабыть, как именуются те или иные предметы и явления, — и вспоминал по ходу речи.

— Там... эта... в кузове... канистра, в общем... ты эта... принеси... у самой кабины... под тряпками...

И он снова нырнул в глубины двигателя.

Кирилл поспешил было к кузову, но тут же понял, что ничего там не разглядит, стемнело окончательно. Вспомнил, что только что видел фонарик в распахнутом бардачке, — запрыгнул на подножку, достал.

Фонарь был небольшой, на две цилиндрических батарейки, потертый и с треснувшим стеклом, — но луч света выдал сильный и яркий. Кирилл быстро прошел вдоль грузовика, прикидывая, как бы перемахнуть в кузов и не слишком при этом испачкаться, — «зилок», честно говоря, напоминал поросенка, отыскавшего в летнюю жару шикарную, глубокую и грязную лужу.

Под задним бортом обнаружилась коротенькая, на две ступени, металлическая лесенка, но Кирилл не успел поставить на нее ногу: выхлопная труба взревела, выбросив в лицо струю вонючего дыма, — и ЗИЛ тронулся с места.

Он обрадовался — ремонт завершен успешно! — но тут же понял, что радоваться нечему. Грузовик катил и катил, все более ускоряясь... Секунду или две, когда можно было попытаться вскочить на ходу, Кирилл упустил.

Ошарашенный, он наблюдал, как ЗИЛ исчезает за поворотом: Генаха рулит, высунувшись из окна, потому что капот до сих пор поднят... Ни дать ни взять — огнеглазое чудовище, несущееся с распахнутой пастью на ночную охоту.

Отблески фар несколько секунд мелькали сквозь деревья, затем исчезли. Чуть позже смолк звук двигателя. Кирилл остался один на темной дороге.

Всё понятно... — отрешенно подумал он. Нет, не так, сначала в голову пришли другие слова, энергичные и малоцензурные, адресованные Генахе. Но всё и в самом деле понятно... Для чего этому уроду брать фонарик из бардачка? Он и так знает свой ЗИЛ как пять пальцев, знает достаточно, чтобы симулировать поломку и спокойненько дождаться, когда пассажир сам вылезет из кабины, горя желанием чем-то помочь, как-то ускорить процесс... И никакой канистры в кузове, разумеется, не было.

Но зачем?!

Кирилл коснулся пояса — барсетка на месте, все деньги при нем. Да еще и трофей — фонарь с треснувшим стеклом. Шутка? Незамысловатая и бескорыстная деревенская шутка? Или все серьезнее? Последнее предупреждение — вали отсюда подобру-поздорову, чужих нам тут не надо? Черт побери, так они и без того бы уехали, получили бы трамблер и уехали, зачем же...

Пока он ломал голову, вновь послышался звук двигателя, свет фар замелькал сквозь деревья. ЗИЛ возвращался, капот теперь был опущен. Кирилл шагнул с обочины на проезжую часть, замахал отчаянно: всё, мол, шутка оценена по достоинству, все смеялись до упада, все надорвали животики, а теперь давай все-таки поедем к шоссе...

ЗИЛ несся, не делая попыток притормозить. Прямо на него. Слепил фарами. Все ближе и ближе.

Он не за тобой, безвольно подумал Кирилл. Он за своим фонарем. А ты останешься на дороге, как та лиса: с перебитым хребтом, с вытекшей изо рта лужицей крови...

Надо было немедленно отойти в сторону, а еще лучше — спрыгнуть в неглубокий придорожный кювет, но Кирилл застыл в странном оцепенении, словно загипнотизированный бьющим в глаза потоком света...

ЗИЛ аккуратно вильнул, объезжая его, и покатил в сторону Загривья.

Вдалеке сверкнула первая, пока беззвучная зарница.

Гроза приближалась.

2

Вернувшись в дом, Марина понятия не имела, чем заняться.

Уныло послонялась туда-сюда, зачем-то включила неисправный телевизор — посмотрела на туманно-белый экран, послушала громкое шипение — и выключила. Прилегла было на кушетку, но тут же встала... Вновь сделала бесцельный круг по горнице.

А потом поняла, чего именно ей хочется. И в чем она сама себе не решается признаться.

Ей хотелось поднять полированную крышку радиолы, и...

Медленно, с тягучим скрипом, Марина отворила дверцу шкафа. Столь же медленно вытянула из-под стопки рубашек рентгеновский снимок... Подумала: интересно, жив ли человек, чьи ребра изображены здесь? Догадывается ли...

Неожиданно она разозлилась и оборвала мысль, — пустую, ненужную, служащую лишь дымовой завесой для того, что делали руки, делали словно сами по себе, без воли хозяйки... Они, руки, уверенным движением подняли крышку «Ригонды». И уже надевали пластинку на штырек проигрывателя.

Нет уж! Она НЕ ХОЧЕТ снова слушать записанную на скелете мерзость! Не хочет! Это НЕ ЕЕ желание!

Марина сдернула пластинку со штырька, шагнула к шкафу — тут же передумала, быстро прошла на кухню, отыскала большие портновские ножницы... Собственно, одного разреза оказалось бы вполне достаточно, чтобы вновь не поддаться искушению, но Марина кромсала и кромсала пластинку с непонятным самой себе мстительным чувством: вот тебе, вот! Отправляйся в свой пластиночный ад, среди людей тебе не место!

Мелкие, неровно расстриженные кусочки отправились... не в ад, конечно, — в печную топку. Она даже хотела их поджечь, даже зашарила по карманам в поисках зажигалки, — но не нашла, а затем порыв угас столь же неожиданно, как и возник...

И что на нее накатило? Скорее бы возвращался Кирюшка, пока она окончательно не поехала крышей в одиночестве. Он смешной и глупый, и совершенно не приспособлен к жизни без ее опеки, всё так... Но лишь когда муж рядом, она чувствует себя спокойно и уверенно.

Она бросила взгляд за окно, бросила в иррациональной надежде: вдруг раздолбанный ЗИЛ проявил чудесную, небывалую прыть и промчался туда-обратно со скоростью болида «Формулы-1», и приятель Толяна Форносова приехал на место встречи заранее, с большим запасом, и...

И она увидит сейчас подходящего к дому Кирилла.

Не увидела... Вернее, увидела, но нечто иное, неприятное: у «пятерки» горели не погашенные подфарники. Только этого не хватало! Разрядится аккумулятор, и что? Рыскать по ночному Загривью в поисках зарядного устройства?

Марина сбежала по скрипучим ступеням крыльца, на ходу отключив сигнализацию... Погасив подфарники, долго сидела в машине, на водительском месте. Обратно в дом не хотелось. Здесь маленький кусочек ИХ территории, ее и Кирилла, и здесь не место... Чему здесь не место, она так и не смогла сформулировать — все впечатления от людей и вещей Загривья слились в одно неприятное, но не оформившееся чувство...

Гроза приближалась, и приближалась быстро: сверкало и грохотало пока еще вдали, где-то за болотом Сычий Мох, но далекие вспышки становились все ярче, а далекие раскаты грома — все громче. Вот только этого им сегодня не хватает... Согласится ли Толян работать под проливным дождем, которого вполне стоит ожидать? Решила: согласится. Уж она сумеет сделать, чтоб согласился. Если что — растянут сверху какой-нибудь брезент... И уедут отсюда. Наконец уедут отсюда.

Затем Марина подумала, что за всеми хлопотами они так и не поужинали, Кирюшка приедет голодный, надо сообразить что-то по-быстрому... Самой Марине есть совершенно не хотелось.

Она вздохнула, подсознательно ища предлог остаться здесь еще на чуть-чуть, — и не находя. Решила, что неплохо бы вытряхнуть пепельницу, хотя окурков там было совсем немного...

Постояла у машины, пытаясь сообразить, где же она видела мусорную яму... — и решительно опрокинула пепельницу прямо на траву под ногами. Вот вам! Сама поморщилась: глупо как-то, мелкая женская месть непонятно кому...

Затем она вспомнила про дело действительно нужное и достала из багажника голову мадам Брошкиной, — лежит тут уже несколько часов, пусть вновь остынет в холодильнике перед дорогой.

...«Самарканд» опять начал работу с радостных содроганий — как будто возликовал от возвращения постоялицы, с которой не чаял уже свидеться. За окном сверкнула молния, с крохотным запозданием ударил гром, уже по-настоящему, уже рядом, — словно и природа решила отсалютовать столь знаменательному событию. А Марина наконец обратила внимание на легкое болезненное ощущение в кисти правой руки. Вернее, на коже кисти.

Поднесла к самым глазам, — тусклая двадцатипятисвечовка в сенях едва теплилась — и увидела яркую, алую капельку крови, но почти не обратила на нее внимания...

Потому что рядом, на руке, сидел виновник. Или виновница.

Насекомое.

Насекомое, раздавленное Кириллом.

Раздавленное и брошенное в пепельницу.

3

Надо успеть, надо успеть до грозы, твердил себе Кирилл и сам понимал — не успеет.

Шагать тут часа два... Может, бодрым шагом и поменьше, но гроза приближается быстро... Попасть под ливень — удовольствие маленькое, но не смертельное. А вот молнии... Молнии, как известно, притягиваются ко всему, что возвышается над ровным местом. А сейчас и здесь возвышается над дорогой и полями лишь он, Кирилл. Чуть дальше, как он помнил, вдоль дороги вытянулись два ряда высоких старых деревьев, не то лип, не то тополей... Но «чуть дальше» — понятие весьма условное, на ЗИЛе или «пятерке» и в самом деле «чуть», а ножками шагать и шагать...

Заасфальтированная дорога, по которой он шел, повернула в сторону — словно издеваясь над наивным намерением Кирилла добраться побыстрее. Повернула почти под прямым углом.

Он посветил фонариком — дальше, в прежнем направлении, тянулся слабо накатанный проселок: две колеи да полоса травы между ними... Ну да, он помнит этот поворот, затем будет и второй, и в сумме они изрядно удлиняют путь... А если пойти прямо, по проселку, то...

Кирилл остановился, пытаясь восстановить в памяти неплохо изученную карту здешних мест. Равно как и все их передвижения в окрестностях Загривья.

Если этот проселок достаточно далеко тянется в том же направлении...

Тогда ему не придется шагать через всю деревню, выйдет прямиком на скотный выгон позади дома Викентия. И гораздо быстрее, чем по дороге. Срежет больше трети пути... И появится шанс опередить грозу.

А если не тянется? — ехидно спросил внутренний скептик. Если проселок ведет к ближнему полю и заканчивается через пару сотен метров?

Тогда пойду полем! — разозлился Кирилл. С фонарем ноги не поломаю. И не заблужусь — сильно забрать вправо не даст Рыбешка, влево — дорога на свиноферму. И там, и там бывал, выберусь...

Он сошел с асфальта и решительно пошагал в темноту.

ТРИАДА ПЯТНАДЦАТАЯ
ЗАЧЕМ ЗАПИРАТЬ ХОЛОДИЛЬНИКИ?

1

Она не закричала, как тогда, в машине. Даже не взвизгнула. Молча бросилась из сеней в горницу, словно там был кто-то, способный защитить и помочь...

Никого там не было, но по крайней мере горела под потолком яркая лампа, позволяющая хорошо разглядеть, ЧТО устроилось на руке Марины...

РОДИТЕЛЬСКИЙ ДЕНЬ

Сомнений нет: та самая членистоногая тварь, Марина хорошо запомнила ее плоское, как бы сплюснутое тело... Но главное не это! Тварь была не просто похожая — ТА САМАЯ! И Кира раздавил ее без шуток, на полном серьезе... Крохотный вампир изувечен, брюшко превращено в бесформенное месиво, относительно цела только головогрудь с торчащим остреньким хоботком. И эта мерзость вонзает и вонзает свой хоботок в кожу Марины, не сосет кровь, всего лишь вонзает — потому что всосать, собственно, некуда...

Она разглядела все это за секунду, а может, даже за меньший срок, — смахнула, сбросила на стол, схватила полотенце, яростно растирала, размазывала им крохотную гадину. Не осталось почти ничего — неприятного вида пятно на голубой клеенке с налипшими мельчайшими чешуйками хитина.

Полотенце выпало из разжавшейся руки, Марина не заметила. Обессиленно опустилась на стул, провела рукой по лбу, вытирая холодную испарину...

Клещ...

Кира, зная ее паническую боязнь, соврал, — думая, что врет во благо.

Но это был КЛЕЩ...

Марина, как ни странно, знала о клещах очень мало. Почти ничего не знала... Не могла себя заставить прочитать какую-нибудь научно-популярную брошюрку или статью в журнале... Большая часть ее «знаний» основывались на разговорах — полных самых фантастических выдумок — ходивших по их классу после страшной в своей нелепости смерти Маришки Кузнецовой. Да, да, ее лучшую подругу тоже звали Мариной...

Среди тех наполовину выдуманных, наполовину преувеличенных фактов, что на ухо рассказывали друг другу второклассники, маленькую Марину особенно потряс один: оказывается, впившегося в тебя клеща ни в коем случае нельзя тянуть за брюшко — оторвется, но голова останется жить своей жизнью! И будет вгрызаться в тебя все глубже и глубже! «До самого-самого сердца!!!» — говорилось это драматичным шепотом, с округленными глазами...

Все так и есть... Разве сможет какое-нибудь насекомое тридцать с лишним часов проваляться в пепельнице, а затем вдруг ожить? Ожить и вцепиться в тебя? Не сможет. Никакое не сможет, — кроме клеща с его феноменально живучей головой...

Марина подумала: тогда, двадцать лет назад, к ним во избежание путаницы часто обращались с прибавлением числительных — Марина-первая и Марина-вторая... Затем вторая осталась единственной... А теперь пришел ее черед...

Она сидела и вспоминала Маришку Кузнецову, и отчего-то вспоминались лишь отдельные штрихи, детали: большой бант в рыжих волосах, рука с пухлыми пальчиками и неровно обкусанными ногтями, была у Маришки такая нехорошая привычка... Даже вспомнился ее пенал с изображением ушастого Чебурашки... Но главное — лицо своей давней подруги — Марина так и не сумела увидеть мысленным взором...

Потом воспоминания ушли, рассеялись, Марина вновь стала собой: двадцативосьмилетней женщиной, умеющей быстро принимать решения и неукоснительно их выполнять. И поняла странную вещь: она уже не боится того, чего боялась двадцать лет. Страха нет — ушел, испарился — как испарился и ушел из памяти облик Маришки Кузнецовой...

Глупо бояться того, что уже произошло... Страха нет, есть проблема, требующая решения.

Значит, так... Завтра с утра — в поликлинику. Никакая зараза мгновенно не действует, энцефалит — не исключение. Получит прививку, задним числом их тоже делают, она узнавала. Несколько более болезненно, но ничего, потерпит. Многие, кстати, никуда и не обращаются после укуса клеща — вероятность вытянуть несчастливый билет в этой лотерее крохотная, всего две десятых процента, два шанса из тысячи, но рисковать нельзя...

А пока... Она встала, подошла к раковине, припала губами к крохотной ранке. Сосала и сплевывала кровь, понятия не имея, нужно ли так поступать... Надо было все-таки прочитать какую-нибудь брошюрку... Ладно, хуже не будет.

Из сеней послышался какой-то звук. Стук в дверь? Кирюша? Бросила взгляд на часики — да уж, пора бы... Быстро отерла губы: незачем пугать любимого мужчину, выступая в облике вампирической — в прямом смысле — женщины...

...Марина распахнула наружную дверь. За ней сверкали молнии — совсем близко, были видны не просто вспышки: темноту пронзали ветвистые разряды, соединявшие небо и землю. И сопровождались оглушительными ударами грома, теперь уже без каких-либо пауз...

Дождя тем не менее на улице не было.

Кирилла не было тоже...

2

Проселок, выбранный в ущерб асфальту, Кирилл почти сразу окрестил тропой Хошимина.

Пришло в голову, и окрестил. Хоть не через джунгли, через поля, — но тоже напрямик.

И проселок не посрамил новообретенного славного имени, не подвел. Отнюдь не закончился через пару сотен метров, тянулся и тянулся, причем в нужном направлении — Кирилл теперь вполне обоснованно надеялся, что дошагает по нему почти до Загривья.

Да и поверхность под ногами относительно приличная, ровная, — достаточно лишь изредка подсвечивать фонариком. И это правильно — не мешает поберечь батарейки, кто знает, насколько пересеченная местность ждет в конце пути.

Он шел и думал, думал, думал...

А чем еще прикажете заняться на такой вот ночной прогулке, в одиночестве и при полном отсутствии зрительных (да и любых других) впечатлений?

Разобраться предстояло во многом... За эти два дня мозг получил огромное количество фактов — на вид разрозненных и никак не связанных. Именно потому иные из них казались странными, иные — страшными.

Но Кирилл был уверен: наблюдений накопилось достаточно, чтобы сложить их воедино, как элементы мозаики-паззла, получив единую картинку... И надеялся: у него это получится.

Имеется, знаете ли, опыт, — неважно, что решать приходилось в основном военно-исторические загадки. Принципы работы с массивами разрозненных и противоречивых фактов вполне применимы к современности... Но здешняя современность уходит корнями в сорок первый, Кирилл почти в том не сомневался.

Ведь что получается? Посылать целую дивизию ополченцев на убой просто так, из врожденной своей гнусности, из свойственного коммунистам стремления под корень извести русский народ, — такая версия хорошо смотрелась бы в «Огоньке» времен угара перестройки. А если рассуждать чуть более вменяемо, то была какая-то цель, для достижения которой применили столь страшное средство.

Какая?

Отвлекающий маневр, заранее обреченное наступление с целью выиграть время, оттянуть удар немцев по Ленинграду — и закончить лихорадочно возводимые полевые укрепления Лужского рубежа?

Ерунда. Почему тогда здесь? Узкое дефиле, стиснутое лесом и непроходимым болотом, никакого пространства для маневра — можно лишь тупо переть вперед, к Гдовскому шоссе. Хорошо, доперли, перерезали магистраль, — а дальше что? А дальше, за шоссе, вновь густой лес до самой Плюссы — места, подходящие для партизанского отряда, но никак не для целой дивизии... Занять оборону, закрепиться? Ну-ну... А Восьмая танковая дивизия немцев на подходе, а вместе с ней и 56-й моторизованный корпус Манштейна, а у ополченцев вся ПТО — бутылочки с коктейлем Молотова... Несколько часов они бы шоссе могли удержать... Да и удерживали, наверное... А после отступили обратно, откуда пришли, потому что больше отступать некуда. Но ведущее к Луге узенькое горлышко немцы успели заткнуть пробкой. Как раз чуть дальше Загривья... И началось избиение, завершившееся на гриве.

Абсурд. С точки зрения стратегии и тактики вся операция — полный абсурд.

А ведь немцы к середине июля уже закрепились на двух плацдармах на правом берегу Луги, и куда логичнее их с тех плацдармов выбить, или отрезать от берега левого, — и тем отвести прямую угрозу от Питера. Что, собственно, чуть позднее наши и попытались сделать...

Так к чему же весь этот марш обреченных в сторону Гдовского шоссе?

Просматривается лишь один вариант ответа: деблокирующая операция. Проведенная в дикой спешке, фактически без какой-либо подготовки. Поступил приказ: «Сдохни, но сделай, срок — вчера!», и в бой тут же послали ближайшее соединение. Поскольку времени подтянуть другое *не было*. На свою беду, ближайшей оказалась Фрунзенская дивизия...

Вопрос номер два: а на помощь кому прорывались фрунзенцы? Кого, собственно, деблокировали? Вроде бы и некого, не было более-менее крупных «котлов» на границе Псковской и Ленинградской областей... Причина та же — крайне неудобный для маневра рельеф, немцы просто не могли осуществить здесь дальние обходы, столь любимые ими в первые месяцы войны.

Нет, конечно, отдельные части оказывались отрезанными от своих, но... Но кто же будет гробить целую дивизию, чтобы вывести из окружения потрепанную роту или даже батальон? Более чем неравный размен.

Однако если та рота сопровождала и охраняла **НЕЧТО НЕИМОВЕРНО ЦЕННОЕ**... Вот тогда концы сходятся с концами идеально.

Кирилл зримо представил: несколько крытых грузовиков укрылись в лесу. Неподалеку шоссе, а на нем уже немцы... Бойцы на скорую руку роют окопчики, но командир хорошо понимает: перебьют их через час после того, как обнаружат. Если очень повезет — через два. Тогда в руки к фрицам попадет то, что **НИКАК** не должно попасть... Либо придется самим уничтожить то, что **НИКАК** нельзя уничтожать... И рация выходит в эфир с воплем о помощи, и тут же начинается обратный отсчет — никто не любит вражеские передатчики в ближнем тылу, и немцы не исключение. И поднятые по тревоге фрунзенцы отправляются умирать.

Но все-таки что-то не сложилось. Ценный груз у ополченцев, но к своим его уже не доставить... Не пробиться. И дальнобойные гаубицы, подчиненные Ставке, в бессильной ярости лупят по гриве: не нам, так и не вам! А кто-то еще пытается использовать последний шанс: пройти непроходимыми трясинами и спасти...

Что спасти?

Что там было, в тех гипотетических грузовиках?

Золото в самородках? Платина в слитках? Бриллианты и самоцветы россыпью? Давняя любовница товарища Жданова с пятью внебрачными детьми?

Да нет, не любовница... И не кто-либо еще, чрезвычайно ценный для партии и правительства...

Потому что останки людей, хоть бы и самых ценных для партии, никак не превратятся уже в наше время в ворох купюр, вынутый из засаленного ватника с обрезанными рукавами. Не известна такая алхимия...

А я ведь молодец, мысленно похвалил себя Кирилл. Мо-ло-дец. Я расколол эту загадку, расколол чистой логикой! Потянул за тоненькую ниточку — два полка ополченцев, угодивших под Олонец, — и размотал весь клубок!

Тут же, словно салютуя его торжеству, ударила молния — огромная, ветвистая, осветившая на мгновение округу мертвенным светом. От грома заложило уши.

И в короткий миг небесной иллюминации Кирилл увидел боковым зрением неподалеку, чуть в стороне от тропы Хошимина, человеческую фигуру.

Огромную, темную, бесформенную...

3

Кто же стучал? — не поняла Марина. Но очень быстро сообразила — никто.

Холодильник! Холодильник «Самарканд», хранящий голову мадам Брошкиной, — пришел срок, и компрессор заработал, а как шумно он включается, хорошо известно. Вот и приняла невзначай за стук...

Но где Кирюша? Волноваться еще рано, но мог бы уже и появиться... Она вышла на крыльцо, попыталась издалека разглядеть фары приближающегося ЗИЛа. Ничего... Лишь вспышки молний раздирают мрак. И что удивительно, во всем Загривье — ни лучика света, ни единого освещенного окна. Лишь в их доме... (Нет уж, дом не «их», мысленно поправила себя Марина, и никогда «ихним» не будет!)

Хотя... ничего странного. Если тут дома уже не раз горели от грозы, то вполне логично, что местные жители берегутся, — отключают свет, вывинчивают пробки... Кстати, не помешало бы и ей сделать то же самое. Выкупа́ть дом, превратившийся по твоей вине в пепелище, совсем не хочется.

Она прошла в кладовку, припомнив, что вроде бы видела там запас свечей. Не ошиблась: на полке лежала непочатая упаковка, и рядом вскрытая, почти пустая... Марина прихватила на всякий случай обе.

В кухне-столовой зажгла две свечи, поставив каждую в граненый стограммовый стопарик, вывернула пробку в электрощитке на пол-оборота, затем вторую... М-да... И как же наши предки при такой тусклости существовали?

Ничего, как-то жили, сумеет и она дождаться конца грозы.

Не сумела... Никакого сравнения с вчерашним романтическим ужином... Очень неприятно оказалось сидеть в одиночестве при свечах — давил на психику таящийся в углах мрак, который не могли рассеять два трепещущих желтых огонька.

Марина нервно поглядывала на часы, под конец уже чуть ли не каждую минуту; напряженно прислушивалась, не раздастся ли стук в дверь в промежутках между ударами грома...

Она чувствовала сильный озноб — возможно, имеющий чисто психологическую причину. Или Марина все никак не могла согреться после улицы, куда вышла в футболке... Натянула куртку-ветровку, но та помогла слабо...

Наконец не выдержала: а ради чего, собственно, она должна экономить чужие свечи? Вновь включила электричество, вскрыла нетронутую упаковку свечей и начала сооружать импровизированные подсвечники из всего, что подворачивалось под руку: в ход пошли блюдца, чашки, винтовые крышки от стеклянных банок... Одну свечу даже прилепила на выдвинутую печную заслонку.

Израсходовав половину свечных запасов, прошла в горницу, устроила и там изрядную иллюминацию. Два длинных огарка, уцелевших после романтичного ужина, оставила как НЗ, на всякий случай. Потом долго ходила туда-сюда, поджигая каждую свечу зажигалкой, потом...

Вновь вывинтить пробки Марина не успела. Электричество отключилось само, без ее участия. Наверное, что-то случилось на подстанции или в здешней трансформаторной будке, в такую грозу не диво...

Электрический свет погас, но темнее почти не стало. И — количество перешло в качество: тьма в углах рассеялась, испуганно ретировалась, забилась в тараканьи щели и мышиные норки.

К щитку она все-таки сходила: у нас и так светло, ни к чему скачки напряжения. Ну вот и всё, теперь можно спокойно дожидаться возвращения мужа... О-о, никак и он?! Марина прислушалась: да нет, опять дурацкий «Самарканд», будь он неладен...

И только спустя несколько секунд она ПОНЯЛА.

Подхватив первое попавшееся блюдце со свечой, пошла в сени — медленно, походкой сомнамбулы...

Так и есть... Звуки издавал «Самарканд».

Питающийся ОТ СЕТИ холодильник «Самарканд».

Марина привалилась к стене, ноги ватно обмякли. Блюдечко подрагивало в руке, желтый язычок пламени дрожал испуганно.

Угомонившийся было холодильник вновь завибрировал, да что там — просто затрясся, заходил ходуном, ударяясь кожухом компрессора о стену.

Затих...

Шум заработавшего компрессора так и не прозвучал. Не включаются компрессоры без электричества...

«Полтергейст», — произнес в голове Марины чужой голос, равнодушный и холодный. Помолчал и предложил второй вариант, столь же отрешенно, без следа каких-либо эмоций: «Или глюки».

Она для чего-то переложила блюдце со свечой в другую руку, подняла к лицу вытянутый, дрожащий палец — и сильно надавила на зажмуренный глаз. Тоже непонятно зачем: откуда-то застрял в памяти такой способ распознавания галлюцинаций — да только вот Марина абсолютно не помнила, что именно в результате должно раздвоиться: причудившийся или реальный объект...

Не раздвоилось ничего. Глазное яблоко откликнулось сильной болью, перед взором поплыли, закружились цветные пятнышки. «Самарканд» стоял как стоял — в единственном числе и пока что неподвижный. Потом снова затрясся, зашатался — вроде даже сильнее, чем прежде.

Боль отрезвила. И разозлила. Какие, на хрен, полтергейсты! Может, они и случаются, но уж никак не в деревеньках на северо-западе Нечерноземья, — им место в английских родовых замках, или в уютных коттеджах маленьких американских городков, или... Короче говоря, в других измерениях.

А здесь...

Крысы. Самые обычные крысы.

Крысы — это по-нашему. Много в Загривье крыс, просто не счесть, то-то Лихоедовы так люто с ними борются... Ушли было хвостатые из пустого дома, а теперь почуяли, что вновь есть чем поживиться, — и вернулись дружной колонной, через прорезанный в двери кошачий лаз, а затем через давно, еще при Викентии, прогрызенное отверстие — в нутро «Самарканда»...

Она мысленно твердила: крысы, крысы, крысы... Твердила как заведенная, не позволяя мыслям сбиться на другие объяснения. И чем дольше твердила, тем меньше верила себе.

А затем вдруг поняла: если наберется-таки духу и распахнет дверцу — увидит вовсе не громадных крыс, терзающих голову мадам Брошкиной... И голову не увидит...

Не-е-е-ет...

Марина теперь ЗНАЛА: там, внутри, — Маришка Кузнецова. С большим выцветшим бантом в волосах... Рука с неровно обкусанными ногтями скребется, бьется изнутри в дверцу. А лица нет, вместо лица — бесформенная, распухшая, позеленевшая маска, так вот он какой, энцефалит, и вот почему было не разглядеть черты у Маришки, всплывшей в памяти...

Старый холодильник шатался, раскачивался все сильнее, дверца на миг приотворилась и вновь захлопнулась — что мелькнуло там, в темной щели? Не пухлые ли пальчики с обгрызенными ногтями — обгрызенными до мяса, до кости, двадцать лет Маришка не брала в рот ничего иного...

«Самарканд» уже не стоял рядом со стеной — постепенно отодвинулся от нее в своей дикой пляске; шатался со все большей амплитудой, переваливаясь с передних винтовых ножек на задние, дверца приоткрывалась все чаще, пока что магнитный уплотнитель каждый раз притягивал ее обратно, но было ясно — очень скоро не сможет притянуть, и тот, кто сидит внутри, предстанет во всей своей мертвой красе...

Марина издала нервный смешок.

Она поняла, зачем мудрые и предусмотрительные конструкторы старых холодильников снабжали их дверцы замками, запирающимися на ключ.

ТРИАДА ШЕСТНАДЦАТАЯ
ДВЕ ТОЧНЫЕ НАУКИ:
МУНДИРОЛОГИЯ И КРИМИНАЛИСТИКА

1

Кирилл застыл с поднятой для очередного шага ногой. И с погашенным фонариком.

Кого же он успел разглядеть там, слева, — мельком, на грани восприятия? Темный бесформенный силуэт показался отдаленно похожим на человеческую фигуру...

Но лишь отдаленно.

Гораздо больше он напоминал...

Да, да, персонажа ночного кошмара — черный и зловонный призрак умершего Викентия...

Но сейчас-то он, Кирилл, не в кошмаре! Ноги не приросли к земле, и глотку не сдавила петля дикого ужаса... Или... Тогда ему тоже казалось, что он может ходить по дому, может говорить, пока...

Он сделал пару шажков вперед — для проверки. И осторожно, негромко крикнул: «Эй!» — словно опасался, что из темноты кто-то отзовется...

Не отозвался никто. Но голос и ноги в порядке, и это радует... Так кто же (или что же) там, в темноте?

Кирилл перебирал и отбрасывал варианты. Какая-нибудь прошлогодняя копна? Да нет, силуэт явно выше и у́же... Куст? Едва ли, сплетение ветвей и листьев не может выглядеть столь единым и сплошным...

Самый простой выход: пройти мимо, не оборачиваясь, — Кирилла не устраивал. Хватит оставлять за спиной непонятное...

Но и подойти, осветить фонариком... Нет уж, не в этой жизни.

Чертова молния! До чего ж не вовремя она случилась, шел бы себе в темноте и горя не знал...

И тут Перун, или Илья-пророк, или кто-то еще, командовавший небесным электричеством, осознал оплошку и поспешил реабилитироваться: после долгой паузы полыхнула молния, полыхнула на полнеба, а грохот... Кирилл даже присел от неожиданности.

Но все-таки успел вновь увидеть темное *нечто*. Благо смотрел как раз в ту сторону.

Не куст... И не копна... Очень похоже на человека, но вот ноги...

Потом Кирилл рассмеялся, — громко, не скрываясь. И решительно пошагал в сторону черного силуэта. Можно бы и сразу догадаться... Однако же не догадался — урожай поспеет не скоро, и трудно ожидать в июне встречи с пугалом. Наверное, так и простояло в поле с прошлого года...

Не стоило тратить драгоценное время на осмотр сей пародии на человека. Но Кирилл все же решил потерять пару минут. Для некоего самоутверждения. Для закрепления хоть маленькой, но победы над собственным страхом...

Пугало вполне стоило потраченного времени. Конструкция примитивнейшая, без изысков: на две крестообразно сколоченных палки напялен головной убор да кое-как натянута старая одежда. Надо быть очень глупой птицей, чтобы принять за человека. Или очень напуганным любителем военной истории. Вороны, например, уже к вечеру первого дня издевательски усаживаются на «головы» таких бездарных манекенов.

Но головной убор и одежда своей оригинальностью с лихвой искупали все мелкие недостатки дизайна. Венчала крестовину немецкая каска образца 1935 года — для Загривья, надо понимать, вполне заурядный факт, здесь этого добра хватает.

Но сама каска... Кирилл повидал достаточно подобных деталей военной амуниции, откопанных из земли, — русских, немецких, финских, — но *именно такую* живьем узрел впервые. До того лишь на старых фотографиях...

Из земли обычно выкапывают саму железную основу, чья степень коррозии зависит от свойств грунта, скрывавшего находку. Ремень, подшлемник, камуфляжный чехол — или полностью разрушаются, или находятся в состоянии, не допускающем восстановления... Исключения крайне редки.

Но сейчас перед Кириллом оказалось как раз исключение... Да еще какое... Каска выглядела *новой*, хоть и не новенькой. И в то же время *старой*, хоть и не ископаемой. Звучит не особо внятно, но так оно и было.

Подбородочный ремень потертый — однако явно родной. Ну-ка, а подшлемник... Кирилл ощупал рукой внутренность каски — ага, и подшлемник на месте. Камуфляжного чехла нет, но Кирилл не помнил, употреблялись ли они в сорок первом в России... Именно в сорок первом: уже в следующем году немцы перестали изображать по бокам вот эти два щитка, с орлом и свастикой, и с диагональными трехцветными полосами, — слишком заметны для снайперов.

М-да... Полное впечатление, что владелец каски получил ее на складе весной сорок первого года, участвовал с нею на голове в нескольких полевых учениях, может даже в Югославской кампании вермахта, затем попал в Россию, провоевал пару месяцев все в той же каске, а потом... А потом случилось странное: обнаружил бравый пехотинец бесхозную машину времени (каких только трофеев пехоте не попадается), да и запихал в нее касочку, да и отправил зачем-то в год этак 2004-й по рождеству Христову, — а там головной убор с радостью приняли и тут же нашли применение: напялили на пугало. Так и болтается два года... краска слегка облезла, появились легкие потеки ржавчины, но кожаные детали еще вполне приличные...

С мундиром — вернее, с кителем от мундира — почти та же история... Почти, да не та. Потому что тут даже редких исключений не случается. Вернее, Кирилл с ними никогда не сталкивался... Не сохраняется ткань в земле десятилетиями, истлевает напрочь... И все мундиры вермахта, что можно найти ныне в продаже или в частных собраниях (государственные музеи не в счет), — новоделы. По крайней мере наполовину: ткань и пошив современные, металлические цацки — подлинные. Но стоит такая имитация не дешево, даже самая условная — не одну сотню долларов. И на пугала их надевать как-то не принято...

Однако — вот, наглядный пример... В таком кителе на парад, конечно, не пойдешь, но ткань относительно крепкая — того самого цвета, что наши именовали «мышиным», а немцы — «фельдграу»... Ну и кем же был владелец мундира? Не рядовой: алюминиевая четырехлучовка на погоне — фельдфебель... А вот род войск не понять, но едва ли пехота. Похоже, окантовка погонов и воротника некогда была все же не белая и не желтая... Может, красная, может, зеленая... Значит, артиллерия или мотопехота... Или егерь? Кирилл попытался вспомнить, могли ли оказаться именно тут, под Загривьем, егеря летом сорок первого, — да так и не вспомнил... Военно-историческими исследованиями лучше заниматься дома, когда под рукой полки со справочной литературой.

Или компьютер с выходом в интернет, на худой конец...

Черт возьми...

Или, на самый-самый худой-подтощалый конец, запасные батарейки к фонарику! Кирилл, чертыхнувшись, чуть ли не побежал обратно к тропе имени пламенного вьетнамского революционера. Увлекшись детальным исследованием пугала, он только сейчас заметил, насколько ослаб свет фонарика... Идиот... Там Маринка с ума сходит, а он нашел дурацкое чучело — и разинул рот, забыв обо всем на свете... «Юрок у нас задумчивый, увидит чего — все из головы вон...» Кирилл у нас тоже задумчивый...

Он шагал уже по проселку, вновь без света, экономя батарейки, — и ругал себя последними словами. Нашел, называется, загадку...

Нет, конечно, над странной нетленностью кителя и каски можно поломать голову (если не рассматривать всерьез версию о великой праведности и святости их прежнего владельца либо владельцев). Можно — но незачем. Кирилл считал, что знает ответ.

Болото!

Болото Сычий Мох!

Случается, что в глубине некоторых трясин (не в каждой, опять же всё зависит от химического состава) процессы гниения не происходят. Вообще. Не выживают гнилостные бактерии, и все тут. Кожа, ткань, людские тела — все нетленно. Например, в мемуарной литературе описаны случаи: в Отечественную шли бои на берегах залива Сиваш (он же Гнилое море, а по сути — огромное болото). Снаряды, попавшие в топь и взорвавшиеся в глубине, порой выворачивали останки красноармейцев армии Фрунзе, утонувших двадцать с лишним лет назад. Абсолютно не тронутые тлением трупы; шинели, буденовки — постирай, высуши, и хоть сейчас на склад. Такая уж там болотная жижа.

Сычий Мох, сомнений нет, обладает схожими свойствами...

(Да-а-а... В той трясине — бойцы Фрунзе, в этой — ополченцы-фрунзенцы; любопытные порой каламбуры подкидывает матушка-история.)

Но «черным следопытам», равно как и их «красным» коллегам, такая особенность болот помогает мало. Трудно обнаружить лежащий в глубине трясины небольшой объект, достать — еще труднее. Даже танки и самолеты извлекают редко, при особо благоприятных условиях... Однако этого солдата вермахта (а то и двух) — извлекли. Не из-за формы и амуниции, надо полагать, и не из-за дефицита одежды для пугал... Кирилл подозревал, что и не из-за оружия. Нет, тут ставки в игре куда выше... Солдатики — так, побочный продукт, отвалы при добыче знаменитой «деньги»...

Кирилл неожиданно понял, что его первоначальное любопытство: за продажу чего именно, черт возьми, ту «деньгу» получают? — угасло. Исчезло. Испарилось, как и не было. Ни к чему... Поля тут большие, пу́гал много требуется... Не ровен час, какое-нибудь из них украсят твои джинсы и куртка...

...Тем временем небесный Чубайс вовсе уж закусил удила: дернул за все рубильники, и выставил на максимум все пантографы, и заменил толстенными «жучками» все предохранители. Сверкало и грохотало беспрерывно. Но все-таки в стороне от одинокого путника тропы Хошимина. Трудно оценить в темноте расстояние до огненного столба молнии, однако казалось: главная мишень Рыжего Громовержца несколько поодаль. Где-то в районе гривы. Или Сычьего Мха.

А потом в почти непрерывном сверкании Кирилл кое-что разглядел.... Прошел чуть дальше, снова всмотрелся: ну так и есть, тропу Хошимина куда правильнее было бы окрестить «тропой Сусанина»...

Неподалеку высилась насыпь бетонки, ведущей на свиноферму... Проселок тихонько-легонько, практически незаметно, — но забирал-таки влево...

Он тремя прыжками преодолел кювет и откос насыпи, вышел на дорогу.

Так, ферма — там, Загривье — там... Ладно, не такого уж крюка дал...

По бетонке Кирилл двинулся легкой трусцой.

Небесное буйство продолжалось, и, когда очередная вспышка высветила низенькое приземистое строение, стоявшее чуть в стороне, Кирилл хлопнул себя по лбу.

Клава! Черт... Ну точно: домик без окон, «вроде баньки»...

Совсем забыл про девушку, проклятый склеротик! А ведь она ждет, наверняка ждет...

Он повернул было к баньке, но тут же трусца сменилась быстрым шагом, затем шагом медленным, затем какое-либо движение вовсе прекратилось.

Всё не так просто...

Совсем не просто...

Он ведь не сможет заскочить на минуту-другую: привет-пока, бежал, дескать, мимо, а теперь извини — дела...

Нет... Если он войдет в этот домик, выйдет не скоро... «Ты бы ушел от такой женщины, Козлодоев?!» Он не Козлодоев, но быстро уйти не сможет... И Марина...

А может, ну ее на хер, твою Марину? — задумчиво поинтересовался внутренний голос. Причем, подлец этакий, впервые употребил подобное выражение касательно законной супруги Кирилла. Почувствовал слабину своего альтер эго, не иначе.

Не все так просто...

Кирилл застыл в неподвижности на дороге — ни дать ни взять Буриданов осел между двумя ослицами. Или ослихами? Без разницы, но ты-то точный осел, решай быстрей, сколько можно торчать столбом на бетонке...

Решили за него. С неба упала крупная, тяжелая капля, еще одна, еще, еще, еще...

— На хе-е-е-е-р-р-р-р! — громко оповестил он пустынную дорогу и Великого Электрика.

И припустил к приземистому строению. А вот так, дорогая! Дождь приключился, Неимоверный Тропический Ливень. Едва успел спастись в какой-то сараюшке, а то бы точно смыло в Рыбешку, оттуда — в Лугу, потом в Финский залив, в Балтику, в Атлантику, к черту на кулички, к теще на блины...

Однако спасся, а ты посиди-ка дома. Посиди, поломай голову, где твой муж — в Атлантике или у черта на блинах. Помучайся, любимая, — как он мучается насчет твоей псевдобеременности. На хер, милая, на хер!!!

Опаньки-и-и-и...

Возле самой двери домика Кирилл остановился.

Не из-за сплетения свастик, грубо и небрежно вырезанных, за полным отсутствием наличников, прямо в полотне двери,— нашли чем удивить, право слово...

Не в том дело. Дверь оказалась взломана — топором, а может, и ломом.

Да-а-а... Старик Некрасов, хоть и сграфоманил как-то про топор дровосека, хоть и жульничал безбожно, играя в карты, но в женщинах таки понимал толк. В таких вот, русских, *настоящих*... Может, Клава нынешнего железного коня на ходу и не остановит, — тяговое усилие трактора помощнее, чем у крестьянских лошадок. Но в горящую избу войдет, сомнений нет. Вошла же в запертую — ради него, Кирилла!

— Тук-тук! — сказал он громко и весело. — Клава, ты здесь?

Кирилл быстро шагнул через порог, не дожидаясь ответа, — дождь с пугающей скоростью превращался в настоящий ливень; посветил фонариком.

Она была здесь...

Но уже никому, никогда и ничего не смогла бы ответить.

2

Если бы ЭТО продолжалось еще достаточно долго, Марина сошла бы с ума; или не сошла бы, а, наоборот, взяла бы себя в руки, а заодно — тоже в руки — взяла бы что-нибудь острое, или тяжелое, или совмещающее оба названных качества, и, вооружившись этим острым-тяжелым, распахнула бы дверцу холодильника «Самарканд»; а может, она бы...

Впрочем, неважно.

Потому что ЭТО: полтергейст? галлюцинация? буйство одичавших крыс? — прекратилось.

Холодильник накренился вовсе уж сильно. Дверца полностью распахнулась. Содержимое рухнуло на пол.

Не крысы.

И, естественно (глупо было бы ожидать), не двадцатилетней давности труп Маришки Кузнецовой с раздувшимся, позеленевшим лицом.

На пол рухнуло то, что Марина час назад своими руками уложила в холодильник, — оскаленная башка мадам Брошкиной.

Холодильник стоял тихо-мирно — дверца наполовину распахнута, никаких самопроизвольных движений.

Голова лежала на полу. Но не совсем тихо и не совсем мирно...

В сенях имелось одно, но достаточно большое окно — так называемого «верандного типа»: относительно маленькие стёкла в густом переплёте.

Молнии за окном сверкали постоянно — голова на миг освещалась мертвенным светом, причем световые пятна хаотично чередовались с чёрными тенями, отброшенными рамой. Затем вспышка гасла — очертания мадам Брошкиной едва угадывались в слабом свете свечи. Новая молния — пятна и тени на свинской морде чередуются уже чуть по-другому, а глаза вновь вспыхивают отражённым светом — загадочным и неприятным... Вновь полумрак...

От перепадов освещённости казалось: голова шевелится. Движется. Движется к Марине. Медленно, но уверенно и целеустремлённо... Вспышка — и свиной пятачок повернулся под другим углом. Вспышка — пасть распахнулась пошире... Вспышка — ухо Брошкиной чуть сильнее прижалось к голове... Вспышка, вспышка, вспышка... И всё ближе к её ногам — с незаметной неумолимостью минутной стрелки, ползущей по циферблату.

Марина долго наблюдала за зловещей игрой света и тени. Или ей лишь показалось, что долго...

А потом негромко рассмеялась — совершенно безрадостным смехом. Кирилл, услышав такой смех, наверняка бы придумал срочное дело, позволяющее оказаться подальше от законной супруги.

Прочие же граждане, плохо знающие Марину, решили бы: молодая симпатичная женщина смеется какому-то печальному воспоминанию, — но уже пережитому, уже способному вызвать смех... Пусть и абсолютно безрадостный. И, соответственно, означенные граждане отнюдь не постарались бы немедленно увеличить расстояние между собой и Мариной.

Глупцы.

Потому что она только что решила кое-кого пристукнуть. Может, и не с летальным исходом, но оч-чень качественно. Она даже подозревала, что знает, кого именно...

Дело в том, что Марина не сразу обратила внимание на один любопытный факт, — все еще находилась под впечатлением выходок «Самарканда» и своих догадок о виновниках сего «полтергейста».

А зря, факт того стоил.

Бумага! Упаковочная бумага, — вернее, полное отсутствие таковой. Когда совсем недавно Марина убирала голову в холодильник, та была тщательно упакована. Теперь же сияла бесстыдной наготой...

Вывод?

Вывод прост, как свиное хрюканье. У мадам Брошкиной в ее нынешнем состоянии рук-ног нет. Или есть, но находятся далеко отсюда, неважно. Главное — кто-то помог распаковаться мадам. Вот он и появился — пока не на сцене, пока за кулисами — этот таинственный «кто-то».

Факт второй: раскачивать холодильник самостоятельно мадам тоже не стала бы — нечем, да и незачем. Чтобы не плодить лишние сущности, допустим: и здесь виноват «кто-то», тот же самый. Раскачивал холодильник именно он. Каким способом? Естественно, не забившись в щель между стеной и компрессором «Самарканда». Леска! Длинная и прочная рыболовная леска, привязанная к голове мадам и совершенно незаметная в полумраке сеней... Итак, наш «кто-то» на сцене: темные очки, длинный плащ, низко надвинутая шляпа и приклеенная борода, — опознанию не поддается.

Но криминалистика — наука точная. Стоит позаимствовать из ее арсенала классический метод «сочетания мотива и возможности», как картина разительно меняется. Кто отличался сегодня беспричинной алкогольной веселостью? Кто вполне может владеть запасным комплектом ключей от дома Викентия? Кто должен был прийти сюда к ожидаемому времени возвращения Кирилла?

Загадочный «кто-то» не просто лишился всех маскирующих причиндалов, но и разделился, на манер амебы, на два вполне независимых организма: Толяна Форносова и Трофима Лихоедова.

Ну, комики... Петросяны недоделанные. Добили прихваченную у свояка бутыль и затеяли деревенскую шуточку, добрую и ненавязчивую, а если ее объект невзначай станет заикой — кто ж виноват, что у него так плохо с чувством юмора? Похоже, у Юрочка-ангелочка склонность к дебильным развлечениям — наследственная.

Дедуктивная задача решена. Даже ясно, где засели уроды, — на крыльце, где же еще? До сих пор подергивают за леску, пропущенную в щелку, тянут тихо-тихо. Ждут, когда же Марина заорет истошным диким голосом, наконец-то разглядев: к ней ползет Страшная и Хищная Свиная Голова! Кстати, уже могла бы и заорать, не вспомни она вовремя про бумагу, — путь Брошкина проделала немалый, больше полуметра...

План контрдействий сложился быстро. Фронтальная атака бесполезна: пока Марина будет громыхать засовом, друзья-придурки скатятся с крыльца и канут в темноте. А потом с невинным видом от всего отопрутся.

Но если аккуратно, вдоль стеночки, пробраться на другой конец сеней, к двери черного хода... — одновременно с этой мыслью Марина приступила к ее реализации. По пути прихватила огромную сковородку с полутораметровой ручкой. Кто-то будет сегодня менять трамблер совершенно бесплатно, да еще и болезненно морщиться при этом...

На пути к черному ходу предстояло пройти мимо мадам Брошкиной. Марина присмотрелась: вроде бы башка прекратила едва заметное движение...

Неужели шутники засекли скрытый маневр Марины? Она двигалась в густой тени, оставив свечку на столе у входа, — и надеялась остаться незамеченной. Но свинская башка и впрямь лежит неподвижно, как, собственно, и полагается лежать всем приличным головам, отделенным от тела...

Она осторожно присела возле мадам, стараясь по-прежнему оставаться в тени. Тихо провела рукой у пасти, затем опустила пальцы к самому полу. Расчет Марины был прост — если шутники ретировались, то леска валяется на полу, ослабевшая. Тогда глупо совершать под проливным дождем партизанские вылазки... Но если все еще натянута...

Леска не обнаружилась.

Никакая — ни ослабшая, ни натянутая.

Нигде — ни на досках пола, ни у пятачка Брошкиной.

Марина недоуменно хмыкнула, потянулась ощупать всю голову: уж где-нибудь леска да привязана, сейчас найдется...

Свиные зубы вцепились ей в руку.

Марина заорала.

3

Снаружи, за дверью, взломанной и распахнутой, льющаяся с неба вода стояла сплошной стеной.

А перед Кириллом стояла дилемма. Вот какая: или остаться здесь, рядом с трупом, или выйти наружу, — и буквально за несколько секунд промокнуть до нитки.

Он выбрал первый вариант. Мысль отправить на водные процедуры мертвое тело даже не пришла в голову: нельзя тут ничего трогать до приезда милиции. Хоть и совершенно неясно, когда она приедет, но все равно нельзя.

Но зачем она это сделала?

Да нет же, зачем девушка принарядилась и пришла сюда, вполне понятно...

Кирилл с удивлением понял, что видел ее до сих пор лишь в белом халате продавщицы, либо в нелепом ситцевом платьице, либо вообще без одежды. И какой-то уголок сознания, а может и подсознания, упорно твердил: неправильно, всё неправильно!

Раскинутые по земляному полу ноги в ажурных колготках — неправильно: должны быть голые, и чуть тронутые первым летним загаром, и со старым, давно зажившим, побелевшим шрамчиком над левой коленкой, и со светлыми, тончайшими, лишь очень-очень вблизи заметными волосками...

И мини-юбка — не то! И блузка, совсем недавно белоснежная, а ныне замаранная кровавыми пятнами, — не то! И соломенно-рыжие волосы, затейливое уложенные, — не то!

Впрочем, цвет волос Кириллу подсказывала лишь память, а от затейливой прически мало что осталось, — скомканный, спутанный ком, пропитавшийся кровью...

На лицо Кирилл взглянул один раз, мимолетно, быстро проведя по полу лучом фонарика... И больше не смотрел. Ни к чему. Пусть останется в памяти прежней, живой, улыбающейся...

Но зачем, черт возьми, она это сделала?

Да нет, при чем здесь Клава... Кирилл думал про убийцу, который разнес дверь несколькими точными ударами (теперь-то ясно, Некрасов с его знанием женщин тут не при делах). И тотчас же, не откладывая, убийца разнес голову Клаве — тем же орудием. Вернее — разнесла.

Уже догадались?

Кирилл догадался... Хотя, конечно, была у него одна подсказка, одна шпаргалочка...

Но любая подсказка, любая шпаргалка с формулой, — отнюдь не готовый ответ к задаче... И решил Кирилл ее САМ, чистой логикой, хоть и основанной на фактах, — так же, как расколол загадки Третьей ополченской дивизии и болота Сычий Мох...

Может, лучше б не решал... Может, лучше бы ему все рассказали люди в погонах и в штатском... А он бы не поверил рассказанному, и метался бы по городу в поисках надежных адвокатов, и выстаивал бы очереди с передачами в СИЗО, и надеялся бы: чудовищная ошибка, все разъяснится, все пройдет, как кошмарный нелепый сон...

Но он вычислил *сам* — адвокаты и очереди еще возможны, но никак не мысли об ошибке...

Его случайную любовницу убила его законная жена.

ЖЕНА.

ЛЮБОВНИЦУ.

УБИЛА.

Что-что? Не смогла бы?! Да и измена мужа — не бог весть какая причина для убийства, в наш-то век? Ха-ха... Трижды ха-ха.

Он краем глаза видел, как благоверная расправлялась с бедной Калишей вскоре после того злосчастного минета. Эта — сможет! Эта бешеная ревнивая сука все сможет...

Вернее, уже смогла. Факты — вещь упрямая. Больше некому и незачем.

Она.

Марина свет Викторовна.

КЛЮЧ ПЯТЫЙ
КОГДА ПОЙДЕТ ДОЖДЬ

ТРИАДА СЕМНАДЦАТАЯ
НИКОГДА НЕ ЭКОНОМЬТЕ СИЛЫ
И ВРЕМЯ, КОПАЯ НЕГЛУБОКИЕ МОГИЛЫ

1

Такого никак не могло произойти, однако же произошло.

Голова мадам Брошкиной буквально подпрыгнула. Невысоко, на несколько сантиметров от пола. И вцепилась зубами в руку Марины.

По счастью, клацнувшие челюсти до тела не добрались. Сошлись, защелкнулись на рукаве. Руку тут же потянула вниз уверенная тяжесть.

Марина заорала.

Вспышка очередной молнии показалась долгой, неимоверно долгой, и Марина прекрасно успела разглядеть, что все изменилось в мгновение ока, и голова совсем не похожа на ту, что только что мирно лежала на полу.

Движется все, что может двигаться: вращаются в орбитах мертвые глаза, и мигают мертвые веки, и топорщится мертвая щетина, и сокращаются на загривке мертвые мышцы... Потом все погасло и озарилось снова: вспышка — темнота, вспышка — темнота...

Марина, не прекращая кричать, яростно затрясла рукой, замахала вверх-вниз...

Мадам Брошкина глухо ударялась об пол — но висела, вцепившись намертво, как питбуль: убей, разрежь на куски, но челюсти не разожмутся, — потому что мадам уже была убита... И разрезана на куски.

Марина вскочила на ноги, метнулась куда-то, не понимая — зачем и куда. Голова волочилась следом тяжеленным чужеродным придатком. Рукав вытянулся, куртка поползла с плеча, пуговица-кнопка со щелчком расстегнулась, за ней вторая... Ткань трещала, но пока выдерживала. И тут же мелькнуло спасительное решение: совсем сбросить ветровку — сожри! подавись, проклятая дохлая тварь! — и бежать, бежать отсюда...

Рука потянулась к груди, и только сейчас Марина обнаружила зажатую в ней рукоять громадной сковороды... Ну тогда получай! Получай! Получай!! Получай!!!

Забыв первоначальное намерение, она лупцевала Брошкину хрустко, сильно, с размаху... Живое существо такие удары если б и не прикончили, то вполне могли бы отвратить от агрессивных намерений. Мертвое боль не ощутит и мертвее не станет, но и ему можно раздробить кости, вышибить зубы... Наверное, именно этим яростный натиск Марины и завершился бы. Но раньше не выдержала ткань рукава.

Голова тяжело рухнула на пол.

Чуть позже туда же упала покрывшаяся вмятинами сковорода...

Марина, пятясь, сделала несколько шагов назад. Не отрывая взгляд от Брошкиной, ощупью искала ручку двери, ведущей в дом... Нащупала, надавила, потянула...

Ручка не шелохнулась Дверь тоже.

Она не удивилась. И не стала яростно дергать за ручку. Всё правильно. Всё так и должно быть. Когда всё вокруг сходит с ума, так и должно быть. Ей не туда... Не в дом, освещенный и относительно безопасный. Ей — на улицу, под ливень, под вспышки молний... Что ждет ее там? Что там затаилось, спряталось, притворилось переплетением черных теней — и терпеливо ждет Марину? Что или кто? Не Маришка ли Кузнецова?

А ты выйди. И узнай. И не задавай глупых вопросов.

Никуда она не пошла. Медленно, безвольно начала сползать на пол... Все, хватит. Сейчас она сядет, сядет прямо у двери, закроет глаза... И ничего не будет делать...

А затем она вдруг вскочила на ноги. И через секунду очутилась по другую сторону двери.

Ну не идиотка ли... Полная идиотка.

Чтобы отжать защелку на этой двери, надо было не нажимать на силуминовую ручку-рычаг, как принято у нормальных людей и нормальных дверей, но тянуть вверх. Кирилл объяснил: наверное, у Викентия оказался под рукой лишь замок, предназначенный для двери, открывающейся в другую сторону, налево, — вот и врезал, перевернув... Пустяк.

Этот пустячок чуть не стоил ей слишком дорого... Она бы попросту свихнулась там, в сенях, сидя под якобы запертой дверью...

Свет десятков свечей заливал кухню-столовую, заливал горницу. От него появилось чувство уверенности, безопасности. Может быть, иллюзорное и ложное, — но появилось. На свету ТАКОГО не случается.

И тем не менее она повернула ключ еще на один оборот и накинула крючок на дверь, ведущую в сени. С сомнением посмотрела на подпружиненную дверцу кошачьего лаза — может, чем-нибудь подпереть, забаррикадировать? Да ни к чему, голове никоим образом не протиснуться в это отверстие, разве что вдруг истончится, вытянется на манер дождевого червяка... А такого быть не может.

Не может? Правда? Так-таки и не бывает? Никогда-никогда не случается? Раз вы, милая девушка, так хорошо знаете, что случается, а что нет, объясните-ка: что произошло пару минут назад? Рядом, за этой вот дверью? В сенях?

Ей очень не хотелось пытаться объяснять кому-либо, хотя бы себе самой, увиденное и почувствованное недавно. Не хотелось...

Марина была материалисткой.

А с точки зрения закоренелого материалиста необъяснимых фактов нет и не бывает. Вообще. По определению. Если факт, невзирая на все потуги, все же объяснить нельзя, — значит, он вовсе не факт. Злостная фальсификация. Или банальный обман зрения.

Конкретный пример: у свиньи, как известно, шеи нет.

Конечно же, ученые-зоологи, специализирующиеся на парнокопытных, услышав такое заявление, тут же уличат заявителя в глубоком невежестве, а то и в злонамеренном искажении фактов, и радостно достанут схему свиньи в разрезе, и начнут тыкать указками в изображения позвонков, ехидно вопрошая: а это что, не шея? А это? А это?

РОДИТЕЛЬСКИЙ ДЕНЬ

Бог с ними, с кандидатами и докторами свинских наук. Всех в колонну, каждому лопату, — и на свиноферму. Пусть на практике ознакомятся с объектом изучения. Заодно и навоз уберут, поднакопился.

Так вот, у свиньи шеи нет. Факт. Не научный, бытовой. По крайней мере, внешне шея не наблюдается: голова и туловище хавроньи, от пятачка до хвостика, отдаленно напоминают пушечный снаряд — нечто цельное, не разбиваемое глазом на сегменты. И когда мясники разделывают тушу, то порой отсекают голову почти над лопатками, с большими прирезями мяса. Проще говоря: мышечной ткани у свиной головы достаточно, чтобы совершить какое-нибудь простенькое движение. Подпрыгнуть на несколько сантиметров, например.

Что? Мышцы мертвого тела сокращаться не способны? Ошибаетесь! — радостно скажут материалисты. И тут же припомнят опыты Луиджи Гальвани. (У махровых материалистов глубокие знания встречаются редко, но дергающиеся от тока лягушачьи лапки изображены в школьном учебнике биологии.) Лапки или головы, лягушки или свиньи, — какая разница? Если бы Гальвани отдал лапки кухарке, попросив соорудить к обеду фрикасе по-французски, и экспериментировал бы вместо них с головами, — результат бы не изменился.

Откуда взялись в холодильнике гальванические токи, если питается он от сети, а в доме от грозы вырубилось электричество? Ну, удивляете... А сама гроза? Электричества там — бери не хочу. Миллионы вольт. На дивизию свиных голов хватит. На корпус. На армию.

Вопрос решен. Факт объяснен.

Что Гальвани возился с лягушками свежими, только что умерщвленными, не лежавшими много часов в холодильнике, господ материалистов не смутит. Принципиальное объяснение найдено, а деталями пусть займутся вернувшиеся с фермы свинологи.

Марина была материалисткой. Законченной. Закоренелой.

Однако даже сейчас, отгородившись крепкой дверью от непонятного и страшного, при свете нескольких десятков свечей, она не попыталась сочинить подобное объяснение — как последнюю зацепку над пропастью безумия, как спасательный круг, удерживающий над бездонным океаном ужаса...

Вместо этого она вцепилась в другую версию.

Энцефалит!

Клещ все-таки укусил ее вчера утром, она не почувствовала, маленькие кровососы вспрыскивают что-то обезболивающее, какой-то природный анестетик... Укусил. А она не заметила. И ядовитая зараза угодила в кровь.

Клещевой энцефалит...

Об этой болезни Марина была осведомлена не больше, чем о ее переносчиках. Но одно знала точно: главный объект для атаки вируса — мозг. Вроде бы даже сам термин «энцефалит» происходит от латинского наименования мозга... Или от греческого? Она попыталась вспомнить, как будто это и в самом деле что-то меняло, и, конечно, не вспомнила... Тьфу, да какая разница, мозг — он и на китайском мозг...

А теперь вопрос на засыпку: из холодильника ли выпрыгнула хищная свинина? Не из вашего ли мозга, Марина Викторовна? Из мозга, где начался и продолжается воспалительный процесс? Не первая ли это ласточка?

РОДИТЕЛЬСКИЙ ДЕНЬ

Вопрос сложный... Пораженные извилины не всегда способны к самодиагностике...

Марина задумчиво рассматривала неровную дыру на рукаве куртки-ветровки — вернее, даже совокупность нескольких рваных дыр. Точно ли она их видит? Или лишь думает, что видит?

Просунула пальцы в дыру насквозь, пошевелила... Очень уж реальная, настоящая... Куда реальней взбесившейся головы.

Вот-вот... Дыра реальна. Способная кусаться мертвая голова — нет. Так кто же тут поработал зубками в припадке безумия, а? Поработал и напрочь о том забыл? Кто вышвырнул голову из холодильника и содрал с нее упаковочную бумагу? Не бойся ее, Кирюша, перешагивай смело, она не кусается, это просто твоя жена сошла с ума, ля-ля-ля-ля-ля-ля, сказала фрекен Бок, запихивая в мясорубку Карлсона, сумасшедшим такое можно, им можно всё, интересно, чем были наполнены последние кошмары Маришки Кузнецовой, нет, и вправду интересно, надо же знать, что тебе предстоит...

Марина уже не понимала, что сама загнала себя в ловушку. Версия об энцефалите и его симптомах не стала спасательным кругом и зацепкой над бездной. Она стала шагом в другую бездну — в черный бездонный колодец, поджидавший свою жертву двадцать лет...

— Кис-кис-кис! — ласково позвала Марина, видя, как медленно поднимается дверца кошачьего лаза. И засмеялась — звонко, весело. Сойти с ума — плохо и зазорно лишь с точки зрения людей, мнящих себя здоровыми. Они, глупые, не понимают, какие чудные вещи можно создать при помощи больного мозга... Много лет Марина мечтала о кошке, мечтала и не могла воплотить мечту в жизнь, сначала из-за отца, позже из-за Кирилла, но стоило сойти с ума — и пожалуйста, все к вашим услугам, вам перса или ангорца?

— Кис-кис-кис, — снова позвала Марина, углядев за поднимающейся дверцей какое-то шевеление. И ткнула туда повелительным жестом:

— Ты — ангорская! Я так хочу!

Но в дверцу медленно, волоча обе задние лапы, протискивалась не ангорская кошка. И вообще не кошка.

Марина не сразу опознала неимоверно грязное, облепленное землей создание.

А затем догадалась: лисица! Раздавленная ею на лесной дороге лисица! Раздавленная и закопанная потом Кириллом, — неглубоко, у куста сирени, — и теперь вылезшая из могилы.

Обидно, что не ангорская кошка... Но все-таки не так скучно будет ждать мужа. И врачей, которых он, хочется надеяться, вызовет...

— Иди сюда, маленькая! — сказала Марина. — Я тебя вымою, и мы поиграем...

Лиса послушалась. Ковыляла прямо к ней, переступая лишь передними лапами. Вернее, не так уж прямо: хребет был сломан, и осевая симметрия тела нарушилась. Задняя часть тушки вместе с лапами и хвостом торчала в сторону, лисицу заносило, она выравнивала движение, — и приближалась неровными зигзагами.

Но курс держала к ногам Марины.

2

Совершенно непонятно, для чего мог служить домик, в котором Клава назначила свидание Кириллу.

Назвать его сараюшкой язык не поворачивался — кроме размеров, ничего общего. Ну кто, скажите, возводит сарайчики из толстых, основательных бревен? Куда проще наскоро слепить из бросовой доски-горбыля, пустить на кровлю рулон старого рубероида — и пожалуйста, храни на здоровье что-нибудь не самое ценное, например, мешки для сбора картофеля с ближайшего поля...

Банька? Но в той, как минимум, предполагается печь, не говоря о прочем... Здесь же всей обстановки — две широкие лавки вдоль стен. Ну хорошо, пусть незавершенная банька — сруб возвели, а потом передумали... Почему тогда именно здесь? Квазибанька стоит на половине пути от фермы к деревне, — и никаких жилых строений поблизости. Вообще никаких строений...

Полное впечатление — кто-то соорудил сие прибежище, сочувствуя юношам и девушкам, не имеющим места для встреч... Может, сами и постарались, чтобы использовать по очереди. Повесишь на дверь условный знак — и все знают: гнездышко любви занято, и не ломитесь в двери...

Бедная Клава так и сделала, не подозревая, что в дверь все-таки вломится разъяренная фурия по имени Марина...

Для Кирилла вычислить убийцу оказалось легко и просто. Как ни странно, помогла одна деталь, промелькнувшая во вчерашнем ночном кошмаре. А именно: он собрался тогда вдребезги разнести взбесившиеся часы лихоедовским колуном. Будучи отчего-то уверен, что тот стоит в сенях дома Викентия.

Позже момент как-то стерся из памяти, но сегодня, когда они носили вещи в машину, Кирилл и в самом деле увидел в сенях колун! С рукоятью, обмотанной синей изолентой. Не тот, понятно, с которым упражнялся Юрок, просто очень похожий.

Он понял: колун уже попадался на глаза, просто не привлек внимания. Но отложился где-то в дальнем углу памяти — и всплыл в ночном кошмаре.

Но теперь колуна в сенях нет... Он лежит здесь. В дальнем углу. Измазанный кровью.

С такой уликой мисс Марпл и Эркюль Пуаро могут спокойно отдохнуть. Или расписать пульку в компании Шерлока Холмса.

Всё и без них понятно.

Какое место идеально подходит, чтобы проследить за идущим на гриву Кириллом и за поспешающей вслед Клавой? Проследить, не сходя с места?

Правильно, высоченное крыльцо стоящего на холме дома Викентия. Единственный и неповторимый наблюдательный пункт во всем Загривье. Только не рассказывайте сказки, что там мог оказаться кто-то другой. Он, другой, постучал бы и вошел. Или ушел бы обратно, не дождавшись ответа на стук.

Нет, на крыльце сидела Марина... Все-таки проснувшаяся достаточно рано. Увидела уходящего на гриву Кирилла, но ничего не сделала: кричать — не услышит, а нестись за муженьком сломя голову — это не для Марины Викторовны. Но затем в том же направлении прошла Клава...

Здесь, сейчас, в псевдобаньке, Кирилл ощущал к жене самую настоящую ненависть. Причем даже не столько из-за убитой Клавы, сколько из-за той, утренней, ситуации: они на полянке, голые (ну, по крайней мере, одна из двоих)... И Марина. В кустах. Сука...

Не ежик там шумел — другой зверь... Гораздо крупнее и опаснее.

Лучше бы уж сразу выскочила, устроила бы скандал, даже мордобой...

РОДИТЕЛЬСКИЙ ДЕНЬ

Так ведь нет, Марина Викторовна занимается такими вещами исключительно на холодную голову.

Впрочем, возможно, наложилась еще одна причина. Тогда, на полянке, Клава говорила очень искренне — о детях и о прочем... И эта рассудочная сука, упрямо не желающая никого рожать, могла *испугаться*...

Испугаться, что для Кирилла, давно мечтающего о детях, скандал станет последней каплей. И он сделает то, что давно стоило сделать. Поскольку мифическая беременность — лишь средство *продавить* покупку дома...

Как бы то ни было, Марина тихо вернулась домой и удачно изобразила только что проснувшуюся... Но хорошо запомнила время и место назначенного свидания.

А потом... Черт, ведь трагедии вполне можно было избежать... Трамблер... Глупая случайность... Он идиот... Полный идиот. Совершенно не оценил значение ее злобного взгляда — тогда, при безуспешных попытках завести машину.

Она ведь заподозрила, что поломка — дело рук Кирилла!

Дальше — хуже...

Новая цепочка диких совпадений, но в глазах Марины все логично: муж где-то долго шлялся — значит, вполне мог сговориться с Толяном и Лихоедовым. Затем вдруг выясняется, что Кириллу надо уехать на пару часов — причем время идеально совпадает с назначенным Клавой свиданием...

Что могла подумать Марина? Лишь одно: он идет продолжить столь активно начавшееся знакомство с «королевой свинофермы», вся история с трамблером — блеф.

Дурак... Идиот... Мог ведь, наверное, догадаться... По каким-то ее обмолвкам, случайным жестам...

Она ведь убила не со зла, как дико ни звучит... Что ей Клава? Не стоит и руки пачкать... Она убила из *страха*. Из страха потерять верного раба, к которому все-таки привыкла, как привыкают к собаке или кошке... Раз уж он, тихо-мирно просидев шесть лет под каблуком, пустился на такие сложные комбинации — дело плохо. Ожидать можно всего.

Рассчитала она все идеально — но исходя из своих, ложных, посылок. Кирилл, получив свое, вернется из «баньки», и... стоп! Что-то не сходится... Вернется, и что подумает, не застав жены?

Значит, на столе лежала бы записка: пошла, дескать, позвонить маме по соседскому «Алтаю», чтобы та не волновалась, скоро приду, любимый, дата, подпись.

Проверить факт звонка маме Кирилл не успел бы.

Едва Толян заменил бы трамблер (а по версии Марины — лишь подсоединил бы отсоединенный Кириллом контакт) — они тут же укатили бы из Загривья.

И про смерть Клавы он узнал бы ох как не скоро...

Все-таки он кретин... Зачем сболтнул ей про новую книжку, про то, что будет изредка приезжать сюда за материалом? Промолчал бы — Клава осталась бы жить. Кириллу жена бы все припомнила, и не раз, — так что когти, вцепившиеся в член, показались бы детской забавой... Но Клава осталась бы жить.

Марина спланировала ИДЕАЛЬНОЕ убийство. Расследование? Не смешите, никто не стал бы даже вызывать из другого субъекта федерации двух никчемных свидетелей, всего-то пяток минут общавшихся с убитой... Мало ли кто покупает тут мясо...

Марина спланировала все идеально — и тем не менее сядет в тюрьму, и очень надолго. Потому что планировала, исходя из своей оценки ситуации — из абсолютно ложной оценки...

Почему все-таки убила, если Кирилл не пришел? По той же самой причине. Итак: она в кустах у «баньки», все рассчитано по минутам, колун наготове. Она уверена: Кирилл внутри и вот-вот должен выйти... Выйти первым и наверняка в одиночестве — у него цейтнот, и светиться в деревне рядом с Клавой ему ни к чему... Должен выйти — и не выходит, и не выходит, и не выходит...

Что могла подумать Марина?

Да что угодно. Лишь истинного положения дел она представить не могла: для этого ей надо было сломать всю цепочку своих рассуждений — логически безупречных и абсолютно ложных. Может, вообразила, что он все РЕШИЛ — именно здесь, именно сейчас, и останется с Клавой до утра, послав подальше супругу, которой недолго осталось носить это звание? И вот тогда она впервые сорвалась с резьбы...

Сломала дверь: Кирилла нет! Зато есть Клава... И шанс избежать трагедии еще оставался... Но остался нереализованным: Клава тоже была на взводе — из-за отсутствия Кирилла. Слово за слово, и...

Еще один маленький штришок, маленький бонус для прокурора: потолок тут относительно низкий. Кирилл, например, со своим ростом метр девяносто пять, — топором над головой не взмахнет, зацепится: на глаз видно, никакие следственные эксперименты не нужны... Для эксперимента сюда стоит пригласить (вернее, доставить в наручниках) одну гражданочку, чей рост составляет ровно сто шестьдесят четыре сантиметра без каблуков. Подсказать имя, фамилию, адрес?

И что теперь?

Теперь у него ни любовницы, ни жены... Один, как пугало посреди поля, пугало в каске вермахта образца 1935 года...

Страшно...

До чего же страшно, если вдуматься: Марина искалечила жизнь и себе, и ему, а Клаву вообще вычеркнула из списков живущих, — лишь потому, что умеет трезво, холодно и логично мыслить... Единственная неверная посылка, плюс несколько очевидных фактов, предвзято истолкованных, плюс безукоризненные логические построения — и готова непротиворечивая, но насквозь лживая картинка.

Она умеет мыслить логично. Не умеет лишь любить. И верить тому, кого любишь...

Недаром с древних времен три понятия объединяли в одну триаду. Если любишь — верь. Верь вопреки всему. Лишь тогда в любви можно на что-то надеяться...

А холодной логике места нет — среди веры, любви и надежды.

3

Казалось, лиса решила потереться об ноги — как домашняя избалованная кошка, выпрашивающая ласку. И действительно, вскользь задела лодыжку своим грязным мехом; Марина вздрогнула, но не отдернулась, — разве может испачкать или как-то еще повредить игра твоего воображения, порождение твоего зараженного мозга? Ли-

РОДИТЕЛЬСКИЙ ДЕНЬ

сица, глядя куда-то в сторону мертвыми глазами, разинула пасть, сейчас замяукает, подумала Марина, но не удивилась, сойдя с ума, глупо чему-либо удивляться...

Лиса не замяукала, вообще не издала ни звука — деловито вонзила зубы в икру Марины.

В следующие секунды в доме воцарился ад...

Сбитые свечи падали и гасли, света становилось все меньше, тьма вновь поползла из своих мышиных нор и тараканьих щелей, — а по стенам метались громадные черные тени осатаневшей от дикой боли Марины.

И металась она сама — из горницы в кухню, потом обратно, лиса волочилась следом и стискивала челюсти все сильнее, или так только казалось Марине, и не попадалось под руку ничего, чем можно было бы размозжить, раздавить, размазать по полу мерзкую гадину...

Ухватила было веник, тут же отбросила — что мертвым щекотка? — заметила у печки кочергу, рванулась туда, упала: нога с впившейся лисицей запуталась в ножках табуретки; вскочила, не чувствуя ушибленного колена — всё забивала кошмарная боль в икре...

Кочерга оказалась несерьезная, легковесная, сделанная из полосы листового металла, совсем не толстого, Марина ударила несколько раз и отбросила... Затем она вспомнила про сковородку, про чудесное оружие для расправы с теми, кто не хочет вести себя как положено мертвым...

Она уже лихорадочно повернула ключ, и откинула крючок, но в последний миг замерла: мадам Брошкина! проклятая башка никуда не делась, поджидает в сенях, и вдвоем они прикончат Марину... Не дождетесь!

Прикончили не ее. Прикончила она. Именно прикончила, не убила, — убитую еще вчера лисицу. Весьма нестандартным орудием — старинной радиолой.

Внутри «Ригонды» что-то покорежилось, что-то сорвалось со своих мест и болталось внутри корпуса, что-то разбилось со стеклянным дребезгом... Но сам ящик, добротно сделанный из хорошего дерева, пока держался — Марина поднимала и резко опускала его, круша и плюща лисицу — перевернув радиолу, держа за тонкие ножки. Вверх-вниз, вверх-вниз, раз за разом, вверх-вниз...

Разжались ли мертвые челюсти или разлетелись на куски, Марина не заметила, просто в какой-то момент бесформенное месиво, мало уже похожее на лисицу, шлепнулось на пол, оторвавшись от ее ноги. Но она не прекратила сокрушительные методичные удары: вверх-вниз, вверх-вниз — у нас сегодня в меню не отбивные... фарш, кисель, манная каша... В звуки ударов вплеталось отвратное чавканье.

Потом все кончилось — «Ригонда» наконец развалилась кучей досок, рассыпалась грудой покореженных деталей. Никто и никогда не послушает больше «классное ретро»...

Изодранная лисьими клыками нога обильно кровоточила... Капли густо падали на крашеные доски пола, и Марине отчего-то вспомнилась Калиша. И кровь, впитывающаяся в циновку с загадочными иероглифами...

Господи, нашла же время предаваться воспоминаниям...

Скорее, отыскать скорее пластырь и бинт и что-нибудь дезинфицирующее, был же у Викентия хотя бы йод, хотя бы зеленка... Пусть весь мир сошел с ума — она не сдастся, она будет драться, она победит! Она доживет до рассвета, до нормального утра нормального дня, — когда-нибудь же кончится эта дикая ночь, ночь восставшей хрен знает откуда падали, ночь гостей с кладбища домашних и диких животных...

Она не сдастся, но к машине, за аптечкой, не пойдет... У Викентия найдутся пластырь и йод, обязательно найдутся, старики запасливы на всякие медицинские штучки... Марина лихорадочно рылась в выдвижном ящике стола, на пол летели пакетики с семенами, и старые квитанции, и даже упаковки просроченных таблеток, но пластырь или бинт не попадался, а искусанная нога болела все сильнее, и боль не позволяла Марине обратить внимания на другое, не столь болезненное ощущение... Затем она почувствовала неладное и опустила глаза...

И пластырь с бинтом стали не нужны. И йод стал не нужен. И зеленка...

Потому что все закончилось. Для нее все закончилось. Как глупо...

Почти так она и сказала, вернее начала говорить:

— Вот и всё... Кира теперь меня...

Не договорила и зарыдала.

ТРИАДА ВОСЕМНАДЦАТАЯ
ВЕРА, НАДЕЖДА, ЛЮБОВЬ —
И ИХ ЗЛАЯ МАЧЕХА, ХОЛОДНАЯ ЛОГИКА

1

Ливень закончился. Июньские ливни долгими не бывают.

По крыше «баньки» еще постукивало, все реже и реже...

Теперь уже настолько редко, что продолжать обманывать себя: «Раз уж решил переждать дождь, то глупо вымокнуть в самом его конце», — не имело больше смысла.

Переждал. А теперь иди. Не вымокнешь.

Иди, и настойчиво стучись в первый же попавшийся дом с «алтаевской» антенной над крышей, и дозванивайся в Сланцы... хотя нет, хоть Сланцы и ближе, но другой район, дозваниваться придется в райцентр, в Кингисепп... короче, дозванивайся туда, где есть милиция; дозвонись и скажи несколько слов, а дальше всё закрутится само, закрутится и поволочет за собой, и принимать решения уже не придется...

Надо было встать и пойти, но он по-прежнему стоял на коленях, на утоптанной земле рядом с Клавой. Фонарик рядом, на лавке, положенный очень аккуратно и расчетливо: освещено всё тело, — всё, кроме головы... Об экономии батареек Кирилл сейчас не думал.

Он прощался: может, еще увидит ее, — на опознании, или на похоронах, если на похороны пустят мужа убийцы, но там вокруг будут чужие, и прощаться надо сейчас...

Он прощался с Клавой — с девушкой, которую впервые встретил вчера под вечер, и с которой стал близок сегодня утром, и которую потерял час назад... Даже не просто стал близок, не только в банально-физиологическом смысле, — Клава прочно заняла все мысли...

(На самом-то деле не совсем так, но Кирилл твердил бы и на Страшном суде: да, да, только о ней и думал весь остаток дня, лишь о ней и ни о ком другом, — и не лгал бы, свято уверенный, что так и было. Аберрация памяти.)

Сколько же событий вместилось, впрессовалось в сутки с небольшим...

А потом Кирилл похолодел от одной мысли, от одного предчувствия.... В полном смысле похолодел, ощутил вполне реальный озноб, словно дело происходило не теплой июньской ночью, а ноябрьской, полосуемой свирепым ледяным ветром...

Утром, на гриве, они никак не предохранялись, не до того было, слишком спонтанно все получилось, и он бездумно оставил в Клаве частицу себя. Что, если...

Шанс невелик, но почему-то казалось, что так всё и произошло: в Клаве зародилась, затеплилась новая жизнь... Может, крохотный будущий человечек жив до сих пор, не ведая: та, что должна была стать его матерью, мертва...

Сука-а-а... Псевдобеременная сука... Жаль, что Клава не вырвала колун из твоих ручонок... Жаль, что не твои мозги разлетелись по утоптанной земле.

Надо было прощаться и уходить.

Кирилл всегда считал непонятным и отвратительным обычай — целовать на прощание мертвых. Что за дикость? Того, кто был тебе дорог, уже нет, — так зачем чмокать разлагающуюся органику? Впервые он попал на похороны в девять лет — и с легким ужасом глядел на родственников, по очереди склонявшихся над гробом бабушки Тани... Позже, спустя годы, хоронили отца — и на Кирилла смотрели слишком многие, смотрели с безмолвным ожиданием, пришлось подойти и пришлось наклониться; но мертвой плоти он так и не коснулся, поцеловав воздух в сантиметре от ставшего чужим лица...

Сегодня он понял, ЗАЧЕМ это делают. Последний поцелуй — символическая точка. Точка в конце последней страницы книги чьей-то жизни. И ставят ее, когда трудно расстаться, — трудно захлопнуть обложку и понять, что всё навсегда... Что эту книгу ты уже не откроешь.

Последний поцелуй. Точка. Можно опускать гроб в могилу. Можно встать и выйти из домика, отдаленно похожего на баньку.

Он понял, зачем это делают, и сейчас поцелует Клаву. Впервые коснется мертвого тела, не только губами впервые, вообще... (Старые кости в засыпанных блиндажах и воронках не в счет, там всё совсем иначе.)

Поцелует... Вот только....

Кирилл — искоса, боковым зрением — мельком взглянул на залитое густой тенью *нечто*, недавно бывшее девичьим лицом. И не одной лишь тенью залитое...

Несколько раз глубоко вдохнул-выдохнул, словно готовясь нырнуть в ледяную воду. Снова взглянул, и снова искоса, но чуть задержав взгляд...

А затем осторожно, не касаясь тела, расстегнул пуговичку на блузке Клавы. Потом вторую...

Доктор, я некрофил?! Да что вы, что вы, батенька, некрофилия — серьезное отклонение психики, а ко мне приходят со своими проблемами здоровые люди, так что ложитесь на кушетку и начнем сеанс, только стряхните, стряхните сначала с брюк кладбищенскую земельку...

Бюстгальтер она опять не надела... До чего же роскошная грудь... была.

Наклонялся Кирилл очень медленно, происходящее напоминало ему некое таинство, некий отдаленный аналог первого причастия...

Коснуться соска, к которому никогда уже не припадет губами ребенок, казалось кощунством, действительно извращением, — он поцеловал чуть выше, в свод груди, и...

И вскочил, словно подброшенный пружиной.

Грудь была холодна как лед...

ХОЛОДНА КАК ЛЕД!

Он подхватил фонарик, он посветил на часы, он вновь склонился над телом — схватил за руку, приложил ладонь к груди, к животу, к шее — быстро и уже без всякого трепета... Метнулся в угол, поднял колун, к которому до сих пор не подходил.

Кровь на рукояти и лезвии высохла, почти уже не липла к пальцам...

...Он медленно вышел в ночь.

Зачем вам куда-то звонить, Кирилл Владимирович? Лучше пойдите в ближайшую ночную аптеку и, используя все отпущенное природой обаяние, уговорите провизора отпустить цианид без рецепта, — и выпейте... Или пару упаковок самого сильного снотворного, — и разом проглотите все пилюли... Или, на худой конец, купите большую-большую таблетку от глупости...

Потому что такого идиота свет еще не видывал.

2

Когда погас свет, Рябцев спешить не стал. Ливень хлещет такой, что руку вытянешь — своей ладони не разглядишь.

Да и не старое нынче время, у половины односельчан в подвалах дизельки стоят, а к бездизельным соседям «сопли» поверху кинуты...

Реально шесть домов только обесточилось, жилых домов, понятное дело. Но и в тех жильцы наготове, родительский день как-никак, — все, что можно, на батарейках да на аккумуляторах... В общем, не резон в ливень нырять, потерпят часок, не маленькие. Ливни в июне не долгие.

Вот раньше, лет двадцать назад, да-а-а... Свет погас, и гадай, когда ставни не выдержат... Кое у кого патефоны еще оставались, тем полегче было, — если, конечно, старой пружине в нужный момент кирдык не придет...

В те времена электрик на деревне и в самом деле первый человек был. А теперь... По привычке, по инерции уважают еще, но... Случись с ним что — перебьются, до рассвета дотянут...

С такими мыслями он спустился в подвал, дернул за шнур стартера. Дизелек трудолюбиво зафырчал — надежная машинка, немецкая, на четыре кила, да и жрет немного. Рябцев свинтил крышку бачка, проверил солярку: помнил, что вчера заливал, но привычка — вторая натура. Электрики в Загривье лишь раз ошибаются, вроде минеров... Отец вот ошибся, тридцать лет назад...

Стал собираться: кончится ливень, а он наготове. Дизельки дизельками, а работа работой, должен — делай. Работа у нас такая, забота у нас простая, жила бы деревня родная... Да уж...

Натянул кожаный жилет-разгрузку — все инструменты по карманам разложены, в строгом порядке, много лет назад заученном. Руки лишним занимать ни к чему, пусть в городе жэковские дяди Васи с сумками да с чемоданчиками по квартирам ходят.

На груди, поверху, — ряд карманчиков особых, вроде газырей на черкесках, только там патроны сверху вставляют, — а он снизу, натуге, чтоб вдруг не выпали... Это уж не от отца, сам додумался. А поначалу всяко-разно пробовал: и патронташ охотничий, открытый; и к стволам несколько штук снаружи крепил, чтобы совсем уж под рукой... Однако ж так — на груди, донцем вниз — быстрей всего получается, проверено, Зинка с секундомером засекала...

Распихал патроны — неторопливо, осмотрел каждый дотошно. Добрые, штатовские, без осечек бьют, — только вот картечь высыпана, жеребья вместо нее... Старая придумка, дедовская, — но лучше новых работает, куски нарубленного прутка угловатые, насквозь ни один не пройдет, не посвистит дальше без пользы, без толку... Летят жеребья, ежели издали стрелять, не кучно, — так ему ж гусей влёт не бить. А так вот с пяти шагов в руку угодишь — нет руки, в голову — голова долой...

...Ладно, пора бы уж, дождь едва барабанит... Ну, бог в помощь, Петр Иваныч...

Провожать было некому, с Зинаидой восьмой год жили врозь... Еще раз, тем, кто в танке: с Зинаидой они *жили*. Но врозь.

Детей растили вместе, да и в койке юность вспоминали не то чтоб редко...

Но... С электриками всякое в Загривье случается... И жила Зинаида своим домом. Да и что не жить, домов у них хватает. В пятидесятые, как деньгу почуяли, так уж размахнулись, понастроили... Вот, дескать, Ванятке избу рублю, как женится, так сразу и домом своим заживет... А Ванятке-то пятый год, едва от титьки мамкиной отлип... Однако — строили. Теперь жгут вот...

Выйдя в темноту и запирая дверь, поймал себя: «они», «почуяли», «жгут»... Уже не «мы», стало быть? *Своим* уж себя не считаешь? Смотри, а то...

Не закончил мысль. Обрез словно сам влип в руку. Секунду медлил: ну как *свой*, ну как ошибка... И чуть не поплатился.

Бах! Бах! — два снопа пламени из стволов. Какой там *свой*... И, быстро, на автомате, — переломил, левая рука с патронами уже в пути, зарядил, левой снизу по стволам, а палец уже давит спуск... — Бах! Бах!

И снова, раз за разом: Бах! Бах! — кратчайшая пауза, металлические щелчки единым звуком, слитые воедино, — Бах! Бах!

Тишина. Эхо в ушах. Стволы раскалились, жгут руки. Темное месиво у ног слабо подергивается.

Вот... Вот как у нас нынче-то... Вот вам *свои*, вот вам чужие... Разве ж то чужие приволокли, да тут рядышком и прикопали? *Свои-и-и*... Сам бы не дотопал, не успел, далековато...

С-суки... Поганые дела. Сейчас не сплоховал, так другим годом троих прикопают... Не пожалеют трудов — отыщут, достанут, приволокут... И чисты перед *своими* будут, работа уж такая у электрика, известное дело.

Устал... Ох и устал... Двадцать лет электриком — укатали сивку крутые горки...

А не Троша ль, часом, подстарался? То-то его старши́е второй месяц как с болота ночевать лишь вылезают... Да поди, докажи...

Прежде чем идти к гаражу, распихал в нагрудные кармашки новые патроны, запас с собой был еще изрядный. Через пару минут мотоцикл с ревом покатил в ночь. Рулил Рябцев двумя руками, не пижонил, — но обрез висел на запястье правой, на кожаной витой петле... Если что — не сплошает...

Работа у электрика такая.

3

И-ДИ-ОТ...

К такой неутешительной оценке своих умственных способностей Кирилл пришел после лихорадочных и недолгих попыток переиначить, спасти, реанимировать версию убийства, рассыпавшуюся на глазах.

Увы... Такое не реанимируют. Доктор сказал: в морг, — значит, в морг.

Марина не успевала... Никак. Нет, если бы Марина отправилась убивать, едва он вышел к Лихоедовым, — успела бы. Но шли-то они с Трофимом мимо дома Викентия — позже, за Толяном. И Кирилл видел жену на крыльце, и помахал рукой.

Потом уже не успевала — даже если бы помчалась не таясь, прямо по улице, с колуном под мышкой.

А если бы вышла, как первоначально предположил Кирилл, во время его поездки с Генахой, — то не успела бы уже Клава, вернее, ее тело — остынуть до такой температуры... Не январь месяц.

Идиот... Раскрыл, называется, преступление, не сходя с места. Любой приличный Ниро Вульф сначала пошлет Арчи Гудвина прикинуть температуру трупа, а уж потом начнет дедуцировать, не вставая с кресла и пялясь на орхидеи.

Он быстро шагал по бетонке к деревне и даже не пытался вычислить настоящего убийцу. Есть люди, которым за это зарплату платят. Покопаются среди былых Клавиных хахалей — и найдут.

Кирилл пытался понять другое. Марина не виновата — но его отношение к ней отчего-то не изменилось... Ни на грамм. Ни на йоту. Лишь какая-то досада: и тут упала на четыре лапки, выкрутилась...

Потом понял: и все-таки виновата! Не будь ее дурацкого упрямства в деле покупки загородной недвижимости, не сочини она байку о своей беременности, — Клава осталась бы жива.

Но в тюрьму сядет ревнивый хахаль, а Марина вроде и ни при чем... хм... хахаль...

А ведь в цепочку действий, что он выстроил для гипотетического убийцы, хахаль никак не вписывается... Никаким боком. Ну, допустим, увидел он идущего на гриву Кирилла... Потом Клава прошла в ту же сторону... Ну и что? Чтобы что-то заподозрить, надо было накануне присутствовать при их общении в магазинчике при свиноферме... Ладно, еще одно допущение: никого хахаль не видел, оказался на гриве случайно. Шел мимо, приспичило, юркнул в кустики, только штаны спустил — тут и они с Клавой... Не получается — если припадок ревности, то отчего сразу не выскочил? Если обдуманный план, то... То почему Клаву? Почему не Кирилла? Почему не в морду? Почему колуном? Почему, наконец, лихоедовским или его братом-близнецом? Хм... А потолок низкий... А Клава девушка высокая... была. Возможны исключения, но кавалеры редко выбирают девиц, сильно превышающих их ростом...

Стоп-стоп-стоп... А ведь есть на примете один невысокий гражданин. Владеющий подходящим колуном... Возможно, знавший от жены про вояж Марины и Кирилла на свиноферму... Способный предположить, что Клава в ходе того вояжа западет на Кирилла...

Трофим Батькович Лихоедов. Так что вы делали с восьми до одиннадцати?

Нелепица... Ему-то зачем?

Возможно, Кирилл и придумал бы какой-нибудь мотив для Трофима, правдоподобный или притянутый за уши. Дедукция, как выяснилось, вещь заразительная.

Но не успел — увидел впереди, на бетонке, что-то непонятное.

И движущееся...

РОДИТЕЛЬСКИЙ ДЕНЬ

Черные грозовые тучи постепенно рассеялись, сменились пеленой облаков, и ночь стала уже не черной — серой, обманчивой: можно даже без фонаря разглядеть *что-то*, но трудно понять, *что* разглядел.

Кирилл всмотрелся: нет, не человек, силуэт слишком низкий... И пожалуй, не собака — слишком массивный. Для деревенских жучек-бобиков массивный, но трудно ожидать встретить в Загривье ньюфа или сенбернара. Может, сбежала со свинофермы мадам Брошкина-младшая? В общем-то, недалеко, почему бы и нет... Или какая-то деревенская скотина... Кирилл вспомнил увиденных утром овец, затесавшихся в козье стадо... Ближние дома Загривья совсем рядом — как из черной бумаги вырезанные контуры, ни огонечка.

На этот раз ломать голову он не стал, хватит на сегодня истории с пугалом. Включил фонарик, посветил. Батарейки изрядно подсели, но и такой свет лучше, чем никакой.

М-да... Не овца и не свинья. Человек. Который, как известно, звучит гордо. Если, конечно, он не нажирается в родительский день до свинского состояния. И не ползет на карачках непонятно куда, напрямик через покрывающие бетонку грязные лужи...

Этот нажрался. Этот полз.

И тут же Кирилла охватили сомнения, традиционные для городских интеллигентов: а вдруг не пьяный? Вдруг у человека приступ? Такой, что человек на ноги встать не может?

Знакомая ситуация, не правда ли?

Лежит неподвижное тело на газоне. Кто-то отводит взгляд, бормочет: «Нажрался, алкаш проклятый!», проходит мимо. Потом выясняется: умирал на газоне абсолютно трезвый человек. И умер, потому что никто не вызвал скорую.

А кто-то не прошел, нагнулся с сочувствием, — и огреб три мешка пьяного мата. А то и кулаком в рожу...

Дилемма.

Нет, если ты святой человек, живущий по принципам добра и высшей справедливости, то всегда и к любому нагнешься и сотне алкашей вторую щеку подставишь, лишь бы одного умирающего спасти... Но все-таки... Неприятно кулаком-то в рожу получать... Болезненно.

И городской интеллигент, оказавшийся в сельской местности, занял выжидательную позицию. Остановился, продолжал светить фонариком на ползущего, благо тот приближался к Кириллу. Спросил негромко:

— Вам плохо?

Молчание. Лишь скребущий звук, словно что-то твердое, жесткое тащится за пьяным (больным?) по бетону...

Или хорошо, или так уж плохо, что не до разговоров.

Нет, пожалуй, плохо... Не факт, что от приступа, но... Да чем же он так скребет по бетонке?! Черт, да это же... Нет, показалось, не может быть...

Но через секунду понял: точно, инвалид. Одноногий инвалид.

Хо-хо... Крепко уважили дедушку в родительский день, от души поднесли. Аж протез потерял, если ходил на протезе. Или костыли, если на костылях.

Но тут уж надо помочь, хоть и не хочется — изгваздался дедуля грязней грязи. Не иначе как в Сычий Мох заполз, заплутавши.

Кирилл шагнул навстречу и хотел подхватить инвалида под мышки и потащить к ближайшему дому, постучаться, а дальше пусть сами...

Он не подхватил инвалида.

Остановился и заорал во всю глотку:

— Генка-а-а-а!!! Да разбуди ж меня!!!

...Рыжий Генаха толкнул его в плечо довольно болезненно. Прямо скажем, без лишней деликатности толкнул. И слова его не грешили избытком такта:

— Чё орешь, как яйца режут? Теща привиделась?

— О-х-х-х-х... Хуже тещи...

Но чем именно хуже, он не стал объяснять, потому что ЗИЛ уже выруливал на пустынное Гдовское шоссе, а там стояла «газелька» Толянова друга-приятеля, и кустарь-одиночка уже махал им из окна, словно они могли ошибиться и принять за него кого-то другого... И лишь доставая деньги из барсетки, чтобы рассчитаться за доставленный без обмана трамблер, Кирилл вдруг понял восхитительную вещь: Клава жива! Черт возьми, Клава жива и ждет его, и он уговорит Генку сделать крюк в сторону свинофермы, а если тот закочевряжится, так накинет пару червонцев, и...

Ничего этого, конечно, не было. Вся благостная картинка мелькнула лишь перед мысленным взором.

Если и в самом деле Гена сейчас крутит баранку рядом с задремавшим Кириллом, то ничего он не услышал, — не всегда издаваемые во сне крики вырываются и наяву из уст спящего человека...

Придется как-то просыпаться самому. Вот только где доведется проснуться?

Он очень надеялся, что в кабине ЗИЛа... Кирилл знал точно, стопроцентно был уверен: их поездка с Геной, по крайней мере ее начало, — самая взаправдашняя реальность, хотя за все последующее ручаться уже трудно... Причина была проста: музыка. Кириллу не снилась музыка. НИКОГДА. Ни разу. Даже такая дикая, как та, что звучала из Гениного магнитофона. Кирилл давно обратил внимание на эту особенность своих снов: отсутствие музыкальных способностей настолько полное, что даже «чижика-пыжика» мозг во сне воспроизвести не способен... А вот после того, как отзвучала кассета, он вполне мог задремать, спал в последние сутки мало и далеко не спокойно. И нынешний его кошмар ничем не лучше двух предыдущих...

— Полз бы ты отсюда, — сказал Кирилл мертвецу. И отступил на пару шагов.

Да-да, именно мертвецу... Потому что с *таким* не живут. У якобы пьяного якобы инвалида не хватало не только ноги. Но и части мышц грудной клетки, и пары ребер, а еще пара-тройка была сломана, торчала острыми обломками из лохмотьев плоти — не красной, не кровоточащей, а серой и какой-то разбухшей, ноздреватой... По бетону скребла, царапала тоже кость — торчащая из ошметков бедра.

Хорошо хоть мертвец пригрезился Кириллу неразговорчивый. Не хотелось даже представлять, что может изречь этакое создание...

Ну вот, сглазил... Труп, подползший почти вплотную, наклонил голову набок, будто раздумывая о чем-то. Затем широко раскрыл рот. Но вылетели оттуда не слова — вывалилось что-то мерзкое... Казалось, мертвец срыгнул, ввиду ненадобности, один из своих внутренних органов. Но, судя по усилившемуся зловонию, то была просто болотная жижа, забивавшая рот и глотку. Прокашлялся, так сказать. Прочистил горло.

И тут Кириллу пришла шальная, дикая идея. Черт побери, может хоть раз в жизни и кошмар принести какую-то пользу? Он уже достал швейцарский ножичек и подковырнул ногтем первый попавшийся инструмент, но использовать не спешил. Он захотел *поговорить* с мертвецом. Мой сон, с кем хочу, с тем и болтаю.

— Скажи, ты ведь из Третьей ДНО?

Труп ничего не ответил. Даже не кивнул. Хотя и так ясно — ополченец. Остатки одежды ничем военную форму не напоминают, но вот те три бесформенных грязных кома на ремне наверняка были когда-то подсумками с патронами для трехлинейки...

Кирилл уже понимал, что ничего из его дурной идеи не выйдет, но спросил по инерции:

— Ты знаешь, за чем вас послали? Что лежит там, в болоте?

Вместо ответа труп попробовал его укусить. Попросту, без затей, собрался вцепиться зубами в ногу. Все было сделано медленно, заторможенно, Кирилл легко успел отскочить, но...

Но пора с этим заканчивать.

Кирилл широко размахнулся и вонзил швейцарский нож себе в бедро. И лишь каким-то чудом удержался от дикого вопля. Боль была чудовищная, но он остался там же, где и раньше. В кошмаре. Рядом с мертвецом, готовым вновь запустить в него зубы.

А потом он услышал музыку — ту самую, «психоделическую» — донесшуюся от ближайшего дома. Услышал и понял все. И с запозданием издал дикий вопль...

По ноге сбегала струйка горячей крови.

ВИКТОР ТОЧИНОВ

ТРИАДА ДЕВЯТНАДЦАТАЯ
ОН ПРОСТО НЕ ЗНАЛ, КАК КУСАЮТСЯ МЕРТВЫЕ

1

— Вот и всё... Кира теперь меня... — Марина не договорила и зарыдала.

На ее светлых летних брючках, в районе промежности, медленно набухало кровавое пятно. Темное, почти черное, липкое.

Выкидыш...

Все кончено...

ВСЕ КОНЧЕНО! — ей хотелось прокричать, проорать эти слова, кричать их снова и снова, и с каждым криком биться головой о кирпичи печки, — чтобы хоть так уйти, ускользнуть из этой реальности, — *неправильной*, жестокой и несправедливой: отключиться, нырнуть в бесконечное черное ничто...

Не кричала...

Не билась...

Сидела и рыдала — негромко, без истеричных, рассчитанных на публику выплесков. Без подсознательной попытки избавиться от стресса — той же истерикой.

Рыдала горько и безнадежно, — как человек, для которого и в самом деле всё кончено...

Потом в событиях случился непонятный провал: Марина вдруг обнаружила, что уже лежит на кушетке, полуголая, что ее окровавленные брючки рядом, повешены на спинку стула, — зачем-то очень аккуратно, ни единой складочки... Что ее трусы бесследно исчезли, а между ног запихана какая-то большая смятая тряпка, чистая и белая, не то наволочка, не то даже простыня... Вернее, не совсем уже чистая. И не совсем уже белая.

На продолжающие кровоточить раны на ноге Марина не обращала внимания.

Для чего?.. Если все кончено...

...На самом-то деле главным кошмаром, главным пугалом в ее жизни был отнюдь не энцефалит. Нет, его брат-кошмар, тоже с греческим именем (точно, с греческим, вот она и вспомнила... только зачем?..), — эндометриоз.

ЭНДОМЕТРИОЗ.

Эн-до-мет-ри-оз-з-з-з-з... Даже на слух звучит страшно. Словно грохочут марширующие сапоги — черная форма, черные каски, черные лица, а потом: з-з-з-з... воздух сверлит пуля — прямо в тебя.

Эндометриоз... Страшное слово. Марина впервые услышала его на двадцать третьем году жизни. А может, слышала и прежде, но тут же забывала, зачем запоминать сложные слова, которые никак тебя ни касаются и никогда не коснутся...

На двадцать третьем... До того кошмар звался иначе: «тяжелый первый день» или «болезненные месячные», — и кошмаром не казался.

Мама успокаивала Марину-подростка: пойми, доченька, и не пугайся, — у каждой девушки организм устроен чуть по-своему, у некоторых *это* протекает неприятно, но ничего страшного, не болезнь — легкое недомогание...

Она понимала. Она не пугалась. Ничего страшного, неприятно, но не смертельно, главное, не забыть заранее положить в сумочку или портфель упаковку таблеток; да и в школьном медпункте всегда относятся с пониманием, однажды Марина даже удачно откосила очень неприятную контрольную по алгебре...

Мамы! Глупые мамы! Никогда не успокаивайте дочек, сразу отправляйте к врачу.

Потом ей не раз говорили: начинать лечение надо было на ранних стадиях. Эх, мама, мама...

Но мама была женщиной старой закалки: насморк, к примеру, не повод, чтобы пропускать учебу. Температуры нет? — капли в нос, и марш за парту! А к врачам здоровые люди не ходят, ходят больные.

И до замужества Марина визитами к гинекологам, скажем откровенно, не злоупотребляла. Скажем еще откровенней: попросту пренебрегала. Зато позже наверстала с лихвой...

В первые месяцы брака они не предохранялись. Не старались зачать, но и не предохранялись. Марина первой заподозрила неладное, Кирюша очень хороший, но совсем не догадливый...

Эндометриоз, буднично сказал их участковый гинеколог, надо лечить. Она не помнила его лицо (сколько же их потом будет!), запомнила пальцы — толстые, с рыжеватыми волосками, с некрасивыми короткими ногтями; запомнила из-за своего возмущенного отвращения: этим — в меня?! Понимала — не этим, есть же инструменты, зеркала... есть перчатки, в конце концов, — все равно чуть не стошнило...

Надо лечить... И она лечила. Шесть лет.

Кирюша ничего не узнал... Он до сих пор не слышал страшного слова «эндометриоз», или слышал, но тут же забыл, зачем запоминать сложные слова, которые никак тебя ни касаются. Откуда ему знать, что «противозачаточные таблетки», демонстративно принимаемые Мариной, — всего лишь поливитамины, регулярно пересыпаемые в баночку с замысловатым названием на этикетке... Милый глупый Кирюша, он даже не знает, как фасуют настоящие таблетки...

До того приснопамятного визита в консультацию она относилась к вопросу обзаведения потомством спокойно. Не равнодушно, именно спокойно: придет время — рожу; наверное, даже не одного, ни к чему зацикливаться, какие наши годы...

Зато потом... Ох, как приманчив виноград, до которого никак не дотянуться... А вслух приходилось, как той лисе: зеленый! Зеленый!! Зеленый!!! Чужие, в глотке застревающие слова о нормальных людях, живущих для себя и планово рожающих в тридцать пять... Если б знал Кирюша, отчего *на самом деле* она отдалялась от подруг, едва у тех появлялся малыш... Если б знал ее сны, после которых приходилось переворачивать мокрую от слез подушку...

Он не знал. Она боролась в одиночку.

Наверное, надо было сказать сразу... Потом стало поздно. Кирюша рос в многодетной семье, а некоторые жизненные установки приобретаются исподволь, незаметно, на подсознательном уровне, никакие логичные слова про нормальных людей и про тридцать пять лет их не поколеблют...

В последний год (или даже два) она чувствовала: все не так, как раньше, Кирюша *другой*...

И знала, в чем причина...

И очень боялась: он догадается, и все у них кончится.

Она обязана была успеть, пока он не разобрался, не понял, отчего его вдруг неосознанно, инстинктивно потянуло к глупым сисястым клушам, глупым, но способным рожать...

Лечение затянулось — начали поздно, и наложилась еще одна болячка, сущий пустяк, но получилось нехорошее сочетание, не позволявшее применить многие методы...

Марина успела. И не уберегла...

И все теперь кончено.

Ей хотелось рыдать, и она рыдала, но все когда-то заканчивается, прекратились и ее всхлипывания, и лишь слезы беззвучно катились по лицу...

Она уже не ждала Кирилла с нетерпением. Она страшилась его прихода.

Простыня, засунутая между ног, напитывалась кровью.

2

Мертвецы были всюду... Все Загривье кишело ими — медлительными, зловонными, распухшими, тяжело шагающими трупами.

Всюду... И все стремились к нему, Кириллу... Неторопливо стремились, он пока легко опережал их, легко уходил в отрыв — но на пути, словно из-под земли, вырастали новые... Впрочем, что значит «словно»? Из-под земли, из-под топкой болотнойземельки...

Неизвестно, способны ли думать мертвые мозги. Большой вопрос, способны ли они даже к самой банальной, присущей животным, хитрости. Когда на тебя идет охота, лучше такими вопросами не озадачиваться. Лучше оставить их будущим поколениям исследователей.

Но Кириллу, в панике мечущемуся по Загривью, казалось: мертвецы хитры, неимоверно хитры. Существенно уступая ему в скорости, они всякий раз преграждали путь, заставляя сворачивать, бежать в другую сторону, порой назад, терять выигранное расстояние и время...

(На самом деле все было не так. Если бы кто-то в тот момент взглянул на Загривье с высоты птичьего полета, обладая соответствующей ночной оптикой, картина предстала бы иная... Несколько десятков темных силуэтов двигались по деревне достаточно бессистемно, тыкаясь от одного дома к другому. Их притягивал запах живых, но одновременно отпугивали и отталкивали доносящиеся из-за запертых ставень звуки. На Кирилла мертвецы реагировали, лишь когда он оказывался достаточно близко. И все-таки в их хаотичном движении некая система просматривалась. Потому что на одном-единственном доме в Загривье ставен не было. И «музыка» в нем не звучала. Оказавшиеся поблизости мертвецы дальше уже не спешили, постепенно скапливались у дома Викентия Стружникова. А со стороны Сычьего Мха подтягивались запоздавшие...)

Как только выдавалась возможность, Кирилл стучал в двери, в окна, кричал, умолял впустить, угрожал, требовал, снова униженно умолял... Черт раздери, есть же тут нормальные люди?! Не замешанные в мертвячьей свистопляске?!

Похоже, нет таких...

Он не смотрел на часы, но казалось, что эти сумасшедшие пятнашки с трупами продолжаются бесконечно долго... Стоит подумать, как их завершить, раз уж мозг кое-как смирился с новой реальностью и вновь стал способен мыслить...

Поначалу мыслей не было... Ни одной... Лишь инстинктивное чувство: бежать, бежать, бежать... И он бежал... А сейчас практически не мог восстановить в памяти подробности того безумного бега. Не помнил, где потерял фонарь и швейцарский нож... Не помнил, как и когда лопнула под мышкой куртка... Куда делась барсетка с деньгами, ключами и документами, тоже не имел понятия...

Но до утра ему не пробегать... На свою беду, он слишком энергично пытался проснуться... Зацепил какой-то кровеносный сосуд. Не бедренную артерию, но достаточно крупный... И кровотечение продолжается до сих пор... Торопливо наложенный жгут из брючного ремня делу не помогает, постоянно сбивается... Рано или поздно кровопотеря сделает свое черное дело.

Так что думай... Главный твой козырь не ноги — мозги. Хотя нет, внутри мертвых черепов тоже что-то болтается... Скажем так: способные мыслить мозги. Думай...

В дом Викентия стремиться незачем. Туда сегодня наверняка стремятся слишком многие... Марина, без сомнения, уже получила свое, получила сполна и за всех — за него, за Калишу, за Клаву... Он и сам-то жив лишь потому, что волею случая встретил ночь вне дома-ловушки...

А ведь его спасла Клава, понял Кирилл. Мертвая Клава... Если бы не она — успел бы вернуться до пришествия болотных тварей, пусть и под ливнем... И сдох бы рядом с Маринкой.

Впрочем, пока не спасла... Далеко не спасла...

И надо что-то делать, если хочешь дожить до рассвета. Хватит бездумно метаться, искать помощь, которой нет и не будет.

Не для того их сюда заманили, чтобы помогать. Не для того сломали машину (кто б теперь в том сомневался?). Не для того убили Клаву — останься жива, спасла бы его по-настоящему, в домике-зомбоубежище, какое там «гнездышко любви», не смешите...

А теперь спасайся сам. Самостоятельно. В одиночку.

Вариантов немного. Собственно говоря, один. Убежать как можно дальше от Загривья, затаиться, залечь, как следует перевязать рану. И дожить до рассвета.

Убежать — но куда? Кто там говорил, что у беглеца сто дорог, а у погони — одна? Сюда бы этого умника, в Загривье, на одну ночку...

На запад и север нельзя, как раз через гриву прут с болота мертвяки... На юг, в поля? Опять тащиться через всю деревню... А ведь безучастие местных может оказаться не беспредельным... надоест упрямство беглеца, да и пальнут из дробовика в спину. Отложим вариант про запас...

Остается восток... Но там кладбище... Не стоит... Бутербродики крохотные, на один зубок...

И тут он даже сбился с ноги... Понял, что значили найденные Маринкой зубы... Не Викентий их вынимал да складывал... Ему их выдрали другие, уже мертвому. Обычай тут такой — хоронить без зубов.

Умно, ничего не скажешь... Предусмотрительно. Хотя можно как Юрок-ангелочек — косточки колуном в мелкую крошку. Но это лишь с крысами. С родителями негоже...

...И все-таки он угодил к кладбищу, несмотря на то что собирался обогнуть его дальним обходом, выйти к Рыбешке, пересечь ее вброд, затаиться где-нибудь на том берегу — хоть какое-то лишнее препятствие для бродячей нежити...

Не сложилось, выбранный путь преградили какие-то вовсе дикие буераки, кучи камней чередовались с глубокими рытвинами, но все неровности скрадывали густые заросли бурьяна, бежать невозможно, идти нормальным шагом тоже, даже медленно пробираться без фонаря проблематично...

Волей-неволей он оказался на холме, с которого открывался вид на погост. Слабый, вытягиваемый рефракцией из-за горизонта свет летней ночи не попадал туда, протяженная котловина тонула во мраке. Но вошедшей в поговорку кладбищенской тишины здесь не было и в помине. Ночь переполняли звуки...

Именно *переполняли*, сливаясь в один мегазвук. Не были слышны отдельные скрипы либо шорохи, в воздухе стоял ровный гул, идущий отовсюду и ниоткуда. Никакого движения во мраке различить не удавалось, но казалось, что движется сам мрак — пульсирует, перекатывается волнами. Кладбище *жило* своей жизнью — если такой глагол применим к месту, созданному для мертвецов и мертвецами населенному. Но, подумалось Кириллу, отдельных мертвецов тут и не было. Ни относительно свежих, сумевших выдраться из объятий земли и плутающих в лабиринте свастик... Ни истлевших, разложившихся, способных лишь слабо шевелиться в могилах... Не было. Огромный единый мертвый организм жил своей не-жизнью — единственную ночь в году, когда был способен к этому...

И вот тогда разум Кирилла дал трещину... Именно там и тогда... Непонятно, вроде бы мертвец, ползущий к тебе на карачках или шагающий во весь рост, — куда более разрушительное для психики зрелище...

Но, может, и нет тут ничего непонятного... Может, есть-таки польза от бесконечных фильмов-ужастиков — все, что может предстать глазу гнусного, мерзкого, отталкивающего, ты уже видел на экране и получил некий иммунитет...

А вот ауру *таких* мест киношники передавать не умеют. К счастью.

Как бы то ни было, мозг Кирилла дал трещину именно здесь и сейчас.

К речке он не пошел. Вломился в кусты дикого малинника, забрался далеко, как можно дальше от кладбища, не обращая внимания на колючки, раздирающие одежду и тело. Выбрал крохотную прогалинку, опустился на землю. Он дождется рассвета здесь.

С Кириллом творилось нечто странное...

Нет, не так... Странное творилось и с ним, и с окружающими давно, с самого приезда в Загривье... А сейчас, когда рядом происходило уже не то что странное — кошмарное и непредставимое, — на него странно отреагировал мозг Кирилла.

Кириллу стало *смешно*.

Представить трудно, но *сейчас* все происходящее вокруг казалось ему неимоверно смешным... Сработала какая-то защитная цепь в мозгу. Предохранитель, спасающий от безумия... Люди зачастую реагируют одинаково на противоположные раздражители: сильный холод обжигает, а сильный ужас порой вызывает истерический хохот...

Вслух он не хохотал... Пока не хохотал... Но мысленный процесс явно шел по нарастающей. Так примерно:

Ну и что там говорил о трупах Билли Бонс? Мертвые не кусаются? Ха-ха, да он просто плохо знал мертвецов, он швырял их в море, привязав к ногам пушечное ядро, и быстренько уплывал с того места, — предусмотрительно, но есть способы лучше, — выдрать перед похоронами зубы и сложить в бронзовую шкатулочку, беззубый рот кусает не больно... Они ж не со зла, они всего лишь хотят кушать, не часто, раз в году, много ли мертвому надо, живые куда прожорливее... Беззубые рты будут долго-долго мусолить кусочек сырого мяса, до утра, до рассвета, потом — снова в землю, до следующего родительского дня... Тут какой-то приезжий чудак недоумевал, отчего на погосте не растут кусты и деревья? Хе-хе-хе-хе... Куст малины засыхает, когда под его корнями роется один-единственный крот... А если десять тысяч? А если не кротов?

И совсем неважно, откуда все пошло и как все началось... Объяснений может быть масса... Куча... Груда никому не нужных объяснений...

До рассвета долго, и до рассвета не надо никуда ходить, до рассвета тут ходят другие, и пусть себе ходят, а он тихонько полежит в колючих кустах, никого не трогая, и его трогать не надо... Он не вредный, он не опасный, этот лежащий в кустах человек, он всего лишь занят невинной такой интеллектуальной игрой — сочиняет ответы на вопрос: отчего по земле бродят мертвецы? Именно здесь? Именно в этот день?

Ну, например... Например, отчего русские сказки так упорно твердят о живой и мертвой воде? Сказка ложь, да в ней намек, — намек на жившую здесь когда-то чухонскую народность водь... Водь — вода, что может быть проще, правда? Толстый такой намек и прозрачный... И было у той народности святилище, болотце типа священное, Сучий Мох называлось, потом картографы в Сычий перекрестили, для благозвучия... А в том болоте — два озерца небольших таких, кругленьких, вовсе уж священно-сакральных, в топях укрытых, лишь Главный Водский Жрец дорогу знал, перед смертью преемнику на ушко шептал... Ну а вода в тех озерцах понятно какая... Сюда-то и летал ворон с двумя скляночками для Ивана-царевича... Дальше сказку рассказывать? Намек вроде уж вылез как шило из мешка...

Что? Не актуально — Иваны-царевичи в наш технотронный век? Посовременней бы? А легко: эйн-цвэйн-дрэйн! Бегемот, делай! Маэстро, урежьте марш!

Значится, так... Давным-давно, в далекой галактике, бушевали... А может, вполне даже недавно... А может, в соседней галактике... Да почему бы и не в нашей? — чай, не хуже других... Но бушевали: лазеры, станнеры, бластеры, скорчеры, фазеры, мазеры, патеры, ностеры... короче, все горит и взрывается. Убитых — миллиарды. И раненых — миллиарды. А раненых надо лечить. Да что там раненых — у нас галактика продвинутая, у нас и убитых лечат — и в строй, если, конечно, не скорчером тело на атомы распылили и не патерностером мозги дотла выжгли... И короче, небольшой военно-полевой реанимационный госпиталь — мертвых воскрешать, и вообще (летучая такая тарелка на восемь тыщ койко-мест), — рухнул в болото здешнее, то ли трамблер у них накрылся, то ли еще беда какая...

Он сжал пальцы в кулак, отвел как можно дальше — и ударил себя в лицо. В правый глаз. Изо всех сил.

О-у-у-у-х...

Еще? Добавить?

Пожалуй, хватит... Бессвязный поток идиотских мыслей прекратился. Мысленный понос иссяк. И все происходящее перестало казаться смешным.

Тебя убьют, сказал он себе. Без вариантов. Тебя привели сюда не для того, чтобы ты ушел. И не для того, чтобы ты привел сюда кого-то еще. Ты просто-напросто бутерброд: огромный бутерброд с огромным шматом сырого мяса. И вдобавок — громадный стакан свежей крови... И все это оставлено на столике — не для родителей, для левых, чужих мертвецов, не тронутых тлением в своей болотной жиже, сохранивших полный комплект зубов...

И если хочешь, чтобы тебя не сжевали, не выхлебали, — думай. Пойми, что здесь творится, — без хаханек, без Иванов-царевичей. Пойми и найди слабое место во всей бесовщине... Вычисли, где кнопка, способная остановить взбесившуюся карусель мертвецов. Думай, ты сумеешь. Или умрешь...

И он стал думать.

Всерьез, без хаханек.

3

Был у Кирилла не то чтобы приятель, скорее неплохой знакомый, — некий Антон Райзман.

(Ну да, еврей... кто ж в этом мире без недостатков... И даже немного гордился своим довольно-таки условным еврейством, — хоть и не знал ни слова ни на иврите, ни на идиш, да и о вере предков имел смутное понятие, будучи стопроцентным атеистом-агностиком. Но — еврей, все-таки некая *особость*: кто-то вот на «мерсе» катается, а я хоть чуть, да богоизбранный...)

Так вот, Антон тоже писал на военно-исторические темы, причем профессионально (как журналист-профессионал, не как историк). И оттого его статьи, по мнению Кирилла, зачастую грешили поверхностностью и верхоглядством.

Однако время от времени они общались, и не только в Интернете — с Антоном было интересно поговорить, рассказчик идеальный, умело сплетающий нить рассказа: все лишнее отсекал, все нужное не забывал помянуть... Писал он не про одни лишь загадки минувшей войны — но и про тайны советско-американской космической гонки; и про оккультные науки в СССР, — громогласно осуждаемые, но негласно развиваемые с одобрения самых верхов...

В тот раз — на квартире у Кирилла, под армянский коньячок — разговор зашел о воскрешении мертвых.

Чушь? Ерунда, достойная внимания лишь авторов голливудской бредятины? Может, и так...

Но, по мнению Антона, люди, вставшие во главе молодой Советской России, материалистами были весьма условными. Скинув боженьку с пьедестала, вечно норовили впихнуть туда кого-нибудь или что-нибудь: обожествить теорию Маркса, или ее создателя, или самих себя, на худой конец... Ну и матушку-науку, понятно, — уж ей-то точно приписывали самые божественные черты: всеведение, всемогущество, всеблагость... И чудес от нее ждали как минимум божественных, а то и покруче...

Пример: девятнадцатый год, холод, голод, белые наступают — а в Москве собирают ученых-физиков. И объединяют в организацию с чудным названием Компоат: вот вам теплое общежитие, вот вам усиленный паек, что еще потребуется — пишите в Малый Совнарком, предоставим. А вы работайте. Изобретайте. Цель: создать бомбу. Ядерную. Срок: два месяца, дольше никак, белые наступают. Сами же писали в статьях, какая великая сила в уране да в радии сокрыта, — вот и изобретайте, товарищи бывшие профессора и приват-доценты. Что там хлеба, что там рыбы...

С воскрешением мертвых та же история. Нет, нам мелкие некромантские фокусы с воскресшими сотниками Лазарями не нужны, мы казачьих сотников к стеночке, хоть Петры, хоть Павлы, хоть Лазари... Но вот пламенным революционерам, в Кремле ныне сидящим, личное бессмертие не помешает.

А потом умер самый пламенный из революционеров. Тот, картавый, с добрым прищуром... И товарищ Красин с товарищем Дзержинским тут же ставят вопрос: как же мы без вождя-то? И сами же отвечают: воскресим! Кто такая старуха с косой против воли миллионов пролетариев? Против мощи пролетарской науки? Товарища Красина (человека и ледокола) и товарища Дзержинского (человека и паровоза) поддержал товарищ Сталин (человек и генеральный секретарь), — а вы, вдова, отойдите в сторонку, ваш мертвый муж не ваша личная собственность — достояние всего прогрессивного человечества.

Своих специалистов не нашлось. Не беда, выписали иностранного консультанта — немецкого профессора-парабиолога Пауля Каммерера, черного оккультиста и автора книги «Смерть и бессмертие». Воланда помнишь? — хитро прищурился Антон за линзами очков. — Был, был прототип, и не тот, что с хвостом и рогами... Они ж все открыто, не скрываясь, делали. Статья в «Правде»: крупный, мол, ученый, борец, дескать, с буржуазной лженаукой. Митинги по заводам: воскрешу, клялся профессор через переводчика, и не только дорогого Ильича, — всех павших за светлое будущее. Когда из земли встанут миллионы советских мертвецов, это будут самые пролетарские, самые революционные мертвецы в мире! Щенок наш Грабовой... Шавка мелкая.

Но дальше все пошло наперекос... Не с воскрешением мертвых — с разговором Кирилла и Антона. Нет, разговор-то продолжался и даже становился все более интересным и оживленным в баре нашлась еще одна бутылочка коньяка...

РОДИТЕЛЬСКИЙ ДЕНЬ

В общем, слегка они перебрали в тот вечер. И многие имена и подробности не задержались в памяти Кирилла. Он фамилию-то Каммерера, если честно, запомнил по ассоциации с персонажем любимых в юности книжек...

Вспоминались остатки, обрывки: вроде еще раньше и от старика Бадмаева добивались почти того же — воскрешающей пилюли, и Богданов в своем институте проверял, что выйдет, если кровь живого мертвецу перелить... И Бокий со спецотделом ОГПУ в стороне не остался... Вполне вероятно, что Дзержинский, как инициатор темы, даже загранотдел своей конторы подключил: Гаити не дальний свет, в конце концов...

Что черный оккультист, ставший красным некромантом, — проще говоря, Каммерер — Ильича не воскресил, понятно. Даже если б мог — не дали бы. Уже через пару лет никому в Политбюро не улыбалась такая картинка: дверь распахнется, и на их заседание ввалится самый человечный человек: ну, как вы тут без меня? Нет уж, пусть вечно живой, — но в Мавзолее. А второе пришествие мессии-вождя — как-нибудь попозже, к всеобщему коммунистическому воскрешению поближе. Вот как будет повергнут антихрист-капитал, как утопим дракона частной собственности в огненном озере — тут уж, ясное дело, Ильича в сверкающих белых одеждах да на горний престол, как же без него... А пока погодим, на кошках потренируемся.

Остался ли Каммерер в России, были ли у него ученики, Кирилл не мог сейчас вспомнить. Знал бы, как все обернется, — включил бы диктофон при первых признаках опьянения, потом послушал бы на трезвую голову...

Но главный факт это никак не меняет: работы по воскрешению мертвых в СССР велись. Всерьез. С размахом.

А теперь версия уже Кирилла. Своя, оригинальная. Вполне логичная.

Итак...

Дело иностранного консультанта продолжалось и в тридцатые... Не с тем уже энтузиазмом, но продолжалось. Исследовательский центр — где-нибудь в бывшем монастыре, под Гдовом. Не слишком щедрое финансирование; иногда — доклады на стол товарища Сталина.

Товарищ Сталин результатам не радовался: половинчатые и неубедительные... Туповаты получаются воскрешенные товарищи, и медлительны, и не мировую революцию на уме имеют, а чисто мелкобуржуазный интерес: мясца сырого откусить, да с кровушкой... А у страны с животноводством проблема: перерезали вредители, кулаки с подкулачниками, скотину, — лишь бы в колхозы не вести. Ну, кулаков-то ликвидировали как класс, но проблема осталась. Маловато мяса в стране, живым едва хватает. Так что полежите еще немного, дорогие павшие товарищи...

Однако тему товарищ Сталин не прикрывал: вдруг какой прорыв наметится?

А потом наступил сорок первый. И все изменилось. Разгром, немцы прут вперед, кадровой армии почти не осталось, за любую соломинку хвататься приходится... И те десятки и сотни тысяч убитых, что с июня по лесам у западных границ лежат, ох как пригодиться могут... Ничего, что медлительные, ничего, что тупые, — зато много. Ничего, что мяса сырого хотят, не наше уже мясо вокруг, немецкое... Пока Гитлер эту беду в своем тылу расхлебает, мы хоть дух переведем, хоть фронт стабилизируем...

И грузовики — в Гдов, в старый монастырь: эвакуация! Аллюр четыре креста!

Не успели... Чуть-чуть не успели... Остался товарищ Сталин без мертвых дивизий, живыми пришлось обходиться. А секреты гдовских алхимиков канули в болоте под Загривьем.

Почему мертвецы лезут из Сычьего Мха лишь раз в год, в конце июня? Это уже вопрос к профессору Каммереру... Может, им для успешного процесса световой день такой нужен, один из самых длинных в году. Может, грозы июньские виноваты. Может, еще фактор какой наложился...

Что же столь ценного было в спасаемом, да не спасенном оборудовании для воскрешения мертвых? Или среди реактивов, служащих той же цели? До чего добрались потом загривцы и за что они платят в родительский день жизнями приезжих чужаков?

Да какая разница, собственно... Платиновые ступки с алмазными пестиками, для измельчения красной ртути, — чем не вариант... Или, например, другой...

Другой вариант Кирилл продумать не успел.

Услышал, как кто-то шумно ломится к нему сквозь заросли дикого малинника.

ТРИАДА ДВАДЦАТАЯ
ЧУЖОЙ СРЕДИ *СВОИХ*

1

Кирилл бежал по главной и единственной улице Загривья. Он опять оторвался, хоть и с бо́льшим трудом, — шум погони не слышен...

Но самое главное — он разгадал загадку, он сумел...

Решил простую такую задачу: как остаться живым? Как остановить кошмар?

Нашел ответ на ходу, на бегу, — в буквальном смысле на бегу, после того, как мерзкие твари согнали его с лежки в колючих кустах возле кладбища...

Почему, кстати, согнали? Выследить не могли, оставил их далеко позади, сил тогда хватало, еще хватало, это сейчас нога все хуже слушается, все чаще спотыкается и подламывается...

Выследить не могли. Значит — почуяли, значит, они издалека чуют свежую кровь, свежее мясо... Возможно, за километры... И вариант с ночным марафоном к Гдовскому шоссе — не проходит. Даже если случится чудо, даже если его у самого поворота на Загривье поджидает, как рояль в кустах, попутка, — не проходит. Не добежит, ослабеет от кровопотери, без сил рухнет на обочину, — и услышит приближающийся мерный топот... И всё для него закончится.

Чем все закончится для Марины, что сейчас происходит в доме Викентия, — он не брал в голову. Если и задумывался мимолетно, то ответ был один. Короткая емкая формула, пришедшая в голову на бетонке, ведущей к свиноферме: херто с ней!

Ее проблемы — это ее проблемы. Проклятая сука по своей воле влезла в здешний кошмар, да еще и втянула его, Кирилла, — пусть выпутывается как знает. Давай, давай, выпутывайся! Когда в окно полезет зомбяк, вцепись-ка ему в член коготками! Вмажь-ка ему в морду, как вмазала бедной Калише! Слабо, сучка?!

Он знает, как спастись, — но в лодке место для одного, балласт за борт... За борт, любимая, за борт, в болотную жижу, — попробуй-ка подышать ею, у некоторых получается... В Сучьем Мху испокон топили сук, не живут сычи на болотах...

Ответ к этой задачке прост... Не хочешь тонуть — схватись за спасательный круг. Если он есть под рукой, понятное дело, если тебе его бросили.

А ему бросили. Ему — не ей, не «расфуфыренной кикиморе», — бросили! Бросила личность, сидевшая на бревнах у магазина. Дьявол в засаленном ватнике с обрезанными рукавами.

Стань *своим*, сказал дьявол. Стань *своим*, и все будет хорошо, и не придется, как загнанной дичи, метаться во тьме, истекая кровью, — сиди спокойно за крепко запертыми ставнями, слушай отпугивающую мертвецов музыку, она не очень благозвучная, но ничего, привыкнешь.

Иди домой и думай, сказал дьявол, — Кирилл пошел, и много думал, и понял, что готов стать *своим*, он всегда хотел стать *своим*, да всё не складывалось, все мешало что-то...

Он спешил к магазину в дикой, иррациональной надежде: дьявол еще там, сидит на бревнах. И Кирилл станет *своим*, хотя бы на эту ночь, хотя бы до рассвета.

Никто там, естественно, не сидел.

И где искать дьявола, Кирилл не представлял. Ваше решение задачки, молодой человек, остроумное и даже правильное, — но, увы, время экзамена истекло. Незачет. Двойка.

Он рухнул на бревна — ноги не держали. Застонал от обиды, от горького разочарования. Делать нечего, будет сидеть здесь и пытаться восстановить силы... А потом опять побежит...

И тут же вскочил. Рябцев! Тот явно им сочувствовал, и пытался предупредить, уберечь от беды, пусть и не раскрывая карты... Но самое-то главное:

он знает, где Рябцев живёт! Сам сказал: тут, рядом, за два дома...

Наверняка неспроста сказал — ещё один спасательный круг, который он, дурак и слепец, умудрился не заметить и про который едва не забыл.

Он торопливо поковылял в ночь... За два дома... По левой или правой стороне? Неважно, сделает две попытки...

И тут с ним произошла странная вещь... Кирилл уже почти привык к странным вещам, происходившим сегодня, но всё же удивился... Он ощутил сильный голод. Самый что ни на есть прозаический голод. Вот и рассказывайте басни про стрессы, не дающие разгуляться аппетиту... Конечно, с обеда времени прошло изрядно, но чтоб так проголодаться... Казалось, он не ел сорок дней, сорок лет, сорок жизней... Загадочная штука наш организм.

Две попытки делать не пришлось, первая же оказалась удачной. Торопливый громкий стук — и вместо привычного мёртвого молчания, вместо привычной скребущей музыки — голос где-то в глубине дома.

Кирилл кричал что-то, захлёбываясь, сбиваясь с мысли, сам понимая, что из его невнятных криков трудно уразуметь, зачем ему нужен Рябцев.

— Глу-пый, — прозвучал знакомый голос рядом, за дверью. — Электрик он, поня́л, нет? На работе сейчас, туда и шагай.

Ну вот... Кто ищет дьявола, тот всегда находит. Он уже не кричал, говорил — но так же сбивчиво, так же невнятно, говорил долго, а потом замолчал, потому что сказать было больше нечего.

— Глу-пый... — сказал дьявол скучающе, равнодушно. — А кто глупый — тот, почитай, мёртвый.

Кирилл понял: ему не отопрут. Наивно было мечтать... Дьявол может посулить что угодно. Но лишь глупец поверит посулам.

— Мертвый... Глупый... — медленно повторил Кирилл, словно пробуя слова на вкус. А потом у него мелькнула странная догадка, но не более странная, чем все происходящее.

— Вы нас убили... Мы мертвы... Вы нас отравили сразу по приезду или задушили в первую ночь... Зная, что мы тут же воскреснем... Умно... И мне не войти в эту дверь, через ваши проклятые свастики, даже если б был лом или топор...

— Дурак...

Дверь распахнулась. Кирилл оказался в прямоугольнике яркого света, зажмурился. Что-то мелькнуло и упало под ноги. Он глянул сквозь щелочку сомкнутых век: топорик. Плотницкий топорик с обмотанной изолентой рукоятью — не абы как, с выемками под пальцы. Только лента черная.

— Вот тебе топор... Ну и?

Дьявол стоял, широко расставив ноги, демонстративно перекрывая дверной проем. А на пороге — знакомая кудлатая собачонка, шерсть вздыблена, рычит негромко, угрожающе. Впускать его не собирались.

Он наклонился, опасливо коснулся рукояти плотницкого топорика...

Зачем... Зачем ему это дали... Швырнули вот так, небрежно, — как будто отец кинул свой рабочий инструмент сыну: поиграйся, только не плачь?! Зачем? Чтобы рубанул хозяина, ворвался в дом, заперся? Как же... Ляжет на пороге с простреленной головой, только и всего...

— Но вы же... сами... — промямлил Кирилл. — Ну, что... *своим*...

— Просрал ты все, что смог, — жестко ответил дьявол. — Бабу не уберег, и вторая там щас одна помирает... Иди. Туда, к ней. И ду-у-у-май...

— А-а-а... о чем...

— Утомил... Про жисть думай, про смерть тоже... Потом приходи, глянем, что надумал.

— И вы меня... правда...

Дьявол перебил:

— Кабы я знал, парень, что есть правда... Иди!

Дверь захлопнулась — резко. Прямоугольник света исчез, Кирилл оказался во тьме.

Стоял неподвижно несколько секунд. Потом услышал приближающийся неторопливый топот... Повернулся, спустился с невысокого крыльца и побежал — очень медленно, сильно хромая.

...Человек, оставшийся по ту сторону двери, опустил взгляд — кудлатая собачонка по-прежнему стояла в напряженной позе, вздыбив шерсть на затылке.

— Эх ты, вояка... — вздохнул человек. — А грозы-то забоялась, спряталась, будто и нету...

Он повернулся, пошел в глубь дома — шаркающей походкой, приволакивая ногу. Вернее, не ногу, — заменяющий ее ниже бедра протез.

У стола постоял, словно забыл, зачем сюда шел. Поднял руку к виску, лицо страдальчески кривилось... Задумчиво взял бутылку с портвейном, наклонил, багровая струя полилась в стакан. Затем пальцы разжались, бутылка выскользнула, полетела к полу — и расплескалась красной, как бы кровавой лужей, и разлетелась осколками стекла.

Собачка отпрянула. Человек, казалось, и не заметил: стоял, смотрел куда-то в видимую только ему даль... Потом присел на табурет — неловко, в три приема, осторожно и далеко вытянув то, что заменяло потерянную ногу... Собачонка тут же подошла, привычно устроилась рядом, положила голову на протез. Человек взял стакан, пил долгими глотками, не чувствуя вкуса.

Он ненавидел этот проклятый день проклятого месяца июня.

Ненавидел...

2

Свечи догорали и гасли одна за одной, и становилось все темнее... Марина временами слышала какие-то звуки, какое-то непонятное движение, не то на улице, не то за стеной, и каждый раз звала: Кирюша, милый, это ты? — но он не отзывался, и она понимала, что опять ошиблась... Затем послышался звон бьющегося стекла, затем (через несколько секунд или через целую вечность) заскрипела дверь — громко, явственно — дверь в сени, она сама не заперла ее, не заперла после того, как собралась было за сковородкой, и это хорошо, потому что встать и отпереть Кирюше она уже не сможет, сил нет, вытекли вместе с кровью, но он пришел, он жив, и это главное, и все у него будет хорошо; она вновь позвала его и вновь не услышала ответа, и поняла — снова не он, и даже поняла — кто; но опять ошиблась, в дверь проскользнула не Маришка Кузнецова — высокая, темная фигура; Калиша?! — изумилась и обрадовалась Марина, — как хорошо, что ты пришла, Калишка, спасибо...

Калиша неслышно шагнула к ней — темный силуэт в темной комнате.

...прости, Калишка, шептала она беззвучно, прости, я, я... я дура, я ничего не понимала, а думала, что понимаю, думала, что ему хорошо со мной и с другими хорошо быть не может, я люблю его, пойми, люблю очень-очень, а теперь все кончено, навсегда кончено, и он никогда меня не простит, никогда-никогда, и я сама во всем виновата, что уродилась такой ни к чему не пригодной, никчемной и ненужной, не способной сделать главное, что должна сделать в жизни женщина, я виновата, и он не простит, и будет прав, так прости хоть ты, Калишка... Что ты, милая, ласково сказала Калиша, наклоняясь и прикоснувшись к ее руке, я давно тебя простила, я простила всех, кто живет, кто жил и будет жить, простила один раз и навсегда; нет плохих людей, и всем случается ошибаться, а сейчас пойдем отсюда, нам пора, нас ждет Маришка Кузнецова, она ведь не умерла, ты не знала? она не умерла, она выросла и стала очень красивой, почти как ты, и ждет нас, вам надо многое рассказать друг другу, разговор будет долгий, всю ночь, до рассвета, пойдем, милая, не бойся, бери меня за руку и пойдем; и она взяла Калишу за руку, и они пошли, пошли по залитой лунным светом дороге, ведущей через ночь, и Марина знала, что идти по ней долго, но они дойдут, и держала за руку Калишу, та вела свои обычные странные речи, но сегодня Марина понимала в них каждое слово, с чем-то спорила и с чем-то соглашалась, и дорога уводила все дальше, и Марине было хорошо...

3

— Так что... Тридцать две штуки, значит, — сказал Трофим Лихоедов. — Да городской за собой пару-тройку притащит... Тридцать пять тогда... Всяк поменьше, чем тем годом... Хоть чуток, да поменьше. А двадцать-то лет тому, как вспомнишь, оханьки... Знать, к концу дело идет полегоньку... Не детя́м, так внучатам пожить по-людски сложится.

— Тридцать шесть, Троша, — поправил Рябцев. И внимательно посмотрел на Лихоедова.

Тот с невинным видом пожал плечами:

— Так что, сам еще одного завалил? Дело доброе... — замолчал, прислушался к ночным звукам. — Во, никак и гостёк наш поспешает... Умаялся зайцем петлять, со штанами-то полными...

...Кирилл и в самом деле умаялся. Выбился из сил. Потому что дурак... В играх с дьяволом можно сделать лишь одну ошибку — сесть играть... Глу-пый, сказал ему дьявол, и был прав. Кто глуп, тот мертв. А кто мертв, тот не глуп, так и есть, понимайте как хотите... Заторможен, но не глуп. Глупость — свойство живых. Которым недолго оставаться живыми... Ему, Кириллу, — недолго.

А ведь тут не всё так просто... Приезжие — не просто корм, оставленный для прожорливой нежити, чтобы не трогала *своих*. Слишком сложно — заманивать чужаков именно в этот день. Куда проще оставить для ночных пришельцев с болота ведро крови да пару свиных туш... Не-е-ет, тут ритуал... Или жертвоприношение, или испытанние, или то и другое разом... И если не понять свою роль в том ритуале — ты труп. Труп, сожранный трупами.

Он думал, что понял всё. Им нужна жертва... Им нужен вступительный взнос... Какой, на хрен, *свой*? — если утром побежит в милицию, и завопит, брызгая слюной: а-а-а! здесь такое... такое... Менты, понятно, не поверят, на освидетельствование — и в психушку, но кто ж захочет рисковать... Им нужна жертва. Убитая им. Чтоб *свой*, так уж *свой*, — навсегда. Им нужна голова Марины, поставленная на крыльцо у двери дьявола, в прямоугольнике яркого света... Принес — ты *свой*. Заходи, присаживайся... Клава? Забудь... Есть у нас и другие, бюст не хуже... И послушай наконец, что лежит на болоте...

Но она ведь мертва... Она наверняка мертва — окна без ставень, двери без свастик... Мертва... Точно мертва... Его просто проверяют — сможет? Не страшно ли, не брезгливо ли — тюк-тюк плотницким топориком по шее, была одна куча мертвой органики, стало две... А брезгливых нам не надо... Куда уж на болото за деньгой, брезгливым-то...

Нога не сгибалась. И никак не ощущалась — бесчувственный протез, что-то мертвое, не свое, чужое... Может, тут так и умирают — не вдруг, по частям, постепенно...

Сил нет... Он уже не опережал мертвых — расстояние постепенно сокращалось... Мертвые не глупы... Они знают, что даже самый медлительный преследователь догонит жертву, если не устает и никогда не останавливается...

Сил нет... В догонялки больше не поиграешь, значит, придется... Но за что, за что ему эта чаша?..

Ладно, дьявол... Ты выиграл... Ты получишь свое, и душу, и голову... Только расплатись честно, отдай, что обещал...

Дом Викентия появился из мглы неожиданно, — хотя холм с этой стороны лысый, хозяин здесь то ли специально не сажал, то ли после вырубил плодовые деревья и кусты... Лоб, разодранный колючками дикой малины, саднило. Топорик в руке казался неимоверно тяжелым.

Он распахнул калитку. За окнами без ставень — отблески слабого света... Свечи... Жива, подлюга?!. Значит... значит... Да нет, мертва, мертва, мертва, ты получишь свой выигрыш, дьявол...

А потом он увидел людей. Живых. Настоящих. Люди стояли на холме, вокруг дома — Трофим, рыжий Генаха, Толян Форносов, еще какие-то, незнакомые... А это... ну точно, очкарик со свинофермы... Люди стояли молча. Никак не реагировали на появление Кирилла... Но лишь поначалу... А потом шагнули к нему, деловито и опять-таки молча. Чужая, мертвая нога снова подломилась, Кирилл упал на колени. И не поднялся... Хотел крикнуть: я *свой*, *свой*... почти... пустите меня к дому, что вам стоит, и я стану *своим*... Так ничего и не крикнул. Люди шагали к нему с равнодушными лицами. У каждого что-то в руках, что-то одно из трех: или вилы с насечками на длинных зубцах, или массивный колун, или маленький плотницкий топорик, такой же, как у Кирилла...

Все ясно... Дьяволу не нужен выигрыш, он и так берет своё, все, что только захочет...

Ни звука, ни слова — кадры из немого кино. Люди с серыми лицами посреди серой ночи...

Кирилл медленно опустился лицом на траву. И подумал: будет ли ему слишком больно?

Больно не было. На него никто не обратил внимания, прошли мимо, убыстряя шаг. Наконец появились какие-то звуки: топот, и невнятный мат, и хриплое дыхание, и удары по чему-то мягкому, и удары по чему-то твердому... И еще звуки, негромкие, но страшные: крик тех, кто не может кричать. Чьи легкие полны болотной мерзкой грязью. Кирилл впервые слышал крик мертвецов...

Вставать не хотелось, но он встал, медленно, с трудом — сначала на колени, потом на ноги. Вернее, на одну ногу. Успел увидеть расправу с третьим, последним, запоздавшим трупом: Трофим, утробно хекнув, чуть присел, и принял на вилы прущую вперед — казалось, неудержимо и неостановимо — тушу; тут же вторые вилы, и третьи, — с боков, кто-то сзади рубанул по поджилкам — и вот уже мертвец на земле, и уже почти не виден из-за сгрудившихся спин, и те же звуки — деловитые, уверенные. И тот же страшный, булькающий крик мертвеца... Лихо... Одного — лихо. Двух уже труднее, сам только что слышал, — с хрипом-матом, но можно... А если много?

Он смотрел, но пятился к крыльцу. Ковылял. Потом повернулся, но не шагнул даже на нижнюю ступеньку. Потому что встретился взглядом с Рябцевым. Тот стоял наверху. Опущенный стволами вниз обрез двустволки тускло отливал вороненой сталью.

— Вот, значит, как, — сказал Рябцев неприятным голосом.

И перевел взгляд с Кирилла на орудие, стиснутое в его руке. На плотницкий топорик, на игрушку, брошенную отцом сыну. Скривил губы, как будто хотел сказать: отдай, не твое... Но не сказал. Медленно, словно смертельно уставший, заскрипел ступенями вниз. Кивнул на дверь:

— Ты не ходи туда. Незачем. Нет ее уже... И смотреть уже не на что. И прощаться не с кем.

Там, внутри, лишь мертвецы, понял Кирилл. Почти все, восставшие сегодня из болота. Затихшие, неопасные, утолившие голод. Он знал, *кем* утолившие. Не знал лишь, как теперь ему...

— Н-но... я... — начал было он и осекся. Так что, все отменяется? Кто здесь главнее — дьявол или Рябцев?

Тут же сзади подскочил Лихоедов, потянул из стиснутых пальцев топорик, приговаривая:

— Так это... давай сюда, пошто он теперь-то свои, чай, все кругом... А так пускай сходит, Петьла, пускай, большой уж парняха, привыкать пора...

Кирилл не сопротивлялся, обмотанная черной лентой рукоять выскользнула из потной ладони. Значит, он *свой*... Не испугался, выдержал испытание, и теперь — *свой*... Он доживет до рассвета, и он узнает всё... И наверное, поймет, что здешняя жизнь — правильная, не в деньге дело, просто правильная и настоящая, раз выбирают ее такие люди, как дьявол и Рябцев...

— Извини, парень, — сказал Рябцев, спустившись. Сказал с легким, но вполне искренним сожалением. — Я тебе зла не желал, да и теперь не желаю. Но так уж карта легла, что всем лучше будет...

Рябцев еще продолжал говорить прежним ровным тоном, а обрез уже взметнулся вверх, уставившись на Кирилла бездонными зрачками стволов, тот вскинул руку ладонью вперед, инстинктивным защитным жестом, и хотел завопить: «Не нада-а-а-а!!! За что???!!!», но из глотки вырвалось невнятное: «ни... за...», и в черной глубине дула расцвела ослепительная вспышка, и выплеснулась наружу перемешанным со свинцом огненным смерчем, и этот смерч подхватил Кирилла и унес далеко-далеко, к самому краю земли, к бездонной черной яме, и Кирилл падал в нее очень долго...

— Так что ж теперь... — Трофим Лихоедов разочарованно всплеснул руками над рухнувшим телом. — Так ведь сговорено всё ж было, Петьша! Как, стал быть, в избу зайдет, так окна-двери подпираем, — да и петуха! Куда ж я теперь его, без полголовы-то? А так бы в машину обоих пихнули — дескать, вмазались в столб на дороге, али в дерево, да и погорели, выбраться не успевши... Ну помучился б малёха, помираючи, — зато б всему обществу польза...

Он в сердцах пнул собственноручно изготовленную конструкцию — приколоченный к бревну щит из толстых неструганых досок.

— А я вот думаю: может, часом, и ты мертвец, Троша? — медленно сказал Рябцев. — С болота вылез, жижу смыл, рассвет перемучился как-то... Так и ходишь с тех пор, а живых вместо себя в землю норовишь...

Он задумчиво посмотрел на обрез, потом на Трофима, потом снова на обрез.

Лихоедов попятился. Знал: не тронет. *Своего*, какой ни есть, не тронет — а все одно не по себе стало... Шебутной мужик Петьша Рябцев, вечно жисть по-новому переделать норовит, да и другим кой-кому мозги́ замутил... То вот, значит, музыкой болото окружать надумал, чтоб орала на всю округу, мертвяков обратно гнала... А деньга на ту музыку откудова? Болото, оно ж хоть и глыбкое, а без ума черпать — поздно-рано дно покажет... Али деды глупей нас были? Не-е-е, Петьша, умней были они, пусть и жили, институтов не кончаючи... Как раскумекали, что к чему, чем за деньгу платить надобно, — так и сели тихо, не куролесили, мошной по городам не трясли, к чужим не совались и чужих не пускали... А нонче ему, Петьше, значит, «свежую кровь» подмешать засвербело, вы-рож-да-ем-ся, дескать, — а самого-то, небось, папашка со своей единокровной сестрой заделал, а как еще, коли с полуторадесяти семейств Загривье нонешнее послевоенное начиналось, — да тока три мужика с войны на все те семейства и уцелели; не полно́ родная сеструха, да и ладно, — и ничё, не выродился Петьша, институтов наканчал... Вот она ж, свежая кровушка твоя, — тута вот, на травке лежит.

с мозгами наружу, и дерьма штаны полные. Не нужно́ нам таких свежих кровей, нам как дедам бы, в родительский день до рассвету дожить, — да и ладно...

Рябцев ничего больше не сказал, сунул за пояс обрез, медленно пошагал к калитке. Без него закончат, не маленькие. Справятся...

— Так что, мужички? — обратился Трофим к остальным. — Давайте-ка, с богом... А то задует ветерок поутряни, искров на деревню нанесет... Стащите этого в избу, да и запалим...

...Рябцев шел по Загривью: плечи расправлены, походка пружинистая — но чувствовал себя старым, разбитым, ни на что не пригодным... И думал, что нынешний родительский день для него последний. Всё, укатали сивку здешние горки...

Он лишь не знал, КАК все произойдет.

Наберется ли он духу, перетаскает ли на болото все центнеры тротила, что скопил за два десятка лет, и вывезет ли на плотике на середину круглого озерца — притягивающего, как магнитом, молнии июньских гроз...

Или все же не решится, просто зайдет в один вечер в сарай, клацнет зубами по дулу обреза — точь-в-точь как отец тридцать лет назад, когда сплошал, и двух семей не стало... Ба-бах! — живите сами, как знаете...

Возле серо-кирпичного здания магазина Рябцев вдруг понял, что не перезарядил обрез. Да уж, укатали, укатали... Расслабился, стареет, видать... Не мешкая, вставил патроны.

И то ли от мысли, что мог вполне сейчас — считай, безоружный — на *последыша* напороться, то ли просто оттого, что у самых дверей лавки остановился, вспомнил: Матвей Левашов, первый электрик послевоенный, вообще лишь с хлебным ножом на работу ходил — с длинным, острым... Так и отработал-то всего-ничего: ножик, он только против живых хорош, а обрез для всякого сгодится.

Зарево, вставшее над домом Викентия Стружникова, было видно даже отсюда, с противоположного конца деревни. И к нему присоединилось другое, набухавшее над дальним лесом...

Но там ничего не горело — к Загривью приближался рассвет.

Конец

ПОСЛЕСЛОВИЕ АВТОРА

Меня часто спрашивают, — и хорошие знакомые, и не очень хорошие, и вообще не знакомые: Виктор, ты же умеешь (вы же умеете) неплохо писать, так зачем же пишешь (пишете) такую... — далее следует слово, градус экспрессии которого зависит от общей культуры спрашивающего. А также от степени нашего знакомства.

Зачем, зачем... Нравится!

Всё очень просто: когда с людьми — с простыми, с обычными людьми, не с облепленными мускулами суперменами и не с идеальными положительными героями, — происходит нечто кошмарное и запредельное, то все наносное и искусственное слетает, как шелуха с зерна. Остается *настоящее*. О нем и пишу.

Да, мы вот такие...

Неприглядно?! Даже отвратительно?!

Может, попробуем стать лучше?

Впрочем, я не о том...

Нет смысла объяснять задним числом идею книги: кто способен понять, уже понял. Кто не способен... И для вас что-нибудь найдется подходящее. Кровушки? Да хоть ведро! Тема сисек? Раскрыта полностью! Зомби, опять же, порой пробегают...

Но я снова не о том...

Так вот: большинство реалий романа взято из жизни — да-да, не удивляйтесь. Лиса на дороге, коробочка с зубами, часы с гирями, телефон «Алтай» и радиола «Ригонда», пластинка «на рёбрах» и т. д. и т. п. — видел, слушал, обонял, держал в руках... Странные моменты боевого пути ДНО-3 вполне соответствуют исторической действительности. Равно как и изыскания юной советской науки, касающиеся воскрешения мёртвых вообще, и главного мертвеца страны в частности, и прочих малоаппетитных вещей.

Лишь часть топонимов и имена всех персонажей — выдуманы. Все деревни с названием Загривье (а их немало на российских просторах) — не имеют к рассказанной истории отношения. Но фамилия мельком упомянутого профессора, воскрешавшего мёртвых, — Каммерер, — не дань модному ныне постмодернизму. Именно так и звали этого загадочного персонажа, действительно приехавшего в Советскую Россию, чтобы вернуть скорбящему мировому пролетариату его почившего вождя...

Что «вермахт» и «интернет» — имена собственные, мне известно. И если у кого-то возникли закономерные вопросы, отвечаю: пишу их с маленькой буквы по причинам, к правописанию никак не относящимся. Глагол «сграфоманить» — мой неологизм, имею, как автор, право...

Кое-кто из первых читателей этой книги (даже женщины, в кулинарных делах искушённые) задался вопросом: да что же такое сногсшибательное всё-таки можно было приготовить из головы мадам Брошкиной? Кроме самого заурядного студня?

Информирую: суп. Не простой, а лжечерепаховый: всё то же и всё так же, но вместо крупной черепахи — свиная голова. Достаточно сложный рецепт, приведенный в толстенной «Кулинарии» 1955 года издания (как раз тогда в советских магазинах начались перебои с крупными черепахами), — даже при чтении вызывает активное слюноотделение.

Попробовать, увы, не довелось — и лишь поэтому знаменитый суп не попал на страницы романа. Признаюсь, что исповедую принцип: надо знать то, о чем пишешь, — хотя заранее уверен, что отдельные эпизоды (например, опознание Кириллом старых боеприпасов), вызовут справедливые нарекания людей, хорошо знакомых с практической стороной дела. Но... Но есть правда жизни и правда литературы, не так ли? Даже фотоаппарат хоть немного, да искажает реальную картинку, и не стоит ждать большей точности от книги...

Что еще... Некоторые встающие перед героями загадки я не стал раскрывать специально. Частично из лени, частично — чтобы интереснее было. Да и читателю, опять же, приятно: герой, дескать, всё еще тычется слепым котенком, а я-то, а вот я-то всё уже понял, еще на тридцать седьмой странице! Это ведь не дерево, это злой крокодил! Спокойно, граждане, всё так и задумано.

И последнее.

Все не дожившие — до рассвета, до Победы ли, — чей покой, чью светлую память я невзначай потревожил...

Простите...

Спите *спокойно*.

ОГЛАВЛЕНИЕ

УИК-ЭНД С МЕРТВОЙ БЛОНДИНКОЙ 5

Глава I. Плохой мальчишка 6

Глава II. Прикладные аспекты хирургии
и патологоанатомии 20

Глава III. Прикладные аспекты органической
и неорганической химии 32

Глава IV. Сбагрил тело — гуляй смело 43

Глава V. Навзрыд рыдала кобыла́ 55

Глава VI. Шоу с переодеваниями и исчезновениями ... 67

Глава VII. Нету тела — нет и дела? 78

Глава VII. Что имеем — не храним,
потерявши — плачем 88

Глава IX. Топ, топ — топает мертвец 95

Эпилог без хеппи-энда 105

НОЧЬ НАКАНУНЕ ЮБИЛЕЯ САНКТ-ПЕТЕРБУРГА 109

РОДИТЕЛЬСКИЙ ДЕНЬ 159

Ключ первый. Что свершится в день грядущий 161

Ключ второй. Что вынашивается в утробе 195

Ключ третий. Не ведает душа, что стяжает завтра... 253

Ключ четвертый. Не ведает душа, где расстанется с телом 300

Ключ пятый. Когда пойдет дождь 347

Послесловие автора 411

Виктор Точинов

**УИК-ЭНД
С МЕРТВОЙ БЛОНДИНКОЙ**

Ведущий редактор *Г. Л. Корчагин*
Главный художник *П. А. Елохин*

Подписано к печати 01.04.2008. Гарнитура Школьная.
Формат 84 × 108 $^1/_{32}$. Объем 13 печ. л. Печать офсетная.
Тираж 3500 экз. Заказ № 8878.

*Налоговая льгота — общероссийский классификатор продукции
ОК-005-93, том 2 — 953000*

Издательство «Крылов».
Адрес для писем: 197110, Санкт-Петербург, а/я 131.

Отдел сбыта: тел. (812) 235-70-87, 235-61-37;
тел./факс (812) 714-68-46, 235-70-87.

E-mail:
sales@nprospect.sp.ru
kv@vkrylov.ru
mp@vkrylov.ru

http://www.vkrylov.ru

По вопросам размещения рекламы в книгах издательства «Крылов»
обращайтесь: тел.(812) 714-48-97, e-mail: ep@vkrylov.ru

Отпечатано по технологии CtP
в ОАО «Печатный двор» им. А. М. Горького.
197110, Санкт-Петербург, Чкаловский пр., 15.